P A I N F R E E

만성통증을 즉각 없애는 에고스큐 운동법

통증 없이 산다

피트 에고스큐, 로저 기틴스 지음
박성환, 한은희 옮김

HANEON.COM

만성통증을 즉각 없애는 에고스큐 운동법

통증 없이 산다

펴   냄   2006년 12월 5일 1판 1쇄 박음/ 2007년 6월 5일 1판 6쇄 펴냄

지 은 이   피트 에고스큐, 로저 기틴스

옮 긴 이   박성환, 한은희

펴 낸 이   김철종

펴 낸 곳   (주)한언

　　　　　등록번호 제1-128호 / 등록일자 1983. 9. 30

주   소   서울시 마포구 신수동 63-14 구 프라자 6층(우 121-854)

　　　　　TEL. 02-701-6616(대) / FAX. 02-701-4449

책임편집   박성희 shpark@haneon.com

디 자 인   최지안 jachoi@haneon.com

홈페이지   www.haneon.com

이 메 일   haneon@haneon.com

　　　　　이 책의 무단전재 및 복제를 금합니다.

　　　　　잘못 만들어진 책은 구입하신 서점에서 바꾸어 드립니다.

ISBN 89-5596-393-9 03510

만성통증을 즉자 없애는 에고스큐 운동법

●

통증 없이 산다

이 제 는 **통증 없이** 건강하게 삽시다.

Intro

만성통증을 없앨 수 있는

가장 쉬운 방법

이 책은 우리 몸에 관한 것이다. 우리는 키와 몸무게, 성별에 따라 각자 다른 몸을 가지고 있다. 하지만 '스스로 치유'하고 '통증을 완화하는 능력'은 누구에게나 있다. 이 두 가지는 내가 가장 강조하고 싶은 것이다. 이것을 통해 나는 행운을 자축하고 싶다. 당신도 이런 행운을 계속 유지할 수 있다.

통증 없이 살기 위해서는 우리 각자가 노력하고 연습해야 한다. 약이나 외과의사의 메스, 특별히 고안된 의자나 매트리스가 통증 없는 삶을 보장해주진 않는다. 우리 클리닉을 찾아오는 많은 사람들은 이런 사실을 알거나 곧 안다. 그들은 생활이 달라지고 기쁨과 건강을 회복한다. 그리고 그것을 영원히 잃어버리지 않을 것이다. 그들은 만성통증을 없애기 위해 다양한 방법을 찾았지만, 가장 쉬운 방법을 놓치고 있었다. 바로 내가 말하는 방법이다.

다음 장부터 그 방법을 소개할 것이다. 그것은 첨단 의약품이나 정교한 물리치료가 필요 없다. 특별한 기구를 사거나 전문가와 상의할 필요도 없다. 1장에서 3장까지는 건강하게 살기 위해, 우리 몸이 어떻게 설계되었는지 살펴볼 것이다. 몸의 불량정렬 때문에 통증이 생겼을 때에도 몸이 제 기능을 할 수 있게 해주면 쉽게 치료할 수 있다. 그런데 안타깝게도 많은 사람이 이런 가장 기본적인 특징조차 모르고 있다.

우리 몸에 대해 알아본 후에는 8개 장에 걸쳐 특정한 만성통증을 다룰 것이다. 발에서 시작해서 무릎, 엉덩이, 등, 어깨, 팔꿈치, 손목, 목, 머리 순서에 따라 각 장은 특정 부위에 통증이 있을 때 무슨 일이 벌어지는지를 간략하고 쉽게 설명하고 그 원인을 제거할 수 있는 운동을 제시했다. 우리 클리닉을 찾은 환자들은 이것을 '에고스큐 운동법'이라고 불렀다. 에고스큐 운동법은 따라하기 쉽고 효과가 크다. 나는 이 책을 읽는 사람들이 따라할 수 있게 각 동작을 자세히 설명하고 사진을 많이 실었다.

그 다음에는 인기 있는 스포츠와 여가 활동 때문에 생기는 만성통증에 대해 말했다. 그리고 마지막으로 결론 장에서는 만성통증이 사라지고 난 후에 하는 종합 컨디션 조절 운동을 제시했다.

이 책을 어떻게
사용해야 하는가?

    지금 이 책을 읽고 있는 사람은 통증이 있거나, 통증이 있었던 사람일 것이다. 우선 1장에서 3장까지의 내용을 꼼꼼히 읽어라. 각 장은 매우 값진 배경지식을 말해주기 때문이다. 몸의 구조대로 충분히 움직이지 않는 게 어떻게 만성통증을 유발하는지 말하고, 그것을 고치는 게 얼마나 쉬운지 설명할 것이다. 그 뒤의 장들은 빨리 넘기면서 박스 안의 내용을 중점적으로 봐라. 마지막으로 특정 상태에 집중하는 장이 나온다. 이 책의 모든 장을 정독하기 원하지만, 당신은 한시바삐 통증을 없애고 싶을 것이다. 만일 반드시 읽어야 할 장을 말하라고 하면, 나는 주저 없이 7장을 고를 것이다. 바로 엉덩이에 대해 다루는 장이다. 만성통증과 싸울 때 엉덩이 상태가 중심 역할을 하기 때문이다.

    이 책을 읽기만 해선 아무 소용이 없을 것이다. 정보를 얻는 것도 좋지만, 그것을 실천하는 게 훨씬 좋다. 이 책에서 선보인 운동을 따라 하면 95%는 성공한다. 나머지 5%는 시간이 없다는 이유로 운동을 제대로 하지 않은 경우다.

    이 책에 나오는 운동을 적극적으로 활용해라. 그것들은 단순해 보이지만, 정확하게 측정해서 만들어졌다. 그래서 여러 가지 이유로 다친 특정 근골격계 기능을 확실히 짚어준다. 운동 메뉴는 순서대로 배열했다. 특정한 통증의 구성요소를 집어주기 위함이다. 그러니 그 순서를 반드시 그대로 따라야 한다. 절대로 무작위로 선정해서 운동하지 말라. 만일 운동이 몸 한쪽에 대해서만 이야기하고 있더라도 반대쪽 몸 역시 똑같이 해라. 그렇게 하는 게 더 힘들거나 통증과 별 관계 없어 보이더라도 말이다.

목표를 설정하고 계획을 세워라. 이것은 매우 중요하다. 건강에 관한 문제라면 옛말이 틀림없다. '계획을 세우지 않는 것은 실패할 계획을 세우는 것이다.' 정확한 목적과 그것을 이루기 위한 전략을 세울 때까지는 일을 진행하지 않고 가족에게조차 말하지 않는 사람도 건강에 관해서는 다르게 반응한다. 바로 어떻게 해야 하는지 제대로 알지 모르는 상태에서 결정해버리는 것이다.

클리닉을 찾는 환자들에게 나는 이렇게 묻는다. "돈을 지불하는 대가로 무엇을 얻고 싶습니까?" 그러면 통증완화에서 체력 향상, 숙면에 이르기까지 다양한 대답이 나온다. 그러면 나는 내가 할 수 있는 게 무엇이고, 비용이 얼마나 들고, 얼마나 오래 걸리는지, 그리고 환자들이 무엇을 기대할 수 있는지를 말해준다.

가장 기본적인 질문은 이것이다. "왜 통증이 다시 생기는가?" 근골격계 기능장애를 치료하지 못하면, 통증완화는 일시적인 것에 불과하다. 아무도 아프기를 원하지 않는다. 그리고 아무도 아플 필요가 없다. 통증을 없애는 것은 그저 첫 번째 단계일 뿐이다. 다음 단계로 나아가지 않으면 근육은 몸의 구조를 위반하는 방식으로 움직이라고 뼈에게 명령할 것이다. 이게 바로 만성통증의 원인이다. 우리는 근골격계가 제대로 기능하도록 시간과 노력을 투자해야 한다. 정상적인 근골격계는 사치품이 아니라 필수품이다.

통증완화 :
게리의 예

　몇 년 전, 새로운 골프 시설이 마련된 값비싼 콘도에서 한 환자를 만났다. 내가 도착했을 때, 그는 아들의 부축을 받으면서 정문에 서 있었다. 그는 등이 너무 아파서 이번 골프시합을 포기하려고 한다고 했다. 나는 그럴 필요 없다고 말하며 몇 가지 운동을 알려주었다. 그는 그 말에 회의적이었지만, 예의를 갖추어 대했다. 그리고 아들과 함께 아파트로 돌아갔다. 그는 바로 잭 니클로스다. 이 글을 쓰고 있는 현재, 그는 42번째 전미(全美) 오픈 골프 선수권 대회(US Open)를 치르고 있다. 그는 그 대회에서 최고령 선수다. 그는 내가 일러준 대로 매일 운동한다. 나는 당신도 그렇게 하길 바란다.

　나와 잭이 만난지 얼마 되지 않았을 때, 그는 주요 경기마다 자기를 쫓아다니는 열렬한 팬을 발견했다. 그 사람은 심하게 절뚝거리고 있어서 금세 눈에 띄었다. 그는 항상 다리를 거의 끌다시피 하면서 경기를 보러 다음 홀로 이동하곤 했다. 잭은 그에게 내 전화번호를 알려주었다. 그가 바로 게리다. 그는 3년 전 발작을 일으키며 쓰러졌다고 한다. 그는 우리 클리닉에 오기 전에 발작 환자를 위한 치료 프로그램을 받았다. 하지만 그는 여전히 잘 걷지 못하고 몸의 균형을 잡기 힘들어했다. 그리고 팔을 잘 사용하지 못했다. 그렇게 그는 천천히 죽어가고 있었다. 그를 처음 봤을 때, 나는 발작이 뇌를 손상시켰다고 생각하는지 물었다. 그는 머뭇머뭇했다. 의사들이 자기 같은 사람들에게 어떤 진단을 내리는지 알고 있었기 때문이다. 하지만 몇 마디 격려의 말을 건네자 그는 뇌 손상은 없었다고 단호하게 말했다.

"근데 왜 움직이지 못할까요?" 내가 물었다. 그는 어깨를 으쓱거릴 뿐 아무 대답도 하지 않았다. 나는 발작에 대해선 생각하지 말고, 우선 해야 할 일에 집중하라고 그에게 말했다. 우선 해야 할 일이란 잃어버린 근골격계 기능을 회복하는 것이다. 나는 몇 가지 운동을 그에게 하라고 시켰다. 바로 등 고정하기, 무릎 사이에 베개 끼기, 격리된 엉덩이 굽힘근 들어올리기(모두 책에 나와 있다)다. 그는 금세 잘 걸을 수 있었다. 다음날, 그의 손이 발작 환자에게서 볼 수 있는 집게 손 모양으로 쥐어져 있는 것을 보았다.

"손을 펴보세요." 내가 말했다.

"못해요. 몇 년간 펴지지 않았어요."

나는 그의 팔을 가볍게 잡고 머리 위로 올렸다. "이제 손을 펴보세요." 그러자 게리가 손을 폈다.

아직 해야 할 일이 많았지만, 어쨌든 게리는 해냈다. '불변하는' 발작 후 증상을 바꾼 것이다.

이 이야기의 요점, 그리고 이 책의 요점은 '불변하는' 문제를 해결할 수 있다는 것이다. 그러기 위해서는 나이가 들고, 사고가 나고, 병이 들면 통증이 어쩔 수 없이 생긴다는 생각부터 떨쳐야 한다.

CONTENTS

INTRO 만성통증을 없앨 수 있는 가장 쉬운 방법

1.

만성통증 :

고대의 메시지를

무시하지 말라

의사들은 내가 의식이 없다고 생각했다. 하긴 베트남 전쟁에서 부상을 당해서 실려 온 사람들로 넘쳐 나는 병원에서도 중환자 병동에 있었으니 그렇게 생각하는 게 절대 무리는 아니었을 것이다. 의사들이 내 옆에 있는 침대 앞에 멈춰 섰다. 거기에는 복부에 심한 총상을 입고 후송된 함장이 끙끙거리고 있었다. 그는 너무 아파서 아무 말도 못했고, 심지어 잠을 잘 수도 없었다. 그는 고통에 절은 신음 소리만을 계속해서 내뱉었고, 그 소리는 심장 모니터에서 나는 소리 때문에

잠깐씩 끊겨 들렸다.

의사들은 함장의 진료기록을 보고 널찍한 상처 부위를 잠깐 살폈다. 한 의사가 물었다. "살 수 있을까요?" 진료기록을 클립보드에 도로 끼워 넣는 소리가 들렸다. 나는 머리를 돌려 내 얘기를 하는 것인지 확인하고 싶었다. 하지만 도저히 그럴 수 없었다. 몸에 수많은 호스가 꽂혀 있는데다 엄청 아팠기 때문이다.

다른 의사가 대답했다. "낫거나 죽거나 둘 중 하나겠죠." 그 말투가 얼마나 무미건조했던지 나는 여태껏 그 의사가 어깨를 으쓱하며 대답하던 모습을 떠올릴 수 있다.

2~3일 후 그 함장은 숨을 거두었다. 나는 그에 대해, 그리고 의사가 했던 말에 대해 거의 30년 넘게 생각해왔다. 의사가 했던 말은 그때나 지금이나 여전히 충격적이다. 그 안에 너무 심오한 진실을 담고 있기 때문이다. 의식을 했든 그렇지 않든, 그는 우리 몸에는 고유의 내적인 논리, 메커니즘, 목적이 있어서 현대 의학기술로도 어쩔 수 없는 순간이 있다는 것을 알고 있었던 것이다. 모든 기계 장치, 의사의 탁월한 재능, 항생제나 진통제를 죄다 동원한다고 해도, 병이 낫거나 아니면 죽거나 둘 중 하나다.

이것은 운명론이나 맹목적인 믿음, 자포자기적인 생각에서 나온 말이 아니다. 오히려 우리 몸이 (의학적인 기술이나 노하우와 같은 외부의 개입 없이도) 건강과 생명을 유지할 수 있는 능력을 가졌다는 것을 확신하며 찬사를 아끼지 않는 것이다. 함장이 고통스러워하는 것을 보면서 그 의사는 스스로 한계에 부딪혔을 것이다. 그 덕분에 나는 왜 낫지 않으면 죽을 수밖에 없는지를 이해할 수 있게 되었다. 나는 해군 장교로 복귀하기 위해 오랫동안 재활치료를 받는 과정에서 운동치료사라는 직업을 선택했다. 나는 경험을 통해 우리 몸이 삶에서 죽음으로 가는 궁극적인 전환과정을 지배할 뿐만 아니라 건강과 치료라고 부르는 과정을 감당하고 있다는 것을 배웠다.

가히 예술의 경지라고 할 만한 오늘날의 만성통증 치료법은 이런 교훈을 도외시하고 있다. 엉덩이와 무릎을 바꾸고, 등을 융합하고 보호대를 채우고, 환자들에게 처방전을 주며 편하게 생각하라고 말하는 산업이 발달했을 정도다. 그 의사의 말은 최근에 이렇게 바뀐 셈이다. '의사가 하는 일은 당신을 건강하게 하거나 죽게 하거나 둘 중 하나다.' 과학 기술이나 기교가 건강을 유지하고 치유를 담당하는 몸의 고유한 역할을 침범하고 있다. 이것은 비극이다. 몸이 우리를 건강하게 만드는 지휘자 역할을 하지 못한다면, 건강을 유지하거나 치유하는 일은 있을 수 없기 때문이다.

몸을
재발견해야 한다

건강을 지휘하는 역할은 몸의 구조가 지극히 단순하고 강하다는 사실에서 시작한다. 몸의 기초와 기본 골격은 근골격계로, 이는 근육과 관절, 뼈, 신경으로 이루어진다. 내가 여기에 신경을 포함시킨 이유는 신경 조직이 근골격계와 겹쳐 있고, 그것과 합쳐져서 기능하기 때문이다. 모든 구성 요소 간의 상호작용은 매우 정교하고 대단히 복잡하며 목적과 재료에 완벽하게 맞아 떨어진다. 이처럼 완벽한 상호작용을 다르게 배치하려는 것은 그 의도가 아무리 좋았던들 결국엔

17

좋지 않은 결과를 가져올 것이다. 그런데도 급진적이고 공격적인 방법으로 만성통증을 치료하는 일이 점점 빈번하게 일어나고 있다. 이런 치료는 몸의 구조를 재구성해야 하는 도전의 대상으로 보는 것이다. 그 결과 우리는 심장이 뛰고 폐에 공기가 차 있는 것, 두 다리로서 있고 머리를 높이 세우는 것이 건강이나 생명과 아무 관계없다고 생각한다. 그리고 손을 뻗고 손가락을 구부리는 것, 걷거나 뛰고 몸을 꼬거나 돌릴 수 있는 것과 건강이 아무 상관없다고 치부한다. 이런 생각을 흔히들 하고, 항상 다른 방법이나 더 나은 방법이 있을 거라고 말한다.

그렇다면 왜 이런 방법들로도 만성통증을 없앨 수 없을까? 나는 통증을 없애기 위해선 몸을 재설계하는 게 아니라 재발견해야 한다고 절대적으로 믿는다. 몸의 구조를 재발견해서 몸이 원래 목적대로 일하면, 몸을 제대로 움직이지 못해서 생기는 경제적·신체적 고통을 되돌리고 예방할 수 있다. 어쩔 수 없이 몇 가지 기본적인 해부학적 지식을 다루긴 하겠지만, 우선은 실제적인 연습에 기초한 상식적인 내용을 이야기하려고 한다. 분명히 말하지만, 지나치게 전문적인 내용을 다루지는 않을 것이다. 일단, 왜 몸이 종종 통증을 이용해서 중요한 목적을 달성하는지 살펴보도록 하자.

근골격계에 만성통증이 있다면, 그것은 우리 몸이 매우 중요한 사실을 말하고 있는 것이다. 그것은 바로 위험이 임박했다는 경고다. 통증은 '일어나지 말아야 할 일이 일어나고 있음'을 말하는 것이다. 그게 어떤 일인지 알아내는 것은 우리 몫이다. 그런데 문제가 있다. 그 일을 고치기 위해 잘못된 부분을 찾으려고 한다는 것이다. 하지만 성공할 여지는 그리 많지 않다. 사람들이 가장 많이 치료하고자 하는 부분은 근육이다. 근육은 관절을 조정해서 뼈를 움직인다. 이런 요소는 치료의 초점이 되고, 치료는 가능한 한 근육과 뼈에 관련된 움직임을 줄여주거나 조정하는 방식으로 이루어진다. 어쨌든 통증은 사라지는 게 아니냐고 생각할 수 있겠지만, 사실은 그렇지 않다. 만성 통증은 없애기 힘들기 때문에 만성이라고 부르는 것이다. 통증은 나타났다 사라지고, 사라졌다 다시 나타나는 것이다. 몸이 보내고 있는 메시지는 사람들이 받았다고 생각하는 메시지의 내용과 다르다.

문제는 몸이 제대로 움직이지 않는다는 것이다. 인간은 왜 존재하는가? 이 질문은 인류에게는 영원히 풀기 어려운 문제겠지만, 근골격계 관점에서 인간의 신체를 살펴보면 이에 대한 답이 금방 튀어나온다. 바로 인간은 움직이기 위해 존재한다는 것이다. 인간의 몸은 움직이는 기계와 같다. 이것은 지레 역할을 하는 뼈와 도르래 역할을 하는 근육을 보면 명백해진다. 뼈와 근육은 몸무게의 60%에 해당한다. 인간이 아무리 고차원적인 목적을 가지고 있더라도 그것을 성취하기 위해서는 두 손을 번갈아 흔들거나 한 발을 다른 발 앞에 놓는 등의 움직임이 필요하다. 그렇다면 논리적으로 생각해볼 때 몸의 움직임을 제한하거나 막는 메시지가 이치에 맞는 것일까? 그렇지 않을 것이다. 인류가 생긴 지 3백만 년이 지난 지금에서야 갑자기 사람들이 근육이나 뼈를 움직일 수 없게 되었다면, 아니면 간신히 움직일 수 있다면 과연 그게 맞는 일일까?

물론 그렇지 않다. 그러나 사람들은 통증을 극단적으로 싫어하는 데다 몸이 주는 메시지가 다급해 보이지 않으면 큰 주의를 기울이지 않는다. 결국 이런 태도는 건강을 지키고 통증 없이 살게 해주는 몸의 메커니즘 자체에 대한 전면적인 공격을 초래하는 것이다. 만일 관절이나 뼈, 근육에서 통증이 느껴지면 그 부분이 병들었다고 생각할 것이다. 물론 실제로 그 부분이 너무 오래 되고 낡고 부서지고 남용되었다는 신호일 수도 있다. 하지만 설령 그렇다고 하더라도 통증을 일으킨 조건 자체는 특정한 부위에 대한 수술이나 치료로 해결할 수 없다. 몸의 움직임을 대신할 수 있는 인공적인 대체물은 없다. 움직임은 몸이 작용하고 전체적인 건강을 유지하는 데 꼭 필요한 것이다.

몸을 움직이는 것은
반응이자 선택이다

인간은 자연의 외부적인 힘에 의해 움직이지 않는 얼마 되지 않는 생명체 중 하나다. 우리는 조수에 떠내려가거나 공기의 흐름을 따라가거나 다른 생명체에 얹혀서 흘러가는 일이 없다. 우리는 움직이거나 아니면 죽을 수밖에 없다. 따라서 우리가 움직일 때 사용하는 도구와 방법은 자연에 의해 쉽게 파괴되지 않게끔 만들어진 것이라고 할 수 있다. 거북이는 몸을 숨기거나 외부 공격이나 압력에 견딜 수 있는 딱딱한 등껍질을 가졌다. 우리는 자라고 걷고 뛰고 움직이고 고통을 견디기 위해 질긴 근육과 강건한 뼈, 유연한 관절을 가지고 있다. 그런데 뼈는 근육이 시키는 일만 한다. 근육은 뇌에서 내린 명령을 신경을 통해 받는다. 이런 명령체계는 앞에서 말했던 좀더 높은 목적을 성취하기 위한 첫 번째 단계다. 인간을 인간답게 하는 것은 자기 의지대로 움직일 수 있기 때문만은 아니다. 뇌가 주변에서 일어나는 일들에 반응을 보인다는 사실 때문만도 아니다. 인간은 본능 이상의 무언가를 가졌다. 인간은 무엇을 선택하기 전에 충분히 평가하고 깊이 생각한다. 외부 자극에 대해 반응을 보이는 것은 우리 몸이 계속 살고, 계속 움직일 수 있게 해주는 것이다. 많이 움직일수록 움직일 수 있는 능력이 더 많이 생긴다.

태아가 자궁 안에서 처음으로 발길질을 하고 움직이는 순간부터 인간은 계속해서 몸을 움직여 환경에 반응한다. 최소한 환경이 자극을 주는 한 말이다. 근골격계를 움직이게 하려면 뇌가 외부의 자극을 받아야 한다. 하지만 오늘날 태아는 움직임에 대한 요구가 점점 더 줄어드는 환경에 노출된다. 이렇게 자극이 부족하다는 것은 우리에게 영향을 끼친다. 우리가 젊든 그렇지 않든 말이다. 조상들과 달리 오늘날 우리는 그다지 움직이지 않는 것 같다. 오늘날 움직임은 단순히 선택사양에 불과한 것 같다. 더 이상 일을 하면서 주요한 근골격계 기능을 사용할 필요가 없다. 놀이를 할 때 역시 마찬가지다. 생화학적 패러다임이 거꾸로 가고 있다. 우리는 점점 덜 움직이고, 이에 따라 움직일 수 있는 능력이 점점 더 줄어든다.

무통 증상을 인식하는 법을 배우자

통증의 기능은 오직 하나다. 바로 우리들에게 위험을 경고하는 것이다. 만성통증은 우리가 약하다는 것이나 살아가는 데 필요한 물리적 요구를 감당할 능력이 우리에게 없다는 것을 의미하지 않는다.

다만 민첩한 활동이 거의 없다고 경고하는 것이다. 이제 우리는 더이상 충분히 걷거나 뛰지 않고, 활동 집약적인 환경에 반응하지 않는다. 우리 몸이 기능장애 상태에 빠졌다는 것이고, 더 이상 활동을 통해 충전하지 못한다는 것이다. 이것은 내가 직접 환자들을 치료하면서 내린 결론이다. 우리 몸은 우리가 기능장애를 겪고 있다는 것을 말해주기 위해 통증을 일으키는 것 외에 다른 방법을 사용하기도 한다. 바로 움직임이 부족하다는 것을 알려주는 것이다. 즉, 몸이 뻣뻣해지고 둔해지고 다치기 시작한다. 무릎과 발이 바깥쪽으로 향하고, 어깨가 안으로 굽는다. 엉덩이가 뒤틀어지기도 한다.

헬렌을 예로 들어보자. 헬렌은 왜 자꾸만 균형을 잃는지 알기 위해 캐나다에서 찾아왔다. 그녀는 계단에서 구르고, 의자에서 일어나면서 고꾸라지곤 했다. 걸을 때에도 무언가에 발이 살짝 걸리거나 방향을 바꾸려고 하면 힘없이 넘어졌다. 다행히 큰 상처를 입지는 않았고, 기껏해야 멍이 드는 정도였다. 하지만 그녀는 도대체 무엇이 문제인지 알고 싶었다. 귀 안쪽에 문제가 생긴 것일까? 시력이 좋지 않아서일까? 아니면 몸이 허약해진 것일까? 나는 그녀와 얼마간 대화를 나누었다. 퇴직하고 나서 그녀는 주로 독서와 영화감상을 하며 시간을 보냈다고 했다. 그게 바로 문제였다. 그것들은 모두 움직임이 없는 일이다.

헬렌은 방에 들어앉아 좋아하는 작가의 책을 읽거나 좋아하는 배우가 나오는 영화를 보며 오랜 시간을 보냈다. 그동안 그녀의 움직임은 절대적으로 부족해졌다. 그리고 그 결과, 균형을 담당하는 근육이 더 이상 역할을 해내지 못할 만큼 약해졌다. 그녀는 똑바로 걸을 수 없었고, 이동할 때 무의식적으로 벽이나 가구를 손으로 짚었다. 게다가 허리에 통증이 생겼다. 하지만 중요한 자세를 교정하고, 걸을 때 사용되는 몇 가지 근육에 의도적인 자극을 주는 치료를 받은 후 그녀는 똑바로 걸을 수 있었고, 허리 통증으로부터도 해방될 수 있었다.

기능장애란 무엇인가?

기능장애에 대해 쉽게 말하면 다음과 같다. 목의 기능 중 하나는 머리를 왼쪽과 오른쪽으로 180° 돌릴 수 있게 해주는 것이다. 그런데 이렇게 움직이는 게 불가능하고, 다른 일상적인 움직임이 불가능한 경우를 기능장애라고 한다.

열 있는 사람의 얼굴빛이 붉은 것처럼, 몸 역시 건강이 좋지 않거나 기능장애 상태를 보여주는 증상을 공공연히 나타낸다. 이런 증상이 나타나면 우리는 스스로 문제를 해결하려고 하기도 한다. 하지만 실제로 우리는 몸이 주는 메시지를 너무 자주 무시한다. 진통제를 먹거나 수술을 하고, 인체공학적 완화제를 사용하면서 몸이 주는 메시지를 지우고 있다. 우리 몸을 인공적인 기준과 절차에 순응시키려고 하는 것이다.

나는 스물두 살 때 처음으로 통증을 경험했다. 나는 대학 풋볼선수로 활동을 하기도 했고, 건설현장 인부로 일하기도 했으며, 해군에서 전투훈련을 넉넉히 이겨낼 정도로 건강했다. 그런데 전쟁터에서 총상을 입고 난 후에 끊임없이 통증에 시달렸고, 순식간에 무능력한 상태로 굴러 떨어졌다. 그 과정은 급속도로 진행되었다. 나는 총상을 입은 그 순간부터 다른 사람이 되었다. 나는 그것을 분명히 느낄 수 있었다. 거울을 보면서 똑바로 서고, 신발끈을 묶는 것과 같은 간단한 행동을 전에 어떻게 할 수 있었는지 기억해내려고 부단히 노력했다. 하지만 더 이상 예전처럼 그렇게 할 수 없었고, 움직이는 모습조차 예전과는 많이 달라 보였다. 실제로 내 몸은 예전과 다르게 움직였다. 머리에 입력되는 움직임과 그 결과로 나오는 움직임이 달랐다. 다행히 예전의 움직임에 대한 기억이 머릿속에 생생하게 남아 있었고, 회복기간 내내 그 기억 속의 움직임을 복구하고자 무진장 애썼다. 치료가 진행되면서 점점 예전의 움직임을 되찾고 몸의 기능을 회복했다. 나는 이런 과정을 겪으면서 우리 몸이 표준 구조를 가지고 있다는 것을 깨달았다. 내가 통증을 느끼고 제대로 움직일 수 없었던 것은 몸이 그 표준 구조에서 벗어났기 때문이었다.

그 후 나는 부상을 당한 군인들에게 이런 깨달음을 가르쳐주었다. 그리고 약이나 수술로 통증을 해결할 수 없어서 우리 클리닉을 찾는 환자들에게도 알려주었다. 나는 분명히 말할 수 있다. 통증에서 벗어나기 위해서는 우선 우리 몸의 원형(原型)을 재발견해야 한다.

 ## 에고스큐 운동법의 세 가지 기초

(에고스큐 운동법 *Egoscue Method* : 저자의 이름을 딴 치료법)

1. 몸의 구조 재발견하기
2. 원래 기능 복구하기
3. 건강 회복하기

척추의 생김새는
인간을 인간으로 만든다

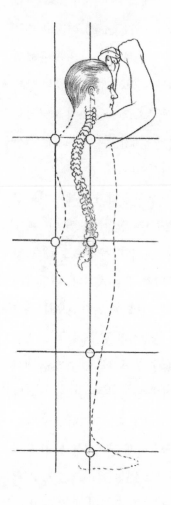

근골격계에서 우선 눈에 들어오는 구성 요소는 근육과 관절과 뼈와 신경이다. 이런 요소의 결합체 안에는 딱딱한 조직과 부드러운 조직이 함께 있다. 그리고 딱딱하면서 부드럽고, 푹신하지만 탄력성이 있으며, 단단하면서 유연성을 지닌 조직도 있다. 바로 연골이나 힘줄, 인대의 경우가 그렇다.

우리 관절과 뼈와 신경의 배열은 어류나 조류를 비롯한 다른 척추동물과 다르다. 물론 우리도 다른 척추동물처럼 척추가 중심부에 있지만, 우리 척추는 늘어난 S자 모양이고, 이런 점에서 유인원을 제외한 다른 척추동물과 구별된다. 사람은 S자 모양의 척추 탓에 두 발로 똑바로 설 수 있고, 움직일 때 척추까지 움직일 수 있는 것이다. 몸을 앞뒤로 구부리고, 좌우로 돌리고, 쭉 뻗고, 흔들거나 춤을 출 때, 이런 S자 모양의 척추는 움직임과 밀접하게 관련된다.

그림 1-1
격자 내의 S 곡선 척추

척추의 S 곡선은 수직선과 수평선이 나란히 늘어서는 것과 직각에 기초한 기하학적 구조의 중심부에 위치한다. 이 선들은 몸의 각 측면에 4개(어깨, 엉덩이, 무릎, 발목)씩 총 8개의 관절에서 교차한다. 나는 이 관절들을 '하중 축받이 관절(load-bearing joints)'이라고 부른다. 뼈대를 에워싼 뼈대를 떠올려봐라. 수직선과 수평선을 사용해서 그려내는 것이다. 팔, 흉곽, 골반대, 다리는 완벽하게 균형 잡힌 상부구조(몸통)에 의존한다. 옆에서 보면 상부구조는 가운데에 S 곡선을 가진 3D 격자와 유사하다. 다만 수평선이 2개가 아니라 4개다(그림 1-1). 수직선과 수평선이 교차하는 점은 직각이다.

아주 잘 짜여진 건축 비계(높은 곳에서 공사를 할 수 있게 임시로 설치한 가설물. 건축 현장에서는 '아시바'로 통함)를 상상해보면 이 '뼈대를 에워싼 뼈대'의 개념을 이해하기 쉬울 것이다. 수평으로 대는 철제 봉이 없다면 나머지 구조물은 모두 무너져 내릴 것이다. 마찬가지로 우리 몸에 이 수평선이 없다면 우리는 아마 항상 안전모를 쓰고 다녀야 할 것이다. 건축 현장에 있는 비계 장치의 경우, 죔쇠로 철제 봉들을 단단히 조여 각각 직각을 유지할 수 있게 한다. 우리 몸에서 죔쇠의 기능을 맡는 것은 바로 인대다. 인대는 관절 가운데를 통과하여 뼈와 뼈를 잇는 역할을 하는 질긴 띠 조직이다. 그러나 구조물을 똑바로 세우는 게 전부는 아니다. 건축물의 비계 장치와는 달리 우리 몸은 부드럽게 움직일 수 있어야 한다. 기고 걷고 달리고 오르고 뛰어 오를 때, 앞으로 뒤로 옆으로 사선으로 모두 움직일 수 있어야 한다는 말이다.

근육 행동 기준
(SMP : Standard Muscle Procedure)

특정한 근육은 조이고 푸는 것을 통해 특정한 뼈를 움직인다. 근육은 평행선과 직각으로 이루어진 구조 안에서 임무를 수행하고, 이 근골격계는 환경의 자극과 연계해서 기능한다. 외부 자극은 신경계에 의해 내부 반응으로 변환한다. 예를 들어, 내가 멀리 있는 친구에게 손을 흔든다고 하자. 이 경우 자극과 반응이 있다. 만일 내가 친구를 보지 않았다면 손을 흔들지 않았을 것이다. 그리고 만일 내가 무인도에 혼자 있다면, 손을 흔들지 않았을 것이다. 결국 손을 흔드는 행위에 대한 기억과 손을 흔들기 위해 사용하는 근육은 모두 쇠퇴할 것이다.

🖫 근골격계는 규칙적으로 근육을 사용해야 그 기능을 유지할 수 있다. ♪

근골격계를 사용하는 것은 외부 자극과 관계가 있다. 외부 자극은 근골격계나 몸의 다른 체계에 지극히 큰 영향을 미친다. 신경조직은 분명한 이유가 있을 때에만 근육에게 뼈를 움직이라고 신호를 보낸다. 그 이유 중 가장 역사가 깊고, 가장 최근에도 빈번히 나타나는 것은 배고픔이다. 배고픈 선사시대 사람들은 먹을 것을 얻기 위해 언덕을 오르락내리락하거나 맹수를 피하기 위해 달려야 했고, 열매를 따먹기 위해 나무에 올라가야 했다. 결과적으로 음식을 확보하기 위해 움직인 것이 몸의 기능을 발전시킨 주요 원인이 되었다.

선사시대 사람들은 호랑이를 잡기 위해 몸을 노련하게 숨겨야 했고, 빠르고 강해야 했다. 지금까지 세상은 인간에게 물리적인 자극을 대단히 많이 주었다. 세상은 마치 매우 높은 산과 산불, 굶주린 맹수, 길 없는 사막, 무서운 파도가 있는 장애물 훈련장과 같다. 우리 조상들은 이런 장애물을 대하면서 환경이 주는 자극에 대한 생체역학적 반응과 생화학적 반응을 꾸준히 발전시켰다. 오늘날 우리가 가진 근골격계는 이런 환경의 자극을 지속적으로 반영한 결과다. 이것은 우리가 움직이는 모습을 보면 알 수 있다. 물론 몸이 완전히 기능할 때의 모습 말이다. 이것은 환경이 뼈와 근육을 만들고 다듬었기 때문이다. 우리는 고대의 몸을 가지고 현대를 살아가야 한다. 그렇다고 근골격계가 약해지거나 퇴화했다는 말이 아니다. 오히려 우리 몸은 고문에 가까운 성능시험을 300년 동안이나 견뎌온 것이다.

나는 주위에서 근골격계 기능장애를 가진 사람들을 수없이 많이 본다. 그 기능장애는 몸의 구조가 나란히 늘어서지 못하고 한 곳으로 모이거나 일탈되는 형태로 나타난다. 골격 속의 골격이 기울어진 경우 역시 마찬가지다. 비계가 아래로 처지기도 한다. 상호작용하고 같은 평면에서 움직여야 하는 머리, 어깨, 엉덩이, 무릎, 발목은 앞으로 나가거나, 구부러지거나, 돌아가거나(또는 왼쪽에서 오른쪽으로, 오른쪽에서 왼쪽으로 올라갔거나), 옆으로 틀어지거나, 바깥쪽으로 뒤집어진다. 뼈와 근육은 중력에 저항하고, 결국 중력이 이긴다. 한편, 척추의 S 곡선은 허리와 목, 가슴의 곡선이 없는 I나 뒤집혀진 J 혹은 C 모양으로 보일 때까지 밀리고 당겨지고 압축된다. 우리 클리닉을 찾는 환자들은 대부분 이런 문제를 가지고 있다. 그리고 사실 이런 문제를 가진 사람들은 어디에서나 볼 수 있다.

문명화 탓에 생긴
질병들

만성적인 근골격계 통증을 앓는 미국인은 약 3,500만 명으로 추정된다. 그리고 미국 내 성인 3명 중 2명은 적어도 한 번 허리를 다친 적이 있다. 유럽이나 아시아 국가들의 경우에는 어떨지 모르겠지만, 이들 국가 역시 문제가 심각할 것 같다. 아무튼 이런 수치들은 우리 몸이 환경에 얼마나 잘 적응하는지 확인시켜준다.

호모 사피엔스는 주위 환경에 잘 적응했고, 그래서 살아남을 수 있었다. 인류가 발전했을 때의 주위 환경은 어땠을까? 이 질문에 대해선 아직까지 과학자들의 의견이 분분하다. 비과학적인 의견들이 제기되기도 하는데, 나는 흰 대리석 한 덩어리와 관련된 설명이 특히 재미있다. 미켈란젤로의 다비드상은 수천 년 동안의 인간 움직임을 예술적으로 구현한 작품이다. 다비드상이 미켈란젤로가 주위에서 실제로 본 근육을 나타낸 것이라고 가정한다면, 그것은 15세기 전 삶의 환경이 어떠한지를 드러내고 있다. 다윗과 그의 조상들이 살았던 거칠기 짝이 없는 환경이 다윗의 몸을 거인 골리앗을 죽일 수 있을 만한 기계처럼 만들어놓았다. 다비드상은 거의 신처럼 보이는 인간을 묘사했다. 르네상스 시대의 천재인 미켈란젤로는 사람이 하나의 종(種)으로 성공한 비밀을 다비드상의 어깨와 완만한 등, 튼튼한 엉덩이, 건장한 넓적다리에 담았다. 인간은 움직임을 통해 강해지고 현명해지며 탁월해진다.

다윗의 이두박근은 인간이 환경에 적응하는 방법을 반영하는 것이다. 맹수들로부터 양떼를 지키기 위해서 그들에게 치명타를 가할

2 3

만한 힘을 가지고 정확하게 돌을 던져야 했을 것이다. 마찬가지로 근골격계 기능장애 역시 인간이 환경에 적응한 결과다. 현대의 환경은 우리 몸에 잠재해 있는 생체역학적 반응을 이끌어내지 못하고, 적응이라는 과정을 통해서 근골격계가 가진 기존의 프로그램을 와해시키거나 엉성한 방식으로 프로그램을 다시 만들고 있다.

1968년, 미생물학자였던 르네 뒤보스René Dubos는 퓰리처상(미국의 언론인 퓰리처의 유산으로 제정된 언론·문학상)을 수상한《인간이란 동물So human an animal》에서 우리 몸에 있는 기존의 프로그램을 버리고 새로운 프로그램을 만드는 것이 항상 유익한 것은 아니라고 지적했다. '인간의 삶 전체에 걸쳐 평가해볼 때, 이런 적응을 통해 만들어진 메커니즘은 때로 실패한 것일 수도 있다. 치료의 효과를 지연시키는 결과를 가져오기도 하기 때문이다.' 40여 년 전, 뒤보스는 인류와 우리를 만든 자연의 힘이 제대로 상호교류하지 못하는 경우가 있다는 것을 주목한 것이다. 그는 폭력이나 스트레스와 같은 '문명화 탓에 생긴 질병들'은 인간이 환경적 요인들에 반응한 결과라고 결론 내렸다. 인간은 현대의 환경에 적응한 것처럼 보이지만, 사실 심각할 정도로 해로운 결과를 겪고 있는 것이다.

근골격계는 정상적으로 기능하는 상태에서 치료가 필요한 상태가 되기까지 두 단계를 거친다. 첫 번째 단계에선 우선 몸이 사용하지 않는 기관을 폐쇄한다. 지금껏 인류가 경험해온 것처럼, 희소성 있는 환경에서는 뭐든 지나친 것은 생존을 위협하고 귀중한 자원을 고갈시킨다. 이게 바로 사용하지 않는 기관을 폐쇄하는 이유다. 따라서 규칙적으로 근육을 자극하지 않으면, 근육은 그 고유의 기능을 다시 필요로 할 때까지 계속 퇴화할 것이다. 두 번째 단계에선 몸이 환경에 순전히 적응한다. 누구나 몸을 구부리고 계단을 오르내리고 무거운 물건을 들 때가 있다. 이런 일들을 하기 위해서는 근육으로 뼈를 움직여야 한다. 이때 원래 이 일을 담당해야 할 근육에게 그럴 만한 능력이 없다는 것을 알아차리면 몸은 다른 근육을 '빌려서' 일한다. 일단 반드시 움직여야 한다는 것을 안 몸은 자세근(postural muscles, 머리와 상체의 자세를 유지시켜 팔을 자유롭게 움직일 수 있게 하는 근육)이 퇴화하지 않았으면 해야 할 일을 주위에 있는 근육들에게 시킨다. 즉, 우리 몸은 살아남기 위해 임시변통하거나 적응하는 것이다.

다음의 세 가지 단어들이 서로 어떻게 관련을 맺고 있는지 알 수 있는가?

1. 자극(Stimulation)
2. 적응(Adaptation)
3. 임시변통(Improvisation)

서로 연결되어 있던 부분이 '어긋나면서' 임시변통으로 빌려온 근육이 주요 근육이 해야 하는 일을 대신할 때, 우리 몸은 평행선과 수직선의 상태를 잃는다. 자기 고유의 일을 하면서 자세근의 일까지 담당하기에는 주위에 있는 근육의 힘과 구조적 역량이 부족하다. 게다가 주위의 근육은 더해진 일을 감당하지 못할 뿐 아니라 본연의 기능도 하지 못할 것이다. 기능장애는 더 많은 기능장애를 초래한다. 몸은 어떻게 해서든 뼈를 움직여야 한다는 것을 알기에 대체 근육과 내가 '보상근(compensating muscles)'이라고 부르는 근육의 미묘한 결합을 찾기 위해 점점 정상적인 상태에서 벗어난다.

우리 클리닉을 찾는 사람들은 대부분 상 흉배부(upper thoracic back) 근육을 사용해 엎드리고, 배 근육(abdominal muscles)을 사용해 걸으려고 한다. 다알라도 그중 한 명이었다. 그녀에게 숨을 크게 쉬어 보라고 했을 때, 몸집이 작은 그녀의 배는 거의 움직이지 않았다. 배 근육은 수축되어 있었고, 그녀가 걸을 때 왼쪽 팔은 거의 흔들리지 않았다. 이 두 가지 증상은 엉덩이와 등의 위쪽에 기능장애가 있을 때 나타나는 대표적인 증상이다. 배 근육은 척추의 안정 장치이자 몸통 측면과 몸의 회전을 담당하는 근육이다. 그리고 자세를 유지해주는 보조 근육이다. 하지만 다알라는 배 근육을 자세를 유지하고 다리를 움직이는 주요 근육으로 사용하고 있었다. 그러는 동안 약한 배 근육과 엉덩이 근육을 대신해서 등 위쪽 근육이 단단해지고 근육 수축이 일어난 것이다. 건물의 기초가 흔들리면 건물 윗부분의 안정을 보장하기 위해 버팀목을 대는 것과 같은 이치다. 다알라는 흉배부가 수축되어서 팔을 흔들지 못하는 전형적인 사람이었다. 걷거나 조깅을 할 때 한쪽 팔이 거의 움직이지 않는 사람들을 볼 수 있다. 그들이 몸을 굽히려고 할 때 등 위쪽 근육이 거의 모든 일을 한다. 엉덩이와 허리 근육은 제 기능을 하지 못한다. 다알라는 몸을 굽힐 때 무게를 지탱하기 위해 무릎을 굽혔고, 몸의 1/3을 채 굽히지 못했다.

 ## 보상근은 다른 근육들과 다른가?

생리학적인 차이는 없다. 보상근은 자기가 맡은 역할을 하면서도 다른 목적으로 사용된다. 설령 그 목적에 알맞지 않더라도 말이다. 주로 보조 근육이나 주위의 근육들은 제 기능을 다하지 못하는 주요 근육들을 대신해서 보상근의 역할을 맡는다.

그렇다, 배 근육을 사용해서 걷거나 흉배부를 사용해서 몸을 굽히는 일은 분명히 일어날 수 있다. 위급하거나 비정상적인 상황에서는 몸이 이것을 허용하기 때문이다. 상처를 입었거나 병에 걸렸거나 근육을 사용하는 데 제한이 생겼을 때, 주요 근육들은 퇴화할 수 있다. 하지만 다양한 자극을 주는 환경에서 그것은 일시적이어야 한다. 그렇지 않으면 기능장애는 평생 지속될 것이다. 통증에 사로잡히고 무능력한 날이 계속되는 것이다.

몸의 양측성을
알라

몸이 기능장애를 보인다는 게 결코 몸의 구조가 열등하다는 것을 보여주는 것은 아니다. 그리고 나이가 들었다고 해서, 여자라고 해서, 조깅을 하거나 골프를 쳤다고 해서 기능장애를 반드시 겪어야 하는 것도 아니다. 오히려 우리 몸은 대대로 전해져 내려오는 근골격계의 논리를 철저히 따르고 있다. 문제는 우리가 살면서 그 몸의 구조를 따르지 않고 의학적인 치료에 의지한다는 것이다.

근골격계의 경우, 사람이 규칙을 만드는 게 아니다. 이미 일관성 있고 종합적인 규칙이 존재하며, 그것이 몸의 기관이나 뼈나 근육을 지배하고 있다. 우리는 이런 규칙을 이해하고 따를 뿐이다. 물론 너무 간단한 이야기처럼 들릴 수 있다. 그러나 현대의학이 근골격계를 움직이는 데 있어 새로운 대체품을 내놓을 거라고 섣불리 생각하는 것에 비하면 이런 이야기는 오히려 급진적으로 보일 수도 있을 것이다. 사람은 새롭게 개선된 근골격계 조직이 필요 없다. 예전의 근골격계 조직으로도 충분하다. 최소한 우리가 그것을 제대로 움직여준다면 말이다.

 마치 자전거의 페달처럼, 두 발은 양쪽에 있다.
왜일까? 바로 균형을 잡기 위해서다.

인간 근골격계의 생김새는 모두 같다. 만성통증이 만연한 것에 대해 선천적인 결함이나 유전자 변형을 이유로 대는 것은 너무 군색하다. "나는 태어났을 때부터 그랬어"나 "내가 그렇게 생겼나봐"라고 말하는 것은 "나는 산소 없이도 살 수 있게 태어났어"나 "나는 중력과 관계없이 살 수 있어"라고 말하는 것만큼이나 터무니없다. 우리 몸은 충분한 자극을 받아야 하고, 수직적·수평적으로 나란히 늘어선 구조 안에서 제대로 반응해야 한다. 이것을 무시한다는 것은 상당한 위험을 무릅쓰는 것이다. 또한 우리 몸의 양측성과 일원성(unitary nature)을 무시하는 것 역시 위험하다.

 정렬불량(misalignment)과 만성통증

오른쪽 어깨가 올라가 있거나 왼쪽 엉덩이가 돌아가 있는 것은 기능장애의 명백한 증거다. 오른쪽 어깨는 왼쪽 어깨와 같은 모양이어야 하고, 같은 기능을 해야 한다. 양쪽 어깨는 꼭 같은 일을 한다. 엉덩이나 무릎이나 발목 역시 마찬가지다. 몸의 모든 부위는 위아래, 왼쪽 오른쪽 함께 움직여야 한다.

앞에서 말했던 것처럼, 8개의 하중 축받이 관절은 4개의 쌍을 이루고 몸의 왼쪽과 오른쪽에 나뉘어 있다. 우리 몸의 양쪽은 똑바로 선 채 무게를 지탱하고, 다리와 어깨와 팔 관절과 다른 기능에 관해 같거나 최소한 비슷하게 만들어졌다. 무게를 지탱해주는 8개의 관절이 함께 일하지 않아서 생기는 기능장애를 '원래 그렇게 태어났다'는 말로 설명할 순 없다. 오히려 보상근은 뼈와 관절들을 움직여 그것들이 원래 있어야 하는 위치에서 벗어나게 만들고, 그것은 비록 다치진 않았지만 분명 기능장애의 증상이다. 그리고 이런 증상은 몸의 기본 구조에 따라 움직이지 못하게 한다. 게다가 관절의 기능장애는 근골격계의 전체를 보전하는 데도 영향을 끼친다. 몸을 똑바로 세우고 자세를 유지하는 일에는 머리에서 발끝까지 몸 전체가 관여한다. 신발의 오른쪽 굽이 심하게 닳은 반면 왼쪽 굽이 새것처럼 멀쩡하다면, 그것은 발 통증과 관련이 있다. 동시에 목이 뻣뻣한 것과도 관련이 있다. 신발 상태가 통증뿐 아니라 몸의 기능장애를 알려주는 역할을 한다는 것이다.

이것은 우리에게 좋은 소식이다. 신발의 굽이 닳는 것을 보고 자세를 고치는 것이 척추에 있는 추간판 탈출증을 고치는 것보다 훨씬 쉽기 때문이다. 통증을 느끼고 이를 고치기 위해 치료를 받으러 다니는 것이 아니라, 몸에 통증이 생기기 전에 미리 조치를 취할 수 있는 것이다. 지금까지 사용했던 통증 완화 방법은 건강이 계속해서 안 좋아지는 것을 해결해주지 못한다. 이 책에는 희망적인 소식들로 가득

하다. 그중 최고의 소식은 몸의 구조 자체가 우리에게 통증 없이 살
권리를 보장해준다는 것이다.

2.

몸의 설계 :

최고의 메커니즘,

차선 치료책에게 공격 당하다

지금부터 당신은 끔찍한 이야기를 읽게 될 것이다. 이 책은 대부분 통증 없이 살 권리를 되찾은 사람들의 이야기를 다룬다. 하지만 이 이야기는 그렇지 못하다. 알렉스는 운이 나빴다. 하지만 그가 겪은 일을 말하는 것은 우리 몸이 망가지는 두 단계의 변화가 어떻게 건강을 위협하는가에 대해 여러 페이지에 걸쳐 설명하는 것보다 훨씬 효과적일 것이다.

잘못된 치료는
병보다 나쁘다

50대 초반인 알렉스는 프로 미식축구 팀에서 혁혁한 경력을 쌓은 후 은퇴해서 가족과 시간을 보내며 사업을 시작했다. 그는 선수시절, 가끔 사소한 상처나 컨디션 조절을 위해 클리닉을 방문했을 뿐 은퇴한 후에는 몇 년간 보이지 않았다. 그런데 언젠가 그의 이름이 일정표에 있었다. 그때까지만 해도 나는 간단한 진료라고 생각했다. 그는 팔 아래에 큰 봉투를 낀 채로 병실에 들어왔다.

나는 가벼운 농담을 던졌다. "물건 팔러 오신 줄 알았어요." 그가 선수시절 때의 열정을 사업에 쏟고 있다는 것을 들은 적이 있었기 때문이다.

알렉스는 고개를 절레절레 저으며 말했다. "물건을 팔러 온 게 아니에요." 그러면서 봉투를 책상에 올려놓았다. 그는 팔에 붕대를 두껍게 감고 있었다. "이것 좀 봐주시겠어요?" 그는 책상 앞에 앉았다. "선생님이 어떻게 반응하실지 궁금하네요."

X-ray 사진이었다. 맨 위에 있는 사진을 가져다 불빛에 비춰보았다. 이런! 믿을 수 없어서 눈을 감았다 떴다. 초점을 넓혀서 다시 보았다. 놀라서 입이 다물어지지 않았다. "대체 요골(橈骨)이 어디로 간 거죠? 5cm나 없어졌잖아요!"

알렉스는 힘없이 고개를 끄덕이더니 그동안 무슨 일이 있었는지 말해주었다. 그는 손목을 다친 적이 없었지만 늘 손목이 뻣뻣하고 통증을 느꼈다. 언젠가 골프를 치러 갔을 때였다. 경기가 잘 풀리다가 공이 벙커에 빠졌다. 그런데 벙커에서 공을 빼내려고 스윙을 하는 순간, 오른쪽 손목이 너무 아파서 쓰러졌다. 바로 병원으로 가서 갖은 검사를 받은 후에 손목의 요골이 다쳤다는 말을 들었다. 요골은 팔꿈치에서 손목으로 이어진 2개의 뼈 중 작은 것이다. 이것을 치료하기 위해 그는 수술을 받아야 했다.

"의사는 팔 안을 보고 제거해준다고 했죠." 알렉스는 계속해서 설명했다. "그리고 덧붙여 말했어요. 물론 그런 일이 일어나지 않겠지만, 최악의 경우 뼈의 일부를 깎을 수도 있다고요." 그는 수술을 받고 깨어났을 때 뭔가 잘못됐다는 것을 알았고, 의사는 뼈가 너무 심하게 상해서 많이 깎아내야 했다고 말했다.

나는 다른 X-ray 사진을 보았다. 요골은 척골(2개의 뼈 중 안 쪽에 있는 긴 것)과 만나야 하는 지점 위로 5㎝ 정도 제거되었다. 힘줄은 아무렇게나 뼈에 이어져 있었다. 요골은 척골과 밀접하게 관계를 맺으며 움직인다. 많은 부분을 잘라낸 요골이 이리저리 움직이는 것을 막기 위해 주위의 다른 부분에서 인대를 빌려와 척골과 묶었다. 요골과 척골의 두 관절구는 손목 관절의 절반을 형성한다. 그리고 나머지 절반은 손과 손목 아치에 있는 8개의 독립된 손목 관절의 뼈로 구성된다. 이 뼈들은 인대와 복잡하게 얽혀서 함께 모여 있다. 요골의 관절구을 제거했다는 것은 손목 관절의 1/3을 제거한 것이고, 관절의 끝부분을 완전히 그리고 영원히 불안정하게 만들었다는 것을 의미한다. 그것이 손목 관절의 뼈에 어떤 영향을 끼칠지는 너무나 명백했다. 힘줄이 손가락에 근력을 제공하기 위해서는 손목 관절의 뼈와 인대가 복잡하게 얽혀 있는 장애물 코스를 요리조리 헤치며 나가야 한다. 이런 상황에서 힘줄이 자기 위치를 유지할 수 있을까? 새로 붙인 힘줄이 근육을 수축하고 이완하는 방법을 바꾸지는 않을까?

"무슨 병이었죠?" 내가 물었다. 악성 종양의 징후나 정기적으로 치료를 받은 흔적이 없었다.

알렉스는 어깨를 으쓱대더니 냉소적인 말투로 대답했다. "골 질환이요." 그는 웃지 않았지만, 울어도 뼈가 전처럼 회복될 수 없다는 것을 알고 있었다.

나는 의사가 말했다는 골 질환을 발견했다. 문제는 알렉스의 어깨였다. 그의 오른쪽 어깨가 앞으로 굽고 처지면서 팔꿈치의 위치가 바뀌었고, 이것이 손목의 기능을 방해했던 것이다. 요골은 아마 타격을 입었을 것이다. 이런 경우 굽은 어깨를 재조정해주는 것만으로 통증을 완화시키고 뼈에게 가하는 압박을 줄여줄 수 있었을 것이다.

나는 알렉스를 에고스큐 운동법에 따라 치료했고, 그 결과 수술로 생긴 부종과 통증이 즉시 사라졌다. 나는 알렉스의 손목이 언젠가는 제 기능을 회복할 거라고 믿는다. 물론 힘들 것이다. 하지만 그런 일을 하지 않는다면, 그의 손목은 단순히 팔과 손을 이어주는 장식품에 불과할 것이다.

알렉스의 경우는 통증을 없애주는 첨단 의학이 저지를 수 있는 가장 최악의 예다. 물론 근골격계가 망가질 정도로 큰 사고를 당한 경우, 첨단 의학의 힘을 빌려 관절의 외상과 뼈의 손상을 치료할 수 있다. 그런데 수술을 담당했던 의사는 알렉스의 손목에 이런 극단적인 의학 기술을 사용한 것이다. 그는 고작 골프를 치고 있었고, 손목에 무리한 행동을 하지도 않았는데 말이다. 의사는 손목에 단순한 통증을 느끼는 환자를 치료하면서 손목의 관절을 재설계하는 방법을 사용했다. 이것은 컨베이어 벨트나 크레인의 결함을 아무렇게나 수리하는 것과 같고, 우리가 현대의 기술과 방법에 중독 되어 몸의 가장 중요한 장치를 별 생각 없이 희생시키고 있다는 것을 극단적으로 보여준다. 한때는 실험적이고 위험한 것으로 여겼던 의학 기술이 이 제는 상대적으로 평범한 일이 되었다. 이것은 극단적인 치료를 원하는 사람들이 있고, 의료계가 그 요구에 반응하기 때문이다. 몇 년 전만 해도 사용을 꺼리거나 심각한 경우에만 한정해서 사용하던 의학 치료가 현재 대량으로 발생하고 있다. 이것은 마치 파리 한 마리를 잡기 위해 갈수록 더 큰 미사일을 사용하는 것과 같다.

편리함에 대한 요구와, 통증을 억제해야 건강할 수 있다는 잘못된 생각이 합쳐져서 현재 우리는 첨단 기술을 부적절하게 사용하고 있다. 이것은 척추동물 중 가장 강한 종이었던 인간을 가장 약하게 만들었고, 생존의 위협을 느끼게 했다. 우리 몸은 공격을 받으면서 천천히 생존 능력을 잃어가고 있다.

통증을
바로 알자

통증을 우리 몸의 경보장치라고 생각해보자. 몸은 무릎이든 어깨든 손목이든, 어떤 부위든 일단 손상을 입으면 경보를 울린다. 이런 점에서 통증은 관절과 근육, 신경이 더 큰 손상을 입지 않게 보호할 수 있는 효과적인 방법이다. 통증은 고통을 주지만, 동시에 그것을 멈출 수 있게 한다. 통증은 우리에게 통증을 없애고 잘못된 것을 고치라고 명령한다. 지금 당장 말이다!

자동차 경보기가 울리면, 자동차 주인은 밖으로 달려 나와 자기 자동차를 보호한다. 하지만 현대 의학은 몸이 울리는 경고음을 잠재울 수 있는 방법만을 배웠다. 도둑은 여전히 일하고 있는데 말이다. 결국 도둑은 근골격계에서 힘과 이동능력과 기민함과 자신감과 기쁨을 빼앗아 가버렸다.

'천천히 도둑질해가면 큰 손해를 입지 않으니 별로 상관없지 않은가? 게다가 무릎 통증으로 죽은 사람은 없지 않은가?' 이렇게 생각할 수도 있다. 하지만 그렇지 않다. 단지 죽음이 느리게 찾아올 뿐이다. 사람들은 통증을 느낀 후 얼마간 시간이 지나면 움직이지 못한다. 그리고 일련의 심각한 생리학적 증상들이 나타난다. 그러면 그들은 나이나 성별, 혹은 유전자나 병 탓을 하려고 한다. 통증은 발생하고 한참 지나서야 가장 극심해진다. 따라서 많은 경우, 통증의 원인과 결과를 명확하게 연관시킬 수조차 없다. 그러니 치료의 목적이 단순히 통증을 없애는 것에 집중될 수밖에 없다. 관절이 제 기능을 하지 못하면 몸은 무능력 상태가 되고, 죽음은 먼 훗날 일어난다. 그들은 그 결과가 몇 달이나 몇 년 동안 일어나지 않을 수도 있기 때문에 치료를 생각하지 않는다.

이런 태도는 대부분 관절을 단순하게 생각하거나, 그것이 최소한 몸 안의 다른 장기보다는 덜 복잡하다고 오해하기 때문에 나타난다. 관절은 생화학(생물체의 구성 물질 및 생물체 안에서의 화학 반응 따위를 해명하고, 생명 현상을 화학적으로 연구하는 학문)적이라기보다는 생물학(생물의 구조와 기능을 과학적으로 연구하는 학문)적이라고 할 수 있다. 근골격계를 이루는 많은 부분은 간단하고 익숙한 경첩이나 공과 소켓, 지레와 도르래와 비슷하다. 따라서 그것들을 땜질하는 게 그리 큰 일이 아닌 것처럼 보인다. 만일 우리 몸이 자동차처럼 공장에서 만들어졌다면 말이다.

우리 몸은 공장에서 찍어낸 게 아니기 때문에 더 이상 근골격계를 2등급 해부학 실습도구처럼 다루어선 안 된다.

🎯 출발선

달리라는 명령을 받으면, 몸은 여분의 산소를 찾으려고 한다. 그 과정은 다음과 같다. 흉강의 아랫부분에 붙어 있는 횡격막 근육이 수축하면서 아래로 내려간다. 그러면 흉강의 압력이 낮아져 공기가 폐 안으로 들어간다. 그런 다음 밥공기를 엎어놓은 모양의 횡격막이 느슨해지고 원래 위치로 돌아오면 이산화탄소가 빠져나간다. 그 양은 보통 한 시간에 20~40l 정도다. 한편, 흉강 내의 압력이 떨어지고, 근육 기능의 결과로 혈액 내 화학적 성질이 변하는데(탄산 분자가 필요 이상으로 많아짐), 이런 현상과 관련해서 심장(펌프)은 힘들게 일하는 근육에게 신선한 산소가 담긴 혈액을 더욱 빠르게 공급하기 위해 박동 수를 늘린다. 　　　　　　　　　　　　　　　　　　　🍂

각 관절, 그리고 그것과 연결되어 있는 근육조직의 모양이 그런데에는 고유한 논리와 목적이 있다. 아무리 현대 의학이 뛰어나도, 약 32만 년 동안 유지해온 근골격계에 21세기형 골격근계 구조를 아무 무리 없이 집어넣을 정도로 뛰어나진 않다. 물론 언뜻 보기에 우리 어깨나 엉덩이, 무릎, 발목은 너무 단순하게 생겼다. 그래서 그렇게 실제로 망가지지 않은 신체 부위를 고쳐보려고 하는게 아닐까? 만일 치료하는 도중에 약간의 기능이 상하더라도 그것은 통증을 제거

43

하는 조건으로 지불해야 하는 작은 대가일 뿐이라고 생각한다. 그러나 심장과 간에 기능장애가 있는 경우에는 이런 태도를 오래 유지할 수 없을 것이고, 환자 역시 오래 견딜 수 없을 것이다. 그러나 우리는 대부분 근골격계가 하는 일(걷기, 펴기, 뒤틀기, 돌기, 구부리기 등)을 부차적인 것으로 여긴다. 그리고 근골격계는 응급 장비로 비교적 쉽게 치료할 수 있고, 그것이 거의 진짜처럼 기능할 수 있을 거라고 생각한다.

관절은 신장(kindney)처럼 매우 복잡하기도, 매우 단순하기도 하다. ☙

거의 진짜 같다는 것만으론 충분하지 않다. 그것만으론 너무 위험하다. 가장 단순하게 보면, 근골격계는 풀무(불을 피울 때 바람을 일으키는 도구)와 펌프 역할을 한다. 그 유사성은 우리가 달릴 때 가장 확실하게 나타난다. 처음으로 발을 떼면 앞에 놓인 다리는 거의 무의식적으로 늘어난다. 이것은 근육 혼자서 이룰 수 있는 일 이상이고, 엉덩이나 무릎, 발의 영향을 받는다. 수십 혹은 수백 개의 근육은 줄이 있고 부드럽다. 그리고 그것들은 생물학적, 생화학적 업적에 의해 연결된다.

빠르게 몇 걸음 걸어 봐라. 폐는 금세 공기로 가득 찰 것이다. 폐와 다리 근육이 무슨 상관이 있을까? 상관이 있다. 우리의 풀무와 펌프의 행동에 봉착하면 말이다.

이런 흐름은 자극, 즉 당신을 달리게 만드는 것에서 시작되고,

서로 밀접한 관계를 가진 반응의 연속으로 계속된다. 이것은 주요 근육들의 경련이 일어나는 비율과 관절에 있는 연골 두께를 조정하는 것에서 피부 온도와 육체적인 활동을 바꾸는 것까지에 걸쳐 나타난다. 다시 말해 자극이 움직임을 일으키고, 만일 움직임이 없으면 전체적인 흐름은 약해진다. 따라서 움직임은 단 한 걸음만 걸어도 그 과정에 몸 전체가 관여하는 것이다.

우리는 근골격계가 움직임이나 자세를 잡는 것에만 관여한다고 오해하고 있다. 하지만 근골격계는 호흡을 중점적으로 담당하고, 혈액 순환에도 참여한다. 몸의 신진대사를 일으키기도 한다. 한 중년 남자가 "무릎이 아파서 더 이상 많이 못 걷겠어요"라고 말하면, 사람들은 이 남자가 살을 빼야 한다고 생각한다. 하지만 실제로 그가 가진 문제는 몸 전체가 일하기를 멈췄다는 것이다. 몸이 일하지 않으면 몸 안의 장기와 시스템은 약해진다. 그의 불평은 '무릎이 아파서 걸을 수 없다'는 것에서 '식욕이 없다', '위가 아프다', '잠을 잘 수가 없다', '어지럽다'로 천천히 바뀔 것이다. 이것은 모두 움직임이 부족해서 나타나는 결과다.

 순환(rotation)

관절은 대개 지레나 경첩처럼 움직인다. 관절은 열렸다 닫히고, 2개의 뼈를 함께 또는 따로 움직인다. 그러는 동안 순환이 일어난다. 관절의 구성요소가 내부적으로 움직이면서 성장하고 유연하게 한다. 그러나 만일 순환이 일차적인 동력이 된다면, 그것은 뭔가 손상된 것이다. ✦

내 · 외부 건강은
서로 밀접한 관계다

부동산 관련 변호사 케빈은 평생 대부분의 시간을 앉아서 보냈다. 어렸을 때는 교실에서, 커서는 사무실에서, 자동차에서, 텔레비전 앞 안락의자에서 생활을 했다. 결국 걷는 임무를 담당하는 주요 근육이 더 이상 효과적으로 움직일 수 없었다. 가장 큰 문제는 주요 근육이 맡은 일을 하지 않기 때문에 몸이 다른 근육에게 명령을 내린다는 것이다.

물론 케빈은 화장실에 가거나 점심을 먹으러 식당에 간다. 약간은 걸었다는 말이다. 하지만 그것만으로는 근골격계가 건강을 유지할 수 없다. 결국 그는 주위의 근육을 빌려서 사용했고, 사두근(四頭筋)을 무시했다. 사두근은 넓적다리 앞쪽에 있는 주요 근육으로, 주로 무릎을 고정시켜주고 무릎이 직각으로 움직이도록 해준다. 엉덩이의 위치도 설정한다. 그런데 사두근이 기능을 제대로 하지 못하면 무릎 관절이 돌아가고, 엉덩이와 발목의 위치가 비뚤어진다. 그러니 케빈의 무릎이 아픈 것은 당연하다. 그는 조깅 탓을 하겠지만, 진짜 이유는 움직임이 부족해서다. 이런 상태가 계속되면, 그는 어지러울 것이다. 이것은 건강이 움직임과 밀접하게 연관되어 있다는 것을 확실히 보여준다. 그는 평생 앉아서 생활했기 때문에 걷는 능력이 심각할 정도로 약해졌다. 뿐만 아니라 숨 쉬는 능력 역시 약해졌다. 모든 근육은 사용하지 않으면 퇴화한다. 이것은 살아 있는 모든 조직(tissue)의 특징이다.

근육은 스스로 해야 할 일을 잊으면 작아지는가?

근육은 항상 일정한 길이를 유지한다. 근육 내 섬유질이 수축하거나 이완할 뿐 근육 자체가 늘어나거나 줄어들지는 않는다. 기능장애가 생기면, 근육 내 섬유질은 점차 근육이 하는 일을 하지 않는다. 이런 현상은 근육의 가장자리에서 시작해서 중간부분으로 진행된다. 그래서 근육이 작아지는 것처럼 보이는 것이다.

만일 케빈이 몸을 움직일 만한 충분한 자극을 외부 환경에서 받지 못한다면, 횡격막은 점차 움직이지 않을 것이고 제대로 기능하지 못할 것이다. 그가 움직이지 않을수록 횡격막은 원래의 역할을 잊어버린다. 충분히 사용하지 않는다는 단순한 이유 때문에 횡격막이 수축하고 이완하는 횟수가 감소한 것이다. 결국 횡격막은 거의 움직이지 않을 것이다. 그러면 팔이나 머리, 척추를 움직이는 다른 근육이 횡격막 근육이 해야 할 일을 대신 떠맡는다. 하지만 폐에 산소를 충분히 공급해주진 못한다.

산소가 줄어든 결과, 몸이 호흡하는 산소의 약 40%를 사용하는 뇌는 굶주리기 시작한다. 그러나 이것이 오래가진 않는다. 가장 중요한 기능을 하는 뇌는 덜 중요한 기능을 하는 곳으로 가는 산소를 끌어온다. 이때 '덜 중요한 기능'이란 몸을 움직이고 자세를 잡는 기능에서 소화 기능 또는 백혈구를 생산하는 기능까지를 이른다. 산소가 부족하면 우리는 만성통증을 느낀다. 산소가 부족한 관절이나 근육은 제대로 기능할 수 없다. 산소부족 탓에 생긴 기능장애는 약물이나 수술로 치료할 수 없고, 결국 몸의 다른 조직들도 똑같이 고통을 받는다.

20분 투자해서
건강을 지켜라

그러면 얼마나 움직여야 충분할까? 그 양은 움직인 시간으로 측정하는데, 사람마다 조금씩 다르다. 그러나 어쨌든 우리 몸은 효율성이 워낙 뛰어나기 때문에 그리 많이 움직이지 않아도 된다. 어느 정도 활동적인 생활을 한다면, 하루에 20분 정도만 움직여도 근골격계 건강을 충분히 지킬 수 있다. 절대 움직이지 않는 사람들은 1시간 이상 움직여야만 근골격계 건강을 지킬 수 있을 것이다. 그러나 그런 사람들의 경우, 일상 생활을 하면서 움직이는 게 무엇보다 중요하다. 그래야만 몸이 제 기능을 할 수 있을 것이다.

우리는 근골격계가 제대로 기능하면 더 움직이고 싶어 한다. 그러면서 운동 프로그램이 상승세를 타기 시작한다. 우리 클리닉을 찾는 환자들을 보면 멈췄던 몸이 다시 기능하기 시작하면서 기쁨과 자신감을 되찾고 힘을 얻는다. 그렇다고 너무 성급하게 심한 운동을 시작하지 않아야 한다. 3개월간 매일 조금씩이라도 운동을 하면 근골격계 구조의 극심한 기능장애는 사라지고 안정을 되찾는다. 그리고 신체적으로 활발한 생활을 할 수 있다.

몸의 구조에 맞게 '적절하게' 움직이려면 우리 몸을 살펴야 한다. 우리는 적절하게 움직이거나 그렇지 않다. 만일 적절하게 움직이지 못한다면, 그것은 움직임이 충분하지 못하거나 부적절하다는 것을 명백히 보여주는 것이다. 아무렇게나 움직이는 것은 충분하고 적절한 움직임을 대신하지 못한다. 적절하지 않으면 기능적으로 충분히 움직인 게 아니다. 다시 말하면, 적절하게 움직인다는 것은 몸의 구조에 맞게 움직인다는 것이고, 8개의 근골격계 관절이 수직, 수평, 평행을 유지하면서 움직인다는 것이다. 그리고 머리는 척추의 S자 곡선 맨 위에 위치해야 하며, 어깨와 엉덩이, 무릎, 발목과 같은 축에 위치해야 한다.

법과 질서

보디빌딩이나 격렬한 운동이 몸의 기능을 되찾거나 활성화시켜 주지는 못한다. 케빈에게 계단을 오르는 것은 시간낭비일 뿐이다. 그는 지금껏 사두근 대신 모음근(허벅지 안쪽)의 아래쪽을 이용해서 걸었다. 따라서 운동의 효과를 키우려면 모음근을 이용하지 않도록 하는 게 선행되어야 한다. 계단을 오르거나 러닝머신을 사용하는 것은 사실상 모음근을 강화시키고, 사두근의 기능장애를 더욱 증가시킬 뿐이다. 게다가 무릎의 정렬불량을 더욱 악화시켜 비틀어지는 정도가 더욱 심해질 것이다.

 ## 모음근이란 무엇인가?

모음근은 정중면(正中面, 몸을 좌우 대칭으로 나누는 면)으로 몸을 당기는 근육이다. 예를 들어, 엉덩이의 모음근은 강력해서 넓적다리와 무릎, 발목을 함께 모아준다. 벌림근은 반대의 기능을 한다.

일반적인 움직임이 있고, 몸의 구조에 맞는 움직임이 있다. 몸의 구조에 맞게 움직여야만 비로소 건강을 회복할 수 있다. 구조에 반(反)해 움직이는 것은 시간낭비이거나, 최악의 경우 오히려 건강을 해칠 수 있다. 몸의 기능을 체계적으로 회복하는 것으로 제대로 움직이고 완전한 근골격계의 기능을 유지하며, 궁극적으로 아무 통증 없이 사는 게 분명 가능하다. 케빈과 비슷하게 사는 사람들은 몸이 무서울 만큼 신비하고 복잡하다는 것을 이해하지 못한다. 건강을 유지하는 것은 힘들고, 어려운 사항을 요구한다. 하지만 우리가 이해할 수 없는 것은 아니다. 몸을 움직이게 하는 원리들을 여덟 가지로 정리할 수 있다.

몸 건강을 위한 여덟 가지 원칙으로 체크 리스트를 만들 수 있다. 현대의 치료기관을 대규모 상점이라고 할 때, 우리는 쇼핑할 때 체크 리스트를 사용할 수 있다. 우리에게 팔리는 상품(처방약이나 수술)과 우리에게 필요한 상품을 비교해보는 것이다. 상품의 효과가 이 원칙과 하나 이상 어긋나면 뭔가 잘못된 것이다. '엉덩이 교정 수술'이라는 상품을 예로 들어보자. 수직 하중(vertical loading) 원칙을 위반하고 있는가? 물론이다. 나는 엉덩이 교정 수술을 받은 사람들이 계속해서 수직 배열상의 문제를 가지고 있는 것을 보았다. 이런 문제는 엉덩이 통증의 원인이자 대부분의 엉덩이 교정 수술이 실패하는 이유다. 이에 대해서는 7장에서 더욱 자세히 다루겠다. 아무튼 우리에게 팔리는 상품 중 여덟 가지 원칙을 잘 지키는 경우는 거의 없다고 말할 수 있다.

통증 없이 사는 것은 가능하다. 지금까지 이 책을 읽었다는 것은 통증을 없애는 중요한 조치를 시작했다는 것을 뜻한다. 이제 나머지 방법을 따르는 동안 스스로 따라한다는 원칙을 엄격하게 지켜야 한다. 여러분은 몸의 구조와 운영 원리를 배웠다. 지금부터는 에고스큐 운동법이 어떻게 모든 요소를 한곳으로 모아서 당신을 도울 수 있는지 말할 것이다. 나머지는 당신 몫이다.

몸 건강을 위한 여덟 가지 원칙

1. **수직 하중**(vertical loading) : 건강을 지키기 위해선 중력이 반드시 필요하다. 중력이 몸에 긍정적이고 역동적인 영향을 끼치기 위해선 몸의 골격이 수직으로 배열되어야 한다.

2. **역동적 긴장**(dynamic tension) : 몸의 앞쪽과 뒤쪽 사이에는 끊임없는 긴장이 존재한다. 앞쪽은 굴곡을 만들거나 앞으로 숙이는 것을 책임지고, 뒤쪽은 몸이 꼿꼿하게 바로 서는 것을 책임진다. 이런 행동이 없으면 어떤 활동도 올바르고 건강하게 할 수 없다.

3. **형태와 기능**(form and function) : 뼈는 근육이 시키는 일을 한다. 모든 뼈는 근육이 움직이기 시작해야 움직인다.

4. **숨쉬기**(breathing) : 산소가 없으면 몸은 제 기능을 하지 못한다. 몸의 조직은 모두 이 원칙을 따른다.

5. **움직임**(motion) : 몸의 모든 조직(소화조직, 순환조직, 면역조직 등)은 서로 밀접하게 관련되어 있다. 움직임은 이런 조직들을 한곳으로 모아준다. 몸의 분자가 빨리 움직일수록 신진대사 비율이 높아지고 건강해진다. 우리 몸은 뛰고, 올라가고, 떨어지고, 구르도록 만들어졌다. 건강을 유지하기 위해서다. 이런 활동이 상처를 주고 통증을 유발한다면 건강 원칙 몇 가지 또는 전부를 위반했기 때문이다.

6. **균형**(balance) : 움직임의 원칙이 효과적이고 사실이기 위해선 몸

이 균형을 유지해야 하고, 수직 하중 원칙을 지켜야 한다. 균형이란, 근육이 가진 기억이라고 정의할 수 있다. 균형을 유지하기 위해서는 근육이 쌍으로 일해야 하고, 왼쪽과 오른쪽이 똑같이 일해야 한다. 오른손잡이(혹은 왼손잡이)가 되는 게 몸의 균형을 무너뜨리는 것은 움직임의 원칙을 위반했을 때뿐이다.

7. **자극**(stimulus) : 몸은 건강 상태를 의식하든 그렇지 않든 하루 24시간 자극에 반응한다. 따라서 움직임의 원칙은 끊임없이 자극의 원칙을 강화한다. 만일 움직임이 제한되면 몸은 압박을 받는다. 몸은 자극을 튕겨내는 게 아니라, 오히려 유해물질과 자극물을 흡수한다.

8. **복구**(renewal) : 몸은 유기체다. 따라서 성장과 재생이 끊임없이 일어난다. 뼈와 근육, 신경, 연결조직, 연골 그리고 이와 유사한 것들은 모두 살아 있다. 만일 몸이 복구되지 않는다면, 그것은 우리가 건강 원칙을 위반하고 있기 때문이다. 많이 위반할수록 우리는 더 빨리 나이를 먹고 더 빨리 죽는다.

3.

에고스큐 운동법 :

통증의 근본 원인을

없애라

만일 내가 스티커를 만든다면, 무엇보다 이 말을 먼저 새길 것이다.

'뼈는 근육이 시키는 대로 움직인다.'

이 말은 가능한 한 널리 알려져야 한다. 이 말이 지겨워서 여러분이
물었으면 좋겠다. "근데 대체 근육이 뭐를 시키는데요?" 이에 대한
답이 통증 없는 삶을 살기 위한 가장 바른 길을 알려준다.

몸은 자신만의
날씨채널을 가진다

　　최근 어떤 잡지에서 바이오피드백(생체의 자기제어, 생체의 신경·
생리상태 등을 어떤 형태의 자극정보로 바꾸어서 그 생체에 전달하는 조작)
이라고 불리는 대체 건강 기술에 대해 다루었다. 주요 주제는 '통증
과 가깝게 지내기'였다. 정말일까? 통증으로 고생하는 사람들이 원
하는 것은 가능한 한 빨리 그것으로부터 벗어나는 것인데 말이다. 물
론 자기 몸과 가깝게 지내는 거라면 나름대로 타당성이 있긴 하다.
우리는 생리학적 조직에 대해 겉으로 드러난 수준 이상으론 신경 쓰
지 않는다. 불편할 정도로 춥고, 밥을 너무 많이 먹어 배가 아프다는
수준으로만 알고 있다. 그리고 근골격계나 다른 몸의 기능이 점점 퇴
화해가면서 생기는 결과에 잘 적응하지 못한다. 이런 작은 손실은 명
확히 나타나지 않으면서 계속 축적된다. 우리는 머리카락이 빠지거
나 배가 나오거나 기미가 생기는 것처럼 확연히 나타나는 변화에 민
감하지만, 몸 내부의 작용에 대해서는 무디다. 그것은 결코 건강하다
는 증거가 아니다.

근육 기억

에고스큐 운동법이 성공할 수 있었던 이유는, 우리가 몸 안에서 일어
나고 있는 일을 느낄 수 있도록 우리를 고유의 운동 감각이나 근육
기억(muscle memory)에 다시 연결해주었기 때문이다. 근육 기억은,
짐을 많이 넣으면 여행 가방이 무거워진다거나 헐렁한 신발을 신고

오래 걸으면 물집이 생긴다는 것을 기억하는 것보다 기초적인 것이다. 운동 감각은 기억되어 있는 오랜 경험에 몸이 반응하도록 한다. 내 근육과 생리학적 구조가 나를 여덟 계단 위로 옮겨줄 능력이 있는지를 알아야 한다고 가정해보자. 파일럿이 이륙하기 전에 계기판을 확인하는 것처럼, 마음은 근골격계 조직을 확인한다. 이런 내부 평가는 계속해서 일어나고, 그 결과는 계단으로 올라갈지 엘리베이터를 기다릴지를 결정하는 사소한 문제를 넘어 우리가 건강을 위한 일반적인 환경을 만드는 것에까지 영향을 미친다.

우리는 각자 자기의 건강 '생태계' 안에 살면서 의식적으로든 무의식적으로든 그곳의 기후에 행동하고 반응한다. 계단을 올라가는 게 더 빠르고 간편한데도 엘리베이터를 기다리는 사람들이 있다. 게으르거나 습관이 나쁘게 들어서 그런 게 아니다. 운동 감각이 이렇게 말하고 있기 때문이다. "계단으로 가지 말자. 지금 네 몸으로는 편안하거나 안전하게 계단을 올라갈 수 없을 거야." 운동 감각은 스트레스 정도, 긴장, 피로에 대한 중요한 정보를 전달한다. 파일럿이 계기판을 확인하고 이륙을 중단시킨 것과 같은 것이다.

운동 감각은 드러나지 않게 일을 한다. 그래서 그것이 우리 의식과 일치하지 않는 일이 종종 일어난다. 우리는 다른 사람의 표정을 보고 그의 기분이 좋지 않다는 것을 안다. 마찬가지로 운동 감각은 몸의 기능이 점점 퇴화하여 일 년 혹은 일주일간 좋지 않을 걸 안다. 시간이 흐를수록 건강 생태계의 기후는 흐려지고 황량해진다. 그것을 알지 못하면, 원래의 구조와 목적대로 몸을 사용하는 것과 건강한 삶을 더 이상 연관시키지 못할 것이다. 신체적인 활동이 좋은 기분을 그르친다. 기본적인 기준점을 잃을 때, 우리는 방향성을 잃는다. 어떤 게 건강에 좋고, 어떤 게 나쁜지 알지 못한다. 더 심각한 것은 무엇이 우리를 병들게 하는지 모른다는 것이다.

원인을 모르는 통증이 나타나면, 근육 기억이 주의를 준다. 통증이 계속되면, 우리는 이것을 만성통증으로 여기고, 약이나 수술, 다른 신속한 치료가 필요하다고 결론 내린다. 그러나 통증은 근육 기억 중 하나일 뿐이다. 에고스큐 운동법의 핵심 전제는 건강한 근골격의 근육 기억(증상)을 느끼고 볼 수 있다는 것이다. 통증이 없었을 때의 기억을 근육이 회복하고 운동 감각을 되찾으면 정확히 자기를 평가할 수 있다. 그러면 통증은 더 이상 계속되지 않을 것이다.

개인적으로 평가할 수 있다는 게 중요하다. 근골격계 건강은 다른 중개자의 손에 달려 있지 않기 때문이다. 비즈니스 분야에서 사용하는 용어를 빌리자면, 이것은 탈중개화(disintermediation)다. 중개자가 없다는 것이다. 우리는 자기 근육과 뼈에 대해 스스로 책임을 져야 한다. 그렇다고 정형외과 전문의가 되라는 소리는 아니다. 그러나 생물학적 과정의 기본을 느끼고 보고 이해할 수 있어야 한다. 자동차나 컴퓨터 수리 방법은 모르는 게 나을 수도 있지만, 근골격계는 잘 모르면 바로 통증으로 이어진다.

불행히도, 우리 클리닉을 찾는 환자들은 대부분 통증을 유일한 기준점으로 가진다. 아픈 부위에만 모든 운동 감각이 집중해 있다. 다른 감각은 흐려져 있다. 통증은 기능을 회복하면 줄어든다. 하지만 근골격계가 회복되어서 제대로 기능하면 방향을 잃고 통증이 다시 생긴다. 환자들은 걱정하며 내게 이 문제를 말한다. "이번에는 넓적다리 뒤에 통증이 생겼어요." 당연히 그럴 수밖에 없다. 그들은 몇 년 만에 처음으로 힘줄을 느낀 것이고, 그게 결코 익숙하지 않을 테니 말이다. 게다가 발목이나 무릎, 엉덩이가 제대로 기능할 때의 느낌에 대한 객관적인 기준이 없지 않은가? 반대의 경우 역시 마찬가지다. 관절이나 근육에 기능장애가 생기면 어떤 느낌일지에 대한 객관적인 기준이 없다. 다쳐보기 전까진 말이다.

에고스큐 운동법은 사라진 기준(몸 고유의 기준)을 사람들에게 알려주고 개별적으로 자기 몸을 보고 느낄 수 있도록 해준다. 오랫동안 지독한 건망증을 겪고 나서 원래의 기억을 회복하면 건강하고 활발해진다. 평상시 내가 에고스큐 운동법에 참여한 사람들에게 말하는 것을 들으면 아마 고장 난 레코드처럼 같은 말을 되풀이하는 것 같다고 생각할 것이다. "기분이 어때요?" 이에 대한 반응은 "잘 모르겠어요"에서부터 "재미있어요" "기분이 더 좋네요" "더 강해졌어요" "지금 무릎에서 뭔가를 느꼈어요" "어깨가 느슨해진 것 같아요"까지 발전했다. 나는 이런 과정을 진행하면서 보는 게 느끼는 거라는 사실을 강조하기 위해 환자들에게 자기 몸을 보라고 시킨다.

오랜 경험을 통해 사람들은 정보를 각자 다른 방식으로 흡수하고 있다는 것을 알았다. 보통 세 가지 도구를 사용한다. 바로 시각, 청각, 촉각이다. 그러나 도구의 사용 정도는 개인마다 다르다. 어떤 사람들은 운동하는 것을 직접 관찰할 때 더 빨리 배운다. 어떤 사람들은 설명을 들을 때 더 빨리 이해한다. 그러나 어떤 사람들은 시도하고 실수를 통해 배우기 때문에 실제 경험이 필요하다. 에고스큐 운동법은 세 가지 방식을 모두 사용한다. 시작은 머리를 사용하는 것이다. 근골격계 구조가 어떻게 작동하는지에 대한 기본 지식을 알려준다. 다음은 몸이 일하는 메커니즘을 인식하는 능력을 키워주는 것이다. 보는 것이 믿는 것이다. 마지막은 몸이 제대로 기능할 때, 이것을 알아차릴 수 있는 능력을 터득하는 것이다.

나는 우리가 생각하고 보고 느끼는 방법이 달라지기를 원한다. 이것은 반드시 필요하다.

그 무엇도 움직이지 않아서 힘을 잃고 제 기능을 다 하지 못하는 근육을 움직이게 할 수 없다. 이 점에는 예외가 없다. 근골격계 구조는 움직임이 많은 환경에서 스스로 유지할 수 있도록 만들어졌다. 약물이나 수술, 다른 치료가 간섭한다고 해서 몸이 움직이는 게 아니다. 근골격계 구조가 요구하는 것은 몸의 구조를 지키기 위해 움직이는 것과 완전한 상태를 고수하는 것이다. 아무리 훈련을 잘 받은 전문가라고 해도 각자의 근골격계 구조가 요구하는 것을 해줄 수 없다. 그들은 기본 공식(움직임+구조=기능)에 뭔가를 더하거나 뺀다. 따라서 그 결과는 미묘하게 달라지거나 혹은 완전히 달라질 수 있다. 대부분은 근골격계 구조의 기능장애를 치료한다며 움직임을 극히 제한한다. 이런 치료는 근육을 약화시키고, 결국 통증이 다시 생긴다. 좋은 의도를 가진 대부분의 충고는 '그렇게 행동하지 마세요' '교정기를 사용하세요' '하루에 세 번 약을 복용하세요' '척추를 융합합시다' 등이다. 이런 충고들은 치료가 아닌 분열을 초래한다. 우리가 해야 할 일은 몸이 우리에게 지시하는 것을 각 단계마다 따르는 것이다.

먹고 마시고 자는 것을 다른 사람이 대신해줄 수 없다. 마찬가지로 근골격계 구조를 움직이고 유지하는 책임을 다른 사람에게 떠넘길 수 없다.

기본 정의를
바꾸자

현대 의학은 병리학이 이끈다. 병리학은 비정상적인 것에 대한 연구다. 결과적으로 건강하기 위해서는 병이나 질환을 지나는 뒷문을 이용해야 한다. 접근 방식이 이렇기 때문에 의사는 근골격계 구조에 무엇이 좋은지보다 무엇이 잘못되었는지에 집중한다. 기능장애를 가진 사람이 그렇지 않은 사람보다 치료를 더 많이 받는 것은 당연하다. 사실 기능장애를 비정상적이라고 이해하면 문제는 없다.

하지만 지난 30~40년간 살았던 사람들은 점점 움직이지 않았고, 만성통증이 발생하는 정도는 급격히 증가했다. 그러면서 정상과 비정상의 기준이 점차 없어졌다. 이제 비정상은 외관이 분명히 손상되었거나 절대 움직일 수 없거나 통증이 있는 경우만을 가리킨다. 그리고 근골격계 기능장애의 증상(뻣뻣함, 피로, 불균형, 굽은 어깨, 척추곡선의 상실, 비만, 그리고 다른 상태들)은 정상으로 여기고 있다.

언젠가 워싱턴에서 찾아온 제인은 반질반질한 잡지를 밟고 미끄러져 넘어지면서 오른쪽 발목이 부러졌다. 그녀는 이런 사고가 이상한 것인지 의사에게 물었고, 의사는 이렇게 대답했다. "아닙니다. 사람들은 길에 너부러진 신문을 밟고 넘어지기도 하고, 뼈가 부러지기도 하죠. 그런 일은 지극히 평범한 일입니다." 의사는 무릎에 치명적인 외반력(外反力, valgus stress)에 대해서는 이야기하지 않았다. 엉덩이 배열이 잘못되면 무릎 관절이 다리 안쪽으로 뒤틀어진다. 그리고 무게가 아래로 내려오면서 발목이 발 가장자리 안쪽을 따라 아래로 꺾인다(그림 3-1).

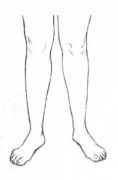

그림 3-1
외반력을 가진 무릎

따라서 잡지를 밟고 미끄러져서 그런 일이 일어나긴 했지만, 부상의 진짜 원인은 외반력이었다. 엉덩이와 무릎과 발목이 제 기능을 다했다면, 제인은 미끄러졌어도 균형을 잡거나 약간 휘청거리고 말았을 것이다. 하지만 그녀는 대부분의 시간을 앉아서 보냈고, 모음근과 회전 근육(rotational muscles)이 주요 자세근과 보상근(엉덩이, 무릎, 다리를 굽히고 뻗게 하는 근육)의 역할을 대신하고 있었다. 그녀가 걸을 때 오른쪽 무릎은 눈으로 확인할 수 있을 만큼 안쪽으로 향했고, 발은 바깥으로 팅겨졌다가 뒤꿈치를 축으로 해서 안쪽으로 감겼다. 이것은 안정적인 표면에서 걸을 때 그렇다. 그녀는 통증이 없고, 미끄러운 잡지를 밟지 않는 한 '정상적'이다.

특이하게도 비정상이 정상이 되었다. 발목은 탱크를 어린이 장난감처럼 보이게 만들 정도로 튼튼한 다용도 운송 수단이다. 하지만 건강한 여자가 사무실에서 전화를 받으려고 일어나다가 여섯 군데가 부러졌다. 그런데 아무도 '이게 무슨 일이지?'라고 묻지 않는다. 제인의 의사 말을 인용하면 '항상 일어나는 일'이기 때문이다.

갈수록 더 많은 사람들이 근골격계 기능장애와 관련된 부상을 당하고, 그것은 갈수록 기능장애 상태를 자연스런 상태로 여기도록 한다. 그리고 다른 생활방식을 가진 다른 사람들은 모두 다른 부적절한 몸의 구조를 가졌다고 추측하게 한다. 놀라운 것은 이런 결론이 정확하다는 것이다. 몸은 움직임이 없는 환경에 적응을 너무 잘 해서 자극이 부족한 환경에 대처할 수 있게끔 스스로 재설계한다. 문제는 이런 재설계가 결국에는 우리 몸에 부적절하다는 것이다. 재설계는 근골격계의 기능을 심하게 왜곡시켜 그 기능의 전형(典型)을 잃는다. 분명히 문제가 보이는데, 사람들이 점점 그것을 문제로 인지하지 못한다.

1996년 스탠포드 의학 센터의 연구에서 40대 이상 남녀의 40%가 퇴행성이나 돌출형(bulging) 척추 디스크에 걸렸다는 결과가 나왔다. 대상자들은 부자연스러운 증상이 진행 중이었거나 심각한 병에 걸리지 않았는데도 말이다. 연구팀은 이런 디스크를 머리가 희끗해지는 것처럼 나이를 먹는 과정의 일부라고 결론 내린 것이다. 하지만 유감스럽게도 돌출형 디스크는 나이를 얼마나 먹었든 절대 걸려서는 안 되는 병이다. 디스크는 근골격계 구조의 불능을 보여주는 증상이며, 구부리고 회전하고 무게를 견뎌야 하는 척추의 능력이 손상된 병리학적 상태다. 따라서 근골격계 구조를 보는 방식을 바꾸는 게 가장 긴급하다. 사람들은 몸을 이해하는 가장 오래된 방식을 다시 배워야 한다. 통증이 있든지 없든지 아파 보인다면 아픈 것이다. 비틀거리고, 약하고, 몸이 처지고, 꼬이고, 균형이 잡히지 않았고, 다리를 절고, 굽고, 뻣뻣하고, 얼어붙은 경우라면 말이다.

X-ray

vs.

디지털 카메라

    근골격계의 가장 큰 적은 누가 뭐래도 X-ray다. 천재의 우연한 발견으로 두 눈으로 몸을 관찰하는 것에서 도구를 통해 몸 내부를 샅샅이 훑어보는 것으로 옮겨간 것이다.

    나는 무조건 기계를 반대하진 않는다. X-ray는 중요한 질문에 대해 답해준다. 그러나 그 대가가 너무 크다. 예를 들어, 우리는 이제 더 이상 우리 눈을 신뢰하지 않고, 근골격계 시스템의 겉모습이 통증과 아무 관계없다고 생각한다. 그리고 결국 통증이 있는 부위만 살핀다. 문제의 원인이 그곳에 있다고 생각하기 때문이다. 그러나 그것은 분명 잘못된 생각이다. 만일 X-ray가 없었다면, 의사와 환자들은 몸의 바깥쪽에 집중했을 것이다. 그리고 직접 눈으로 본 것에 기초해서 정확한 진단을 내리고자 노력했을 것이다. 한쪽 어깨가 올라갔거나, 엉덩이가 돌아갔거나, 무릎의 배열이 잘못됐거나, 근골격계의 방향이 뒤틀려 있거나 하는 것들은 우리에게 매우 귀중한 정보를 제공해준다. 기술이 우리 주의를 다른 데로 돌려놓기 때문에 이런 정보를 간과하고 있는 것이다. 몸이 왜 이상한 형태가 되었는지 관찰하는 대신 중요하지도 않은 병리학적 조건을 보여주는 사진들에 현혹되어 있는 셈이다.

    우리는 보는 것을 믿는다. 하지만 과학 기술이 제공한 틀로만 본다면, 우리가 진실이라고 믿는 것은 완전히 잘못되었다. 그렇게 보면, 상황은 점점 악화될 것이다. 정교한 기술 탓에 생긴 오해는 또 다른 정교한 기술을 만들어 사용하게 한다. 이런 과정을 통해 통증의 원인을 알아냈다고 생각하겠지만, 사실은 결과만을 찾은 것이다. 무릎 연골의 손상 혹은 척추관(spinal canal) 내에 칼슘이 축적된 것은 기계를 통해 잡아낼 수 있다. 그리고 이런 상태를 치료할 수 있는 방법을 찾을 수도 있다. 환자는 새로운 무릎이나 조심스레 늘여진 척추관을 가질 것이다. 하지만 진정한 생체역학적 원인은 끝내 밝혀내지 못해서 새로운 무릎은 계속해서 압박을 받고, 새로운 척추관에도 칼슘이 축적된다. 이런 진행은 몇 달 혹은 몇 년 동안 X-ray에 나타나지 않는다. 그래서 얼마간은 제대로 치료한 것처럼 보인다. 하지만 실제로는 몸이 보이는 여러 가지 증상 중 하나인 통증을 눌러놓았을 뿐이다. 다른 증상들이 여전히 존재한다면 병은 남아 있는 것이다.

병리학에 집착하는 것을 비난하긴 했지만, 에고스큐 운동법 역시 병리학적 이상과 관련되어 있고, 병리학의 과학 기술을 이용한다. 우리는 X-ray에 상응해서 작은 디지털 카메라로 찍은 사진을 사용한다. 기본적으로 환자의 사진을 4장 찍는다. 머리에서부터 발끝까지 정면에서 찍은 사진, 뒷모습 사진, 양 측면 사진이다. 이런 간단한 사진만으로 환자들은 자기 허리가 수직과 수평을 이루지 못한다는 것을 볼 수 있다. 붕괴한 비계처럼, 근골격계는 직각을 이루지 못하고, 이것은 병리학적으로 심각한 상태다.

만일 환자가 몇 장의 X-ray 사진을 가져오면, 나는 이렇게 말할 것이다. "이 X-ray 사진은 오른쪽 무릎의 연골이 손상되었다는 것을 보여주네요. 이것이 당신의 올라간 오른쪽 어깨와 관련 있을까요? 이 스냅사진을 보세요."

"……."

"엉덩이가 어디에 있는지 보이시죠?"

"이것 역시 올라갔네요."

"발은 어떻습니까?"

얼마 지나지 않아 사람들은 자기 몸의 절반이 다른 쪽과 명확히 다르다는 것을 보기 시작한다.

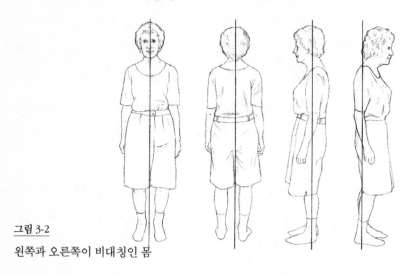

그림 3-2

왼쪽과 오른쪽이 비대칭인 몸

에고스큐 운동법 :
기능장애를 치료해라

그렇다면 기능장애를 어떻게 치료할까? 움직이는 것이다. 에고스큐 운동법은 주로 앉아서 일하는 오늘날 환경 탓에 생긴 자극의 틈을 메워 주는 특별한 운동 프로그램으로, 적절치 않게 움직이거나 제대로 기능하지 못하는 근육을 대상으로 한다. 전통적인 근육강화 운동이나 보디빌딩과는 아무 관련이 없고, 근육과 관절을 개별적으로

지도한다. 우리 몸은 움직이지 않으면 구조에 따라 움직이는 방법을 잊는다. 에고스큐 운동법은 근육에게 무엇을 어떻게 해야 하는지를 가르쳐준다.

에고스큐 운동법에 참여하는 것은 개를 명견 훈련소에 보내는 것과 같다. 애완견 렉스는 집을 잘 지켰지만, 집에 혼자 남겨지면 신발을 물어뜯는 나쁜 버릇을 가졌다. 렉스를 훈련소에 보내면 신발을 물어뜯지 않으면서도 집을 잘 지킬 수 있게 해줄 것이다. 에고스큐 운동법은 다른 근육들을 보완하고 대체하면서 구조에 맞지 않는 기능을 하고 있는 근육들이 구조에 맞는 역할을 할 수 있도록 만들어졌다.

보완하는 근육들은 활동적인 근육이라는 것을 기억해라. 일반적으로 그런 근육은 특정한 근골격계 기능을 수행하도록 만들어진 비활동적인 근육보다 더 강하다. 활동적인 근육과 비활동적인 근육 사이가 불균형하다는 것을 무시하면 치료는 실패한다. 비활동적인 근육보다 활동적인 강한 근육이 자신의 우세함을 지키려고 하기 때문이다. 그렇다면 제인의 경우를 통해 실제로 어떻게 이루어지는지를 살펴보자. 앞에서 말했듯이 제인은 발목골절과 외반력을 가졌다. 의사는 깁스를 제거한 후 오른발을 굽히고 펴는 힘을 키우기 위해 운동을 하라고 권했다. 그리고 발목관절을 앞뒤로 움직이기 위해 다리 아래쪽을 지레로 사용하는 운동을 추천했다. 좋은 제안이었다. 하지만 얼마간 운동을 한 후에도 제인의 오른쪽 엉덩이와 무릎은 여전히 제 위치에 있지 않았고, 강한 근육이 엉덩이와 무릎을 차지했다. 그녀가 오른다리 아래쪽을 지레로 써서 앞으로 움직였을 때, 다리는 왼쪽으로 비틀렸다. 아무리 조심해도 엉덩이와 무릎이 바른 상태가 되지 않았고, 원래 위치로 돌아가기 전에는 발을 정상적으로 굽히고 펼 수 없었다. 만일 엉덩이와 무릎이 틀어진 상태에서 운동을 계속 했다면, 제인은 아마 보상근의 힘이 세져 발목의 기능장애를 더욱 강화시켰을 것이다.

　나는 2단 접근으로 제인을 에고스큐 운동법에 참여시켰다. 우선 그녀의 엉덩이 기능장애를 치료하고자 했다. 그리고 다른 에고스큐 운동법을 통해 점차적으로 무릎의 기능을 회복시켜주었고, 올바른 근육을 사용해 발을 굽히고 펼 수 있게 했다. 제인은 엉덩이나 무릎, 발목이 제자리를 찾아가는 것을 스스로 보고 느낄 수 있었다.

굽힘과 폄

굽힘은 근육이 2개의 뼈가 서로를 향하도록 잡아당길 때 일어난다. 손을 움켜쥐고 주먹을 만드는 것이 굽힘의 한 예다. 폄은 뼈들을 서로 멀리 떨어지게 하는 것이다. 굽힘과 폄은 매우 중요한 기능이다. 하나라도 제 기능을 하지 못하거나 손상되면 심각한 결과가 있을 것이다.

어떻게 근육이
힘과 균형을 다시 가질 수 있을까

　에고스큐 운동법은 특별하다. 몸을 통합된 하나의 단위로 다룰 때에만 성공적으로 치료할 수 있다고 생각하기 때문이다. 그 방법은 다음의 세 가지 요소를 무시하면 분명 실패한다.

1. 약하고 비활동적인 근육이 해야 할 일을 다른 근육이 하고 있다.
2. 약한 근육을 강하게 하는 것으로는 충분하지 않다. 보상근이 자극 전체를 흡수하고, 약한 주요 근육들이 바뀌지 않고 엄청난 불이익을 당하도록 내버려두기 때문이다.
3. 근육을 격리해서 치료하려는 노력은 의도대로 이루어지지 않는다. 근육은 항상 다른 근육과 협력하며 공동으로 기능하기 때문이다.

몸 안의 모든 긴 근육은 관절과 긴 뼈를 거쳐 머리부터 발끝까지 연달아 연결되어 있다. 그리고 긴 근육은 짧고 국부에 제한된 근육과 상호 교류한다. 일반적인 근육강화 운동, 장비를 이용한 운동, 치료를 위해 행하는 운동들은 어떤 근육이나 근육의 그룹을 떼어놓으려고 한다. 주로 배 근육과 사두근을 대상으로 하는데, 이것은 빠른 결과를 얻기 위해 특정 근육에 집중하는 것이다. 그러나 근육은 절대 홀로 움직이지 않고, 일시적이고 인위적인 분리 상태에서 돌아올 때 몸 전체가 위아래로 움직인다. 다행히 그렇게 근육을 분리시킬 필요가 없다. 근육은 자기 위치를 알고 자기가 해야 할 일을 한다. 알맞게 격려해주면 근육은 적절한 역할을 하기 위해 기꺼이 돌아올 것이다. 근육이 원위치로 돌아오면, 근육과 보상근은 몸 전체의 구성요소로서 균형을 잡고 동등하게 강해질 것이다.

다음 장부터 나오는 많은 에고스큐 운동법은 요가나 다른 훈련에서 가져온 친숙한 것이다. 우리 몸의 생체역학적 요소들을 교묘하게 다루기 위한 기술은 수세기 동안 존재했다. 이런 기술은 대부분 인내력이나 속력, 균형을 높이는 수단이었다. 그러나 고대 요가의 대부나 르네상스 시대의 펜싱 지도자는 움직임이 없는 시대를 거의 예측하지 못했다.

배 근육이나 사두근을 강하게 하는 방법은 더 이상 새로울 게 없다. 진정한 도전은 부적절한 자극을 주는 현대의 환경에서 그것을 강하게 하는 방법을 찾는 것이다.

 에고스큐 운동법 미리 맛보기

에고스큐 운동법의 목적은 구조에 적합한 움직임을 회복해서 만성통증을 멈추게 하는 것이다. 우리 몸은 이것을 시작하고 20분 안에 고유의 움직임을 회복할 수 있을 것이다. 이 운동은 아침에 하는 것이 좋다. 그러면 하루 종일 몸이 가뿐하기 때문이다. 한 학기 동안 하면 최소한 통증은 줄어들 것이다. 일시적으로 통증이 발생한다고 해서 낙심하지 말라. 24시간 후에 같은 운동을 반복하면 분명 좋아질 것이다. 운동 횟수를 늘리는 것으로 빨리 치료하고자 하는 유혹을 과감히 버려라. 처음에 당신의 몸은 제한된 자극의 양만 효과적으로 흡수할 수 있을 것이다. 절대 지름길로 가지 말라! 몸의 한쪽에만 통증이 있다하더라도 양쪽을 모두 이용해 운동을 해라. 통증이 줄어들면 그 운동을 적어도 2주간은 매일 계속해라. 당신이 최고의 재판관이다. 통증이 사라졌다고 생각되면 13장의 종합 컨디션 조절 운동을 해라. 통증이 완전히 사라졌다고 확신할 때까지 그것을 매일 지속적으로 따라 해라. 운동을 안 하고 하루를 지나쳤다고 해서 걱정할 것은 없다. 하던 대로 하면 된다. 하지만 오랫동안 운동을 하지 않았다면 처음으로 돌아가라. 그 사이 근골격계 구조가 불안정해졌을 수도 있기 때문이다. 하지만 에고스큐 운동법은 금세 당신의 기분을 좋게 하기 때문에 하루를 지나치는 일은 거의 없을 것이다.

4.

발 :

발바닥의 아치를

지켜라

논의가 구체적인 통증치료 과정으로 옮겨지는 지금, 발보다 머리에서
출발하는 게 좀더 세련되어 보일지 모르겠다. 그러나 발은 인간을 다
른 동물과 구별해주는 직립보행이 시작되는 곳이다. 우리가 똑바로
걸을 수 있는 것은 모두 발 덕분이다.

그림 4-1

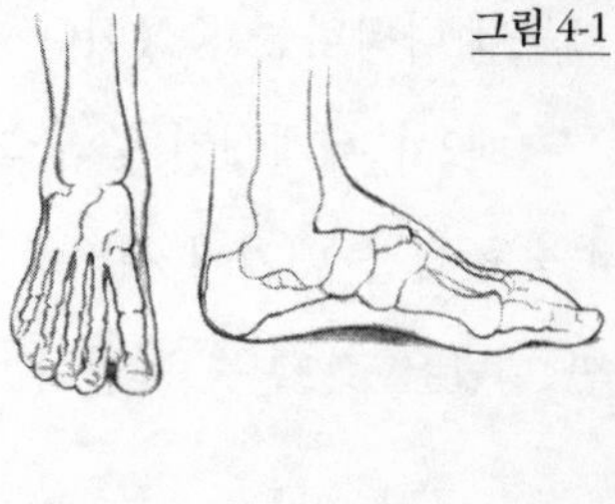

발은 작지만
큰 일을 한다

우리와 발은 애증의 관계다. 어느 때는 발을 학대하고 무시하고, 어느 때는 응석을 받아주고 페디큐어(발톱 미용술)부터 값비싼 운동화를 사 신는 것까지 유난을 떨기도 한다. 편안하고 섹시하고 멋지게 유지하기 위해 발만큼 돈을 많이 쓰는 신체 부위도 없을 것이다. 하지만 우리는 발을 왕처럼 대하는 동시에 노예처럼 대하면서 발이 불평하지 않기를 기대한다. 열심히 일하던 발이 아프다고 하면, 우리는 발의 아우성을 잠재우기 위해 몰스킨moleskin 면포, 재활치료, 마사지, 수술 등 다양한 수단을 동원한다.

발은 약해 보이지만 실제로는 절대 그렇지 않다. 비록 발의 크기와 표면적이 작지만, 이것은 2개의 간단한 아치arche를 기초로 하는 정교한 구조로 보충된다. 발가락을 포함한 발의 뼈를 이용해 발의 한가운데와 측면에 대들보를 만들고 있는 셈이다. 건축가의 말처럼, 아치는 엄청난 힘과 유연성을 가진다. 발의 아치는 몸무게를 지탱하는 동시에 이동할 때 몸이 똑바로 설 수 있도록 한다. 이런 역할을 용이하게 하기 위해 아치는 반드시 형태를 유지해야 하고, 발이 바닥에 닿을 때 움직여야 한다. 그렇지 않으면 아치는 제대로 작용하지 않는다. 발의 통증은 대부분 이런 전제조건 중 한두 가지가 결여되었기 때문에 나타나는 증상이다.

제2차 세계대전 중 군의관들이 평발을 가진 징병 대상자들에게 4-F 등급을 매기기 시작하면서 평발은 농담에 종종 등장했다. 하지만 평발은 결코 웃을 일이 아니다. 나는 베트남에서 해군 전투 장교로 있는 동안 평발인 대원들과 함께 훈련하거나 싸우는 것을 가장 싫어했다. 그들은 참을성이 없고, 몸의 균형을 유지하지 못해 사고를 치는 경향이 다분하고, 위험한 곳에서 빠져나오는 데 시간이 오래 걸리고, 무거운 짐을 옮기기 어려워하기 때문이다. 그리고 그들은 두 가지 단점을 더 가지고 있는데, 바로 발이 쉽게 피곤해진다는 것과 더 오랫동안 아프다는 것이다.

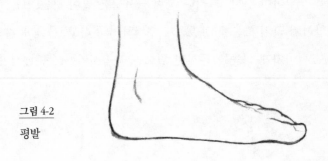

그림 4-2
평발

발이 아치를 잃으면, 작은 뼈와 짧은 근육, 힘줄, 인대로 이루어진 발바닥이 땅바닥과 직접 닿는다. 발은 아치 없이는 충격을 흡수하지 못하고, 그것을 곧장 종아리뼈로 보내어 무릎과 그 이상에 이르게 한다. 그러나 이것은 시작에 불과하다. 한편, 발바닥의 뼈나 근육, 신경은 정보를 중추신경계로 전달하는 복잡한 메커니즘을 형성한다. 우리가 손으로 표면이 거칠고 부드러운지 뜨겁고 차가운지를 알 수 있는 것처럼, 건강한 아치는 지형에 따라 변하기 위해 미묘하고 교묘한 방식으로 반응한다. 발바닥은 이 정보를 뇌로 보내 처리하게 한다. 뇌는 종아리 근육에게 굽히고 펴라고 명령하고, 다음 걸음을 위해 발목 관절의 위치를 정하도록 한다. 그러는 동안 발은 몸무게를 발바닥에서 뒤꿈치까지 고르게 분배하고 교묘하게 조작해서 발을 옮

73

기고 다음 착지를 준비한다.

발의 아치가 내려앉으면 발바닥 근육은 영구적으로 수축된다. 그리고 주먹을 쥘 때처럼 촉감을 많이 잃는다. 발바닥 근육이 수축되면 지형에 반응할 때 그 차이를 거의 알아차릴 수 없다. 발바닥이 제 기능을 하지 못하면, 허벅지와 무릎과 엉덩이와 하배부(등 아래쪽 허리부분)의 근육이 무게를 분배하고 발을 옮기고 땅을 평가하고 반응하는 일을 떠맡아야 한다. 그러나 그런 근육들은 발이 하는 일을 하기에 적합하지 않기 때문에 정밀하게 수행하지 못하고, 몸을 유지하고 앞으로 나아가게 하는 기본적인 필요만 충족시키는 수준에서 움직인다.

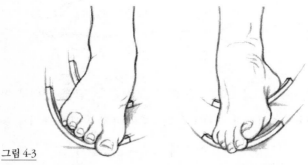

그림 4-3

흔들리는 요람에 놓인 발, 회내(좌)와 회외(우) 운동을 보여준다.

이 과정에서 본질적이고 매우 유용한 회내(pronation)와 회외 (supination) 기능이 손상된다. 잠깐 회내와 회외에 대해 간략히 알아보자. 발은 뒤꿈치에서 발가락으로 움직일 뿐만 아니라 양쪽으로도 움직인다. 회내란, 우리가 걸을 때 발바닥의 안쪽 날이 충격에 반응하는 메커니즘이다. 발이 안쪽으로 회전하면서 안쪽 날로 땅을 딛는 것이다. 반대로 발을 들어올릴 때는 바깥쪽 날을 사용하는데, 이것을 회외라고 한다. 회내와 회외는 짝을 이루는 기능이다.

회내근과 회외근은 이런 움직임을 수행하고, 이것은 마치 발이 옆으로 흔들리는 요람에 놓여진 것과 같다. 만일 회내와 회외가 없으면 발은 땅을 쾅 디디면서 쿵쾅거리며 걸을 것이고, 측면조절 과정이 없어져 지형의 변화에 적절히 반응할 수 없다. 그리고 하중 축받이 관절이 그런 기능을 떠맡고, 엉덩이 근육과 종아리 근육은 응급처방으로 균형처럼 보이는 상태를 유지한다. 이 근육들은 발가락을 밖으로, 뒤꿈치를 안으로 향하게 한다. 이렇게 해서 측면의 유연성과 균형은 대충 유지하지만, 몸무게를 고르게 분산하고 각 부분의 관절을 접합시켜 뒤꿈치에서 발가락으로 이어지는 걸음걸이의 모양은 망가진다. 그리고 이런 방식으로 걸으면 발의 회내 운동은 발의 유연성과 균형감각을 임시적으로 메우기 위해 더욱 급조된 방식으로 반응한다. 마치 스케이트 선수가 안쪽으로 돌 때 하는 동작처럼, 엉덩이 근육을 사용해서 발의 왼쪽 가장자리를 밀어내는 방식을 취한다. 엉덩이 근육은 정상적인 회내 운동에 쓰인다. 하지만 이 경우에는 걸음을 내딛을 때 쓰이고, 그것은 적절치 않은 근육을 사용해서 발을 굽히고 펴는 것이다. 결국 엉덩이 근육이 할 수 있는 일이란 마치 칼날처럼 돼버린 발의 안쪽 가장자리를 움직이게 해주는 것에 불과하다.

이런 기능장애 상태에서 발과 발목은 극도로 불안정하다. 그 결과 무릎이나 엉덩이, 어깨 관절이 더 이상 탄탄한 디딤판을 가지지 못한다. 비틀거리지 않으면서 몸을 앞으로 나아가게 하려면 이 관절들이 회전을 더 해야 하고, 그럴수록 손상과 통증을 유발한다. 이렇게 비정상적인 회내가 진행되면서 무릎과 엉덩이는 안쪽으로 돌아가고, 발바닥을 가로지르는 아치에 가해지는 회내 압력이 커진다. 이렇게 해서 평발이 되는 것이다. 몸무게가 고루 분배되는 게 아니라 아치의 양 날에 집중된다. 이것은 지붕 한쪽에만 몇 톤이나 되는 눈이 쌓인 것과 같다. 아치는 지나친 압력을 받아 가라앉고 무너진다(그림 4-4).

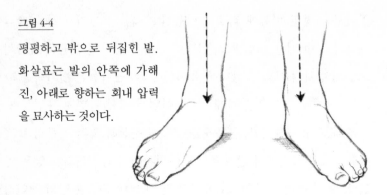

그림 4-4
평평하고 밖으로 뒤집힌 발. 화살표는 발의 안쪽에 가해 진, 아래로 향하는 회내 압력 을 묘사하는 것이다.

한편, 기능장애를 나타내는 발의 회외에서는 발이 위로 올라가고, 회내의 경우와는 정반대로 바깥쪽 가장자리를 따라 비틀린다. 그러나 발은 뒤꿈치에 가해지는 단단한 충격을 견딜 수 없다. 따라서 발은 말 그대로 쾅 부딪히는 것이다. 이런 일은 아치가 손상되지 않았지만 무릎과 엉덩이에 기능장애가 생겨 약하고 기능을 하지 못할 때에도 일어난다.

찰스는 어려서부터 발의 움푹 파인 부분이 서서히 사라지기 시작했다. 내가 그를 봤을 때, 그는 왼쪽 발을 수술 받은 퇴역군인이었다. 의사는 그에게 아치를 '완전히 못쓰고' 발의 구조가 위험하다고 말했다. 그는 평발이라는 이유로 해군에서 쫓겨났고, 육군에 재등록하는 것마저 거절당했기 때문에 그 말을 당연하게 여겼다. 그는 수년간 밑창을 댄 특수신발을 신었지만, 결국 70이 넘은 나이에 수술을 받았다.

회복은 더뎠다. 수술을 끝내고 찰스는 몇 주간 재활치료를 받았다. 그런데도 우리 클리닉을 찾았을 때 그는 여전히 다리를 절뚝거렸고 지팡이를 사용했다. 그리고 오른발과 등에는 여전히 통증이 있었다.

우리는 찰스에게 엉덩이와 무릎의 기능장애에 맞는 운동을 시켰고, 첫 번째 일정을 마친 후 오른발과 등의 통증이 없어졌다. 아직 엉덩이와 무릎, 발목이 완벽하지 않았지만, 전보다 약간 더 나은 정렬 상태가 되도록 해주자 통증은 즉시 완화되었다. 60년 만에 처음으로 그의 오른발 아치가 몸무게를 견디며 충격을 흡수할 수 있게 되었다. 그리고 그의 오른발 아치는 지금까지 제대로 기능한다.

평발

예전부터 평발은 한 곳에 오랫동안 서 있어야 할 경우 지장을 준다고 알려졌다. 나는 그 말이 틀리다고 생각한다. 오히려 근골격계 기능장애, 특히 엉덩이 기능장애가 주요 원인이라고 본다. 신발 역시 주요 원인이 될 수 있다. 신발이 발바닥을 꽉 조일 때, 또는 신발 때문에 발바닥이 표면을 알아차리고 그것에 맞게 조정하는 능력을 상실할 때 그렇다. 신발의 딱딱한 바닥이 발바닥을 조이면 발바닥 근육의 기능은 퇴화한다.

건강한 발의 착지(뒤꿈치-발바닥-발끝)는 발의 크기에 따라 길이 20~25cm, 너비 10~13cm 표면 정도의 충격을 견뎌낸다. 오리처럼 발가락이 바깥으로 뒤집힌 발이나 회외하고 있는 발은 표면의 2/3

혹은 그 이상을 잃을 수도 있다. 그 역할을 무릎이나 엉덩이, 그리고 그것과 결합된 근육이 도와주기 때문이다. 회내하고 있는 발은 걸음걸이를 바꾸고 이때 실리는 무게를 과감하게 재배치하는데, 이는 스타킹을 신고 잠시 까치발로 서 있으면 알 수 있다.

한번 시도해봐라. 당신의 몸무게는 발 안쪽 날로 즉시 이동할 것이고 무릎이 경직되며 앞으로 넘어질 것 같은 느낌이 커질 것이다. 그리고 엉덩이가 정렬되어 있지 않아 더 이상 좌우대칭을 이루지 못할 것이고 수직으로 가하는 무게가 불균등하게 배분되는 것을 알 수 있을 것이다. 마치 한쪽 발과 무릎이 다른 쪽보다 더 센 압력을 받는 것처럼 느낄 것이다.

발 통증을
단계적으로 없애라

근골격계 구조는 하나의 단위처럼 움직이고, 만일 구성요소 중 하나라도 무너지면 다른 것들까지 고통을 겪는다. 기능장애의 연쇄적인 반응은 치료를 복잡하게 만든다. 치료는 어디에서 시작되는가? 답은 모든 곳이다.

결코 농담하는 게 아니다. 일시적으로 통증을 완화시키는 것은 비교적 쉽다. 우선 발의 통증을 치료해라. 그리곤 하중 축받이 관절 각각을 정렬시키는 것으로 문제의 궁극적인 원인을 알아내야 한다. 내가 추천한 발목운동, 무릎운동, 엉덩이운동, 어깨운동을 통해 이렇게 할 수 있을 것이다(5, 6, 7, 9장 참고). 그러나 통증을 없애는 것은 첫 번째 단계에 불과하다는 점을 절대 잊지 말라.

발에 생기는 모든 통증의 일차적인 문제는 부적절한 착지다. 다시 말해 문제의 궁극적인 원인이 무엇이든 가장 주목해야 할 증상은 발이 땅에 닿는 방식, 발이 충격을 분산시키는 방식, 무게를 견디고 분배하는 방식에서 나타나는 기능장애다. 이미 밝혔듯이, 이런 발 통증은 제거할 수 있다. 평발이란 영구적인 상태가 아니기 때문이다. 발의 뼈와 근육은 몸의 다른 부위와 결코 다르지 않고, 똑같은 규칙이 동일하게 적용된다. 자극(이 경우 부적절한 착지)이 바뀌면 몸은 이에 반응할 것이다. 적절한 착지를 못하게 하고 무게를 견디는 기능을 방해하는 근골격계의 기능장애를 교정한다면, 아치는 제 역할을 다시 수행할 것이다. 물론 이런 일이 하루아침에 일어나지는 않겠지만, 분명 언젠가는 일어날 것이다. 수년간 쿵쿵대는 충격을 받았어도 발의 탄력은 약간의 노력만 기울이면 교정될 수 있도록 준비하고 있기 때문이다.

발 상태를 치료하는 데 다른 에고스큐 운동법을 찾지 말라. 앞으로 설명할 에고스큐 운동법은 다양한 증상으로 나타나는 근본적인 기능장애를 말해준다. 예를 들어, 발꿈치 골극(heel spurs)은 엄지발가락 안쪽의 염증과 같은 방법으로 치료할 수 있다. 이것이 어떻게 가능할까? 구조와 문제가 같기 때문이다. 유일한 차이는 겉으로 드러나는 증상 그 자체다. 그리고 우리가 다루는 것은 근골격계 통증의 결과가 아니라 원인이다.

족저근막염과
발꿈치 골극

족저근막(plantar fascia)은 뒤꿈치 뒷부분에 붙은 연결 조직의 질긴 막이다. 그것은 발바닥과 발가락 아래에 부채살처럼 뻗어 있으면서 피부와 근육 사이에 일종의 끈을 형성한다. 족저근막염(plantar fasciitis)은 발이 땅에 닿을 때마다 마치 못 위를 걷는 듯한 느낌이 드는 상태다.

걸음

뒤꿈치에서 발바닥, 발끝으로 이어지지 않는 걸음의 형태는 하중 축받이 관절에 나타난 기능장애의 증상이다. 발의 구조는 대안을 취하도록 설계되어 있지 않다. 특정한 신발이나 보조물은 발을 편하게 하는 것 같지만, 이것들은 발목과 무릎, 엉덩이에 계속해서 가해지는 압박을 해결할 수 없다.

근막에 염증이 생기면 통증이 생기는데, 대개 부적절한 무게의 압박이나 잘못된 착지로 인한 마찰 때문이다. 이것은 낡은 신발이나 달리는 요령이 서툴러서 생긴다고 생각하는데, 사실 그것들과는 아무 상관없다. 마찰은 새 신발을 신든지, 발을 천천히 내딛든지 어쨌든 생긴다. 의사들은 신발 안에 뭔가를 넣어서 무게나 충격에 대처하려고 하는데, 이것은 마찰을 다른 쪽으로 이동시켜 통증을 일시적으로 없애줄 뿐이다. 그러고 나면 문제는 더 광범위한 영역에서 시작되고 조용히 커진다.

발꿈치 골극은 작은 칼슘 침전물로, 마찰이 뼈를 자극하는 곳이나 근막에 염증이 생겼을 때 생긴다. 이것은 가골(假骨) 형태로, 압박이나 피부마찰로부터 뼈를 보호해준다. 의사들은 주로 칼슘 침전물을 제거하지만, 근본적인 원인을 제거하지 않으면 염증과 통증이 결국 재발할 것이다. 우리 몸은 마찰의 근원이 없어질 때까지 이런 보호 기제를 계속해서 활용할 것이기 때문이다.

굳은살과
티눈

발꿈치 골극과 마찬가지로, 굳은살이나 티눈은 마찰이나 자극 때문에 생긴 피부의 단단한 패드pad다. 생기는 원인을 따져볼 때, 이 둘은 사촌지간이다. 굳은살은 마찰이 반복적으로 발생하는 발가락이나 발바닥, 뒤꿈치에 주로 생긴다. 피부가 마찰에 저항해서 일종의 보호 갑옷을 만들었다고 생각하면 이해하기 쉬울 것이다. 티눈은 신발과 빈번히 접촉해서 마모되는 발가락과 관절 위 혹은 관절 옆 사이에 생긴다.

그 결과, 굳은살과 티눈을 가진 사람들은 대부분 신발이나 (많이 걸어 다니는) 직업을 탓한다. 그러나 이런 생각은 틀렸다. 물론 발을 편하게 해주면 이런 것들이 나아질 수 있다. 하지만 그것은 발, 무릎, 엉덩이의 기능장애 때문에 생기는 마찰을 줄이기 위해 인위적으로 몸 전체의 움직임을 제한하는 것일 뿐이다. 예를 들어, 한 우체부가 몸무게를 대부분 오른발 뒤꿈치의 가장자리에 실어 굳은살이 생겼다고 하자. 그래서 그녀는 부서를 바꿔 우체국 카운터에서 일하게 되었다. 더 이상 굳은살이 생기지 않았을까? 아니다. 굳은살은 여전히 만들어지고 있었다. 다만 활동이 줄어들었기 때문에 느리게 진행될 뿐이다. 움직임이 줄어들면서 기능장애(이 경우, 엉덩이 정렬불량)가 악화되고, 그러면서 마찰이 심화된다. 그리고 그 때문에 움직임은 점점 더 줄어들게 된다.

건막류와
추상족지증

건막류는 발가락 첫 번째 관절이 석회화되는 것이다. 이 지속적인 과정은 엄지발가락에 가장 크게 영향을 끼치지만, 종종 다른 발가락에도 영향을 끼친다. 이때 몸은 역시 발의 부적절한 착지와 무게 견디는 것에 반응한다. 마찰 부위에 빨갛게 부푼 물집을 만들어내는 것으로 압박이 가해지는 관절의 움직임을 제한한다. 시간이 지나면서 이 물집은 돌처럼 단단해지고 발가락은 바깥쪽으로 휘기 시작한다.

건막류는 어렵지 않게 제거할 수 있다. 문제는 건막류가 바로 재발한다는 것이다. 어떤 환자는 건막류를 6번이나 제거한 후에 좌절해서 우리 클리닉을 찾았다. 그녀는 우리와 함께 40분짜리 일정을 4번 행하고, (이 장에 포함된) 짧은 보정 프로그램을 마친 후에 건막류를 영원히 없앨 수 있었다. 그녀는 세 달 동안 이 프로그램을 매일 시행해서 건막류의 원인이었던 기능장애를 고쳤다.

추상족지증 역시 이런 전략이 통한다. 추상족지증은 발가락이 아래로 굽은 것으로, 충격을 흡수하고 균형을 잡고 당기려는 필사적인 노력이다. 결국 이것은 넘어지지 않기 위해 안간힘을 쓰는 것이다. 사실 추상족지증은 아치나 발목, 종아리, 무릎이 하는 역할을 발이 대신하려는 상태에서 생긴다. 클리닉을 찾는 사람들은 엉덩이 운동이 효과를 보이기 시작할 때 놀라곤 했다.

 통증이 발생한 곳이 문제가 발생한 곳인 경우는 드물다.

발의 기능장애를
없애기 위한
네 가지 운동

- 총 15분
- 하루에 1번, 아침에 실시
- 기간 : 24시간 동안 통증이 완화될 때까지 매일 이 운동을 하고, 통증이 완전히 사라진 후에는 13장의 종합 컨디션 조절 운동을 한다. 건막류처럼 통증이 없는 증상은 3주 동안 에고스큐 운동법 메뉴를 사용하고 나서 바꾸면 된다.

◆ 발 회전과 발끝 굽히기

　이 운동은 발목의 유연성을 회복하고, 굽히고 펴는 역할을 하는 근육을 강화한다. 발 회전의 경우, 등을 대고 누워 한쪽 다리를 바닥에 평평하게 뻗는다. 그리고 다른 쪽 다리는 가슴을 향해 구부린다. 손을 깍지 껴서 무릎 뒤에 받치고 발목을 시계 방향으로 회전한다. 이것을 30번 반복한다. 그동안 바닥에 놓여 있는 다리는 천장을 향해 뻗는다. 발목의 회전 방향을 바꾸고 반복한다. 발을 바꿔서 반복한다. 이때 무릎이 완전히 정지되어 있는지 확인한다. 발목을 움직이는 것이지 무릎을 움직이는 게 아니라는 걸 명심해라.

　발끝 굽히기의 기본자세는 발 회전과 같다. 즉, 등을 대고 누워 한쪽 다리를 뻗고, 다른 쪽 다리는 구부린다. 발가락을 정강이 쪽으로 끌어당겨 굽힌 후 반대 방향으로 굽힌다. 이것을 20번 반복한 후 발을 바꿔서 실시한다.

그림 4-5

◆ 반듯이 누워 끈을 이용해 장딴지와 뒤넙다리 펴기

그림 4-6a

등을 대고 누워 엉덩이 너비 만큼 양발을 벌린 상태에서 무릎을
구부리고 발을 바닥과 평평하게 내려놓는다. 장딴지 펴기(그림4-6a)
의 경우, 우선 벨트나 고리 달린 끈을 이용해 발의 볼을 감싼다. 발가
락을 뒤로 당기는 동안 장딴지는 팽팽해진다. 다리를 반듯이 유지하
면서 약 45° 각도로 끌어올린다. 편 다리와 구부린 다리의 장딴지는
평평해야 한다. 어깨 힘을 빼고, 그 자세를 30초간 유지해라. 다리를
바꿔 반복한다.

뒤넙다리 펴기(그림 4-6b) 역시 같은 자세를 이용한다. 하지만 이
경우, 끈이 발의 아치를 감싸야 한다. 다리 전체를 몸 쪽으로 당기고,
다리를 반듯하게, 장딴지를 팽팽하게 유지한다. 이때 다리를 너무 많
이 당기지 않는지 확인한다. 바닥에서 엉덩이가 들려선 안 된다. 이

자세를 30초간 유지해라. 이 운동은 엉덩이와 발 사이의 모든 근육을 다시 통합해준다.

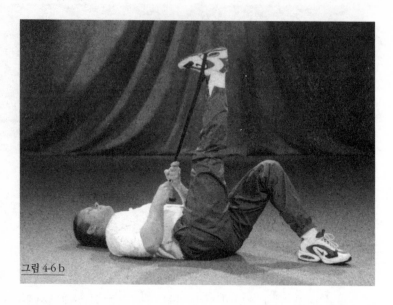

그림 4-6 b

◆ 늘이고 고정하기

그림 4-7

이 운동은 엉덩이 회전을 다룬다. 좌우로 회전하는 게 아니라 비틀어지고 있는 엉덩이는 무릎과 발목의 기능을 파괴한다.

단단한 상자나 의자 위에 무릎을 꿇고 앉아 손으로 어깨 아래 바닥을 짚는다. 등과 머리가 바닥을 향하도록 힘을 빼야 하고, 어깨뼈는 모은다. 팔꿈치를 곧게 펴고, 엉덩이를 앞으로 15~20cm 옮겨 무릎과 일직선이 되지 않게 한다. 이 자세를 1분에서 2분간 유지해라.

◆ 공중에 앉기

그림 4-8

이 운동은 엉덩이와 무릎, 발목이 정렬되고 무게를 견디는 상태에서 그것들을 동시에 펴는 것이다. 이것을 위해 가장 좋은 방법은 등을 벽에 대고 서는 것이다. 엉덩이와 등의 일부를 벽에 딱 붙인 채로 발을 앞으로 몇 발짝 옮기고, 동시에 앉는 자세로 미끄러져 내려온다. 무릎 위와 어깨가 약 90°가 되면 멈춘다. 무릎은 발가락이 아닌 발목 위에 있어야 한다. 이 상태에서 발가락이 보여선 안 된다. 만일 무릎에 통증이 느껴지면 벽을 따라 몸을 위로 들어올려 압박을 약하게 한다. 벽에 기대어 허리와 등 가운데를 눌러 넙다리네갈래근이 장딴지 위를 따라 움직이는 것을 느껴라. 이 자세를 1분에서 3분간 유지해라. 이 운동은 약간 힘이 들 수 있다. 하지만 너무 잘하려고 할 필요는 없다. 만일 이게 너무 과하다고 생각되면 단 몇 초만 해보다가 차츰 시간을 늘리면 된다. 이 운동을 마치고 약 1분간 걷는다.

　이 장을 마치기 전에 신발이 닳아지는 모양에 대해 말하겠다. 통증이 있든 그렇지 않든, 이 원칙은 아주 기본적이다. 다시 말해 적을수록 좋다. 근골격계 기능에서 볼 때, 우리 발의 적은 다름 아닌 비인간적인 신발이다. 가죽이나 캔버스, 고무, 합성 직물 등으로 발을 감싸는 것은 발의 기능을 방해하는 것이다. 신발바닥은 우리 발이 완전히 펴거나 굽히고, 발 아래의 지형을 읽을 수 있는 능력을 빼앗아간다. 발을 위하는 최고의 방법은 가능한 한 신발을 신지 않는 것이다. 할 수 있다면 맨발로 걸어라. 그리고 신발은 꽉 조이는 것 대신 가볍고 느슨하며 유연한 것을 택하라.

　많은 제조업체는 발이나 발목, 무릎, 엉덩이에 기능장애를 가진 고객에게 맞는 신발을 만들기 위해 공학과 최첨단 기술을 동원한다. 그러나 공학적으로 설계된 신발을 신고 한걸음씩 걸을 때마다 기능장애는 오히려 악화된다. 균형을 잡고 걷고 달리고 뛰고 방향을 바꾸면서 신발에 의존하기 때문이다. 그러면서 건강한 근골격계 기능은 훨씬 퇴화된다. 브랜드가 뭐고 가격이 얼마든 신발을 신지 않는 게 발의 문제를 치료해줄 것이다. 신발은 잘해야 기능장애를 위장시킬 뿐이다. 드러나지 않는 문제는 시간이 갈수록 더 악화되기 마련이다.

　　신발에 관해서는 아이들이 더 주의해야 한다. 어른의 경우, 몸이 제대로 기능하지 않아도 뭐가 문제인지는 찾아낼 수 있다. 그러나 적절치 않은 신발을 신은 아이의 경우에는 핵심적인 기능이 결코 발달하지 못할 수가 있다. 따라서 실내에서든 실외에서든 가능한 한 아이들의 신발을 벗겨놓는 게 좋다.

 발 결점

단순한 실험을 해보자. 운동을 한 후에 즉시 운동화를 벗는다. 걸을 때 느낌이 어떤가? 갑자기 방향을 바꾸고 발가락 끝으로 일어서서 뒤로 걸어봐라. 균형을 잃는 것처럼 느껴지는가? 덜 안정적인가? 그것은 당신이 신발에 의존해서 자랐다는 증거다.

　　인간이 태어난 후 몇 달, 몇 년 동안은 근골격계 기능을 일깨우고 강화하는 매우 중요한 시기다. 따라서 아이에게 너무 일찍 신발을 신기지 말라. 설령 아이가 걷는다고 하더라도 말이다. 아이는 우선 몸을 흔들고 넘어지고 기면서 발을 하체의 근육과 협력하여 펴고 굽히며 자란다. 그리고 신발은 마치 받침대 역할을 하며 아이가 바로 설 수 있게 유도한다. 물론 부모는 아이가 서는 모습을 보는 게 즐겁겠지만, 어린 아이들이 사지동물처럼 설계된 데는 다 이유가 있다. 그들은 구르고 쭉 뻗고, 무릎과 손과 팔꿈치를 비틀면서 땅에서 일어서는 완전한 기능을 가지는 것이다. 너무 서두르지 말고 때를 기다려라.

5.

발목 :

사고는

예방할 수 있다

네 쌍의 하중 축받이 관절 중 최고는 역시 발목이다. 발목은 몸무게의 거의 100%를 지탱한다. 그러나 무릎을 제외하곤 근골격계를 구성하는 어떤 것보다 쉽게 손상을 입는다. 발목부상은 운동 중 일어나는 부상의 약 20%를 차지한다. 발목부상이 빈번히 일어나는 운동은 대개 뛰고 착지하고 갑작스럽게 방향을 바꾸고 울퉁불퉁한 땅을 가로질러야 하는 것들이다. 예를 들어 농구나 배구, 테니스, 크로스 컨트리 경주 등이다.

그렇다고 그런 운동을 부상의 원인이라고 말할 수는 없다. 발목은 격렬하게 운동을 하든 가볍게 산책을 하든 제 역할을 어렵지 않게 감당해내기 때문이다. 물론 제 기능을 다하는 발목에 한해서지만. 만일 당신이 단순히 날아가는 새를 바라보다가 혹은 점프를 하다가 발목을 다쳤다면, 그것은 기능장애가 있다는 의미다.

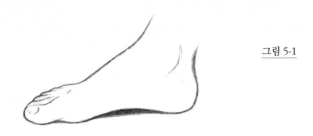

그림 5-1

발목은
약할까, 강할까?

나는 오랫동안 운동치료를 하면서 발목이 약해서 다쳤다는 환자들을 수없이 봤다. 그 핑계는 백인들이 점프를 못하는 이유에서 중급 스키선수들이 정지했다가 다시 회전하는 것을 매끄럽게 하지 못하는 이유에 이르기까지 모든 현상을 설명하는 데 사용되었다. 이런 관점에서 보면 원래 인간은 네 발로 다녔다고 말할 수 있다. 발목이 제대로 역할하지 못하는 것을 따져볼 때 인간이 원래 서서 걸을 수 있도록 만들어진 존재가 아니라는 것을 알 수 있다는 것이다.

물론 터무니없는 주장이다. 발목은 2개의 다리를 가진 동물의 움직임을 감당하는 데 아무 무리가 없다. 그만큼 완벽한 메커니즘이다. 아무리 움직임이 다양해도 발목은 거뜬히 감당할 수 있다. 발목은 지렛대와 경첩으로 구성되어서 동시에 세 가지 작업을 할 수 있다. 바로 몸무게를 견디고, 이동시키고, 충격을 처리하는 것이다. X-ray 사진에서 볼 때, 발목은 마치 복잡한 퍼즐 게임처럼 여러 뼈가 고무밴드(인대)로 묶여 있다. 그러나 가지각색의 관절이 발목 전체의 약 60%를 차지한다. 주요 구성요소의 일부가 불편할 정도로 딱딱하여 탄성이 없는 것과 달리 발목은 미묘하게 움직이고 유연하고 탄력적으로 반응할 수 있다.

그렇다면 왜 발목을 다칠까? 글쎄, 대답은 약하기 때문이다. 이 문제를 설명하는 게 발목을 이해하는 데 핵심적이다. 만일 발목이 무릎이나 엉덩이, 어깨 관절과 제대로 조화를 이루어 상호작용하지 못하면, 그것은 마치 하중 축받이 관절이 정렬되지 않았을 경우와 같다. 그래서 발목 역시 실제로는 약해진다. 퍼즐 조각처럼 생긴 발목의 구성요소가 대부분 표면에 퍼져 있다는 것은 장점보다는 불리한 점이 된다. 발목은 너무 많이 움직이고, 그에 대해 책임을 진다. 그러면서 인대가 삐걱거리기 시작한다. 그러나 이게 발목의 잘못은 아니다. 다른 하중 축받이 관절처럼 발목 역시 무게를 싣지 않은 상태에서는 약해지고, 특별히 견고하지 않다. 접착제 역할을 하고 강해지기 위해 모든 관절은 중력과 정렬(배열)이 필요하다. 다행히 살아 있는 몸에서 관절이 받는 무게를 완전히 없애는 것은 불가능하다. 다른 것이 없어져도 중력은 남아 있다. 그러니까 발목은 항상 일정량의 힘을 받는다. 물론 그것만으로 충분하진 않다.

이상적으로 말하면, 하중 축받이 관절은 잘 만들어진 식당 의자와 같이 하나의 단위로 함께 엮여 있을 때 온전한 힘을 가진다. 4개의 단단한 식당 의자는 사람들의 무게를 수년간 지탱해준다. 그러나 만일 2개의 다리만으로 지탱해야 하는 일이 잦아지면, 다리가 흔들리기 시작해서 결국엔 와르르 무너질 것이다. 이와 비슷하게 하중 축받이 관절이 함께 기능하지 않으면 관절의 결합에서 오는 힘을 잃는다. 만일 근골격계의 수평과 평행을 상실하면, 결합된 관절의 상호작용이 제대로 이루어지지 않는다. 무게는 8개의 하중 축받이 관절에 고르게 분배되지 않고, 만일 그런 일이 생기면 무게와 충격을 함께 견뎌야 하는 발목은 자주 다칠 것이다. 그렇다고 해서 발목을 재구성하거나 부목을 대고 특별히 높은 신발을 신는 게 해결책은 아니다. 다른 관절들이 조금만 도와주면, 발목은 충분히 목적을 달성할 수 있다(그림 5-2).

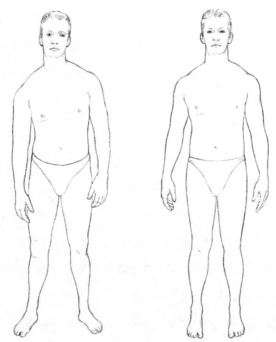

그림 5-2

무게를 견디는 일에 기능장애를 일으킬 때(좌)와 그렇지 않을 때(우)

NBA 선수인 마크는 무릎을 고정하기 위해 우리 클리닉을 찾았을 때 이 사실을 알았다. 그는 농구의 특성상 무릎 부상을 으레 당할 수 있다고 여겼다. 나는 그의 무릎이 아픈 이유를 엉덩이와 발목이 제대로 연결되지 않아서라고 생각했다. 엉덩이와 발목을 연결하는 '통신선'이 아직 이어져 있지만, 두 부위가 의사소통을 하거나 협력하지 않는 것이다.

마크는 '발 회전'과 '발끝 굽히기'(84쪽)를 권유하기 전까지 이를 믿지 못했다. 기본적으로 이것은 등을 대고 누운 채로 한쪽 다리를 쭉 펴고, 다른 쪽 다리를 공중에 드는 동작을 포함한다. 들어올린 다리는 90°로 굽히고, 무릎 아래에 양 손을 깍지 껴서 지지한다. 우선 발목을 시계방향과 시계반대 방향으로 회전한다. 그러고 나서 발가락을 구부리고 발끝을 앞뒤로 움직인다. 이 운동은 발목에 기능장애를 가지지 않았다면 결코 어렵지 않다. 마크는 프로 선수로 활동하면서 수백 번 점프하고 착지하고 몸을 비틀고 돌아서고 정지하고 앞으로 나아갔지만, 이 운동의 동작을 거의 소화하지 못했다.

물론 마크는 무릎이 아팠다. 그리고 시간이 지나면서 엉덩이까지 아팠다. 문제를 깨달았을 때, 그는 뼈 돌기(bone spurs) 때문에 몇 차례 무릎 검사를 받았다고 말했다. 관절경 수술(arthroscopic surgery)은 관절 내부를 조사하고 치료하는 방법이다. 그는 이것을 대수롭지 않게 생각했지만, 뼈 돌기는 아무 이유 없이 그냥 생기는 게 아니다. 뼈 돌기는 발목의 구성요소가 다른 하중 축받이 관절과 떨어진 채로 마멸되고 타격을 받은 결과로 생긴다. 마크는 '수건 위에 반듯이 누워 사타구니 스트레칭 하기'(131쪽)을 하는 것으로 45분 이내에 동작을 80%까지 해냈다. 나머지는 일정을 몇 차례 더 진행하면서 되돌아왔고, 결국 무릎 통증이 멈췄다.

발목은
차단기와 같다

　　인대가 발목 관절의 모든 뼈를 잇고 있는 것은 아니다. 인대는 질기고 비교적 탄력적인 조직의 띠로, 혹사를 당하고 있다. 사람이 걸을 때 발목에 가해져서 아래로 가는 힘은 몸무게의 총 3배에서 3배 반에 이를 거라고 추정한다. 동시에 몸무게의 10%가 앞으로 움직이는 관성에 의해 생기는 수평 힘이 발목에 전달된다. 몸무게가 90kg 나가는 사람에게 그것은 9kg의 볼링공이 발목 사이로 굴러다니는 것과 같다. 이것은 어디까지나 정상적으로 기능할 경우다. 만일 기능장애가 있다면 움직임은 모든 부위에서 일어날 것이다.

그림 5-3
발목의 종아리 인대

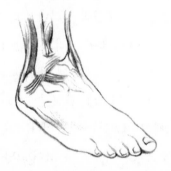

　　이런 충격 때문에 발목은 일종의 차단기(circuit breaker)와 같은 메커니즘으로 설계되어 있다. 만일 발목이 다른 하중 축받이 관절의 도움 없이 압력을 과도하게 받으면 말 그대로 퓨즈가 나가버린다. 발목의 인대는 극심한 압력을 받을 것이다. 그러면 삐거나 찢어지거나 파열되는데, 이것은 뼈가 부서지는 것을 막기 위해서라고 할 수 있다.

종아리 인대는 종아리뼈를 발목에 부착시키는 것(하나는 뒤꿈치 뒤쪽으로 뻗어 있고, 다른 하나는 앞쪽으로 뻗어 있음)으로, 우리 몸에서 가장 자주 손상된다(그림 5-3). 운동선수들은 이 인대를 다치면 훈련이 적절치 못했거나 기술이 부족했거나 피곤했거나 재수가 없었다고 말한다. 반면에 일반인은 '사고는 일어나기 마련'이라고 생각한다.

흔히 의심하는 다른 것은 이미 4장에서 다룬 발의 회외와 회내다. 설명하면 다음과 같다. 농구 선수가 발의 바깥날을 폭발적으로 밀어대면, 즉 발을 회외하면 발목에 가해지는 압박은 견딜 수 있는 한계를 넘어선다. 발의 회내 역시 유사하다. 농구 선수가 점프했다가 떨어질 때, 발의 안쪽이 위를 향하면서 내려앉을 수 있다. 어쩌면 상대팀 선수의 발을 밟았기 때문이라고 말할지도 모른다.

그러나 4장에서 말했던 것을 떠올려보면 쉽게 알 수 있듯이, 손상을 일으키는 것은 회외나 회내가 아니다. 발과 발목은 울퉁불퉁한 바닥에도 잘 견딜 수 있게 되어 있다. 하지만 발의 아치와 무릎, 엉덩이의 도움을 받지 못하면, 발목은 연이어 직접적인 타격을 받도록 남겨진다. '발목이 약하다'고 느끼는 것은 한계를 넘어설 만큼 관절을 비틀고 돌릴 때 나타나는 증상이다. 그리고 평발이거나, 무릎과 엉덩이의 하중 축받이 관절이 일렬로 잘 정렬되어 있지 않다는 것을 나타내는 광범위한 기능장애 증상이기도 하다.

발목을 접질리면 근육이나 관절은 일반적인 움직임의 범위를 넘어서는 압박을 받기 때문에 외상(대개 붓거나 무르는 것)을 만들어낸다. 하지만 이 외상은 탈골이 반복되거나 인대가 손상을 입기 전에 멈춘다. 인대가 다친다는 것은 세로 방향의 신경섬유가 옆으로 찢어지는 것을 말한다. 이것은 물론 아픈 것 이상으로 큰 불편함을 가져온다.

발목이 아프면 바깥쪽을 향해 발을 벌리고 싶어진다. 그러나 이것은 이미 다친 인대에 의도하지 않은 압력을 가하는 것이고, 더 붓게 만들 뿐이다. 뒤꿈치, 발바닥, 발끝으로 이어지는 걸음걸이는 아치를 참여시키고, 무릎의 상호작용을 촉진한다. 그리고 관절을 이쪽에서 저쪽으로 회전시키는 회의와 회내의 경향을 감소한다. 발목에 힘을 주기 위해 압박붕대로 감는 것은 좋지만, 붕대를 너무 조여 뒤꿈치, 발바닥, 발끝으로 이어지는 걸음걸이가 방해를 받고 허벅지 안쪽 근육을 이용해서 걷게 되면, 무릎과 엉덩이의 기능이 손상된다.

당신 몸에 주의를 기울여봐라. 어디가 불편한지 알 수 있을 것이다. 만일 통증이 심하거나 걸을 때 심해지면 너무 무리하진 말라. 호흡을 자주 하고, 앉아서 발목을 들어올리고, 쉬어라. 그러나 관절이 무게를 견딜 수 있게 하는 일은 여전히 중요하다. 모든 근육과 관절은 제대로 사용하지 않으면 그만큼 기능을 상실하기 마련이다.

발목 골절

골절은 뼈를 적절히 맞출 수 있는 정형외과 전문의에게 치료를 받아야 한다. 그 외에는 달리 방법이 없다. 그러나 '반듯이 누워 사타구니 스트레칭 하기'를 함께 해주면 한결 나을 것이다. 다음 장에서 소개할 엉덩이와 무릎 운동은 관절의 재정렬을 도와준다.

관절 수술은 최후의 보루로 생각해야 한다. 뼈에 박은 나사와 금속판이 튼튼하긴 하지만, 몸은 자연 장치에 맡겼을 때 더 튼튼해지고 영리해진다. 한때 의사들은 수술을 하지 않고 부러진 뼈를 제자리에 맞추는 정교한 기술을 사용했다. 하지만 그것은 갈수록 점점 사라지고 있다. 가능하다면 몸에 피해를 덜 주는 기술을 사용하고, 충분한 경험을 가진 의사를 찾는 게 좋다.

탈골과 인대파열 역시 기본적으로 치료가 동일하다. 이 경우 비록 골절은 없지만, 발목 관절의 구성요소가 심하게 뒤틀려 있으므로 관절을 제대로 연결시켜 제 기능을 다시 하도록 해주어야 한다. 너무 걱정할 것은 없다. 짧은 시간 안에 발목관절은 제자리를 잡아 제 기능을 할 것이다.

골절이나 접질림, 그 밖의 근골격계 문제시 붓는 것은 대개 사고가 났을 때 주위의 조직세포가 실제로 겪은 스트레스나 상처보다 더 사소하다는 것을 나타낸다. 부종과 부상은 별개란 말이다. 부종을 다루는 가장 좋은 방법은 엉덩이-무릎-발목의 정렬을 회복시키는 운동을 하는 것이다. 이것은 자연적인 혈액순환을 증진시키고, 상처를 입으면서 생긴 노폐물을 청소하도록 도와주며, 상처 부위의 산화과정을 촉진시킨다. 이때 '반듯이 누워 사타구니 스트레칭 하기'를 해주는 게 좋은데, 그것이 다친 구조를 정렬해주고 무게를 받지 않으면서 다른 관절과 연결시켜주기 때문이다.

다리가 붓는 것은 심장 문제나 당뇨와 같은 심각한 내부 원인을 안고 있을 수도 있다. 따라서 위에서 언급한 것들은 근골격계 외상과 관련된 부종에만 적용해야 할 것이다.

⚒ (굴절되지 않은) 발목 통증을 위한 에고스큐 운동법

- 발목이 부러진 게 아니라 접질린 것인지 확인하고, 발목을 얼음물에 담근 상태로 견딜 수 있을 때까지 견딘다. 더 이상 견딜 수 없을 때, 발목을 잠시 꺼냈다가 다시 담근다. 10분에서 12분 동안 담갔다가 꺼내는 동작을 반복하면 붓기가 가라앉는다.
- '반듯이 누워 사타구니 스트레칭 하기'를 35분에서 45분 동안 한다. 이것은 하중 축받이 관절을 재정렬하고, 발목의 위치를 다시 잡아준다.
- 양말과 신발을 신고 일어서서 점차 발목에 무게를 더한다. 무게가 발목에 충분히 실리면 천천히, 조심스레 다시 걷는다. 발이 똑바로 앞을 향해 있는지, 뒤꿈치－발바닥－발끝의 걸음걸이 형태가 제대로 지켜지는지 확인한다.
- 발목이 정상으로 되돌아올 때까지 '반듯이 누워 사타구니 스트레칭 하기'를 매일 반복한다.

아킬레스건 염증

아킬레스건은 아킬레스의 야심 많은 어머니 덕분에 좋지 않은 평판을 얻었다. 아킬레스의 어머니는 아들을 불멸의 존재로 만들기 위해 그를 마법의 스틱스 강에 담갔다고 한다. 그러나 가장 위대한 전사에게도 한 가지 취약점이 있었다. 바로 아킬레스의 어머니가 그를 마법의 강에 담글 때 쥐고 있던 부분으로, 물에 닿지 않았기 때문에 그 부분은 보호를 받지 못했던 것이다. 트로이 전쟁이 끝나기 얼마 전, 아폴로 신의 가호 아래 날아온 창이 바로 그 부분을 강타해서 아킬레스를 죽이고 트로이 성문을 연다.

이 이야기를 지은 호머는 해부학에 대해 잘 알고 있었던 것 같다. 비교적 직경이 좁고 뼈와 근육 덩어리의 보호를 받지 못하는 아킬레스건은 창뿐만 아니라 야구경기에서 2루로 슬라이딩하는 주자의 스파이크에도 쉽게 다칠 만큼 취약하다.

전쟁터에서는 상체에 비해 장딴지와 발은 중무장을 할 수 없다. 그렇게 하면 군인들의 기동성이 떨어지기 때문이다. 그러나 아킬레스건을 제대로 보호하지 않으면 말을 탄 군인도 땅에 떨어져 있는 적군에게 쉽게 당할 수 있다. 이 모든 이야기는 실제로 고대역사에 나온다.

아킬레스건이 본래부터 약한 것은 아니다. 그런데 왜 다른 곳보다 자주 다칠까? 그것은 발목 관절이 기능장애를 일으키는 이유와 같다. 아킬레스건은 장딴지의 비복근(gastrocnemius)을 발꿈치에 붙인다. 이것의 역할은 몸의 가장 강력한 지렛대를 형성하고 작동시키는 것이다(그림 5-4). 걷거나 달릴 때, 아킬레스건(그리고 가자미근-비복근과 함께 다리의 삼두근을 구성하는 근육)의 도움을 받는 비복근에 의해 우리 몸은 땅에서 들어올려져 앞으로 나아간다. 아킬레스건은 근육의 굉장한 힘을 발로 전달한다. 그리스 이름의 영웅처럼 아킬레스건은 결코 무

그림 5-4
아킬레스건이 발꿈치에 붙은 모습

기력하지 않다. 아킬레스건이 하는 일을 생각해볼 때, 이것이 우리 몸에서 가장 강하다고 하는 것은 전혀 놀랄 일이 아니다.

근육은 다른 근육과 반대로 작용한다. 하나가 굽히면 다른 것은 편다. 건(힘줄) 역시 마찬가지다. 아킬레스건과 반대로 작용하는 건은 비복근의 두 상단을 넙다리뼈의 복사뼈 중간과 측면에 단단히 고정시킨다. 두 건 중 하나는 다른 하나보다 약간 낮은 지점에서 시작되는데, 이것은 무릎이 제대로 정렬되어 있지 않으면 이 두 건의 역동적인 장력과 상호작용이 무너진다는 것을 뜻한다. 아킬레스건은 팽팽하고 유연한 수축을 실행하는 대신 윙 하고 울리거나 주름이 잡히기 시작한다. 이것을 시각적으로 나타내면, 감아서 말아 올린 주방 타월의 양 끝을 양손으로 잡고 있는 것과 같다. 타월을 곧고 팽팽하게 유지하는 동시에 손을 왼쪽과 오른쪽으로 이동하는 동작이 아킬레스건의 건강한 수축·이완 메커니즘과 닮았다. 이제 오른손은 제자리에 고정하고 왼손을 앞뒤로 이동해보면, 타월이 접히고 축 처질 것이다. 이게 바로 무릎이 정렬되어 있지 않았을 때 아킬레스건에서 일어나는 일이다.

아킬레스건은 윙 하고 울리게 설계되지 않았다. 그리고 손상된 아치를 가지고 불안정한 회내와 회의를 하는 발을 움직이게 설계되지도 않았다. 무엇보다 장딴지, 무릎, 엉덩이와 반대되는 근육들의 도움 없이 제 기능을 발휘하도록 되어 있지 않다. 아킬레스건의 수축하는 힘은 엄청나서 몸의 몇 배에 해당하는 무게를 갑자기 들어올릴 수도 있다. 그러니 이 힘이 반대로 작용하면 얼마나 위험할지 생각해봐라. 우선 염증의 원인이 될 수 있다. 더 나쁜 것은 아킬레스건과 그것과 반대로 작용하는 건 사이의 균형이 깨지면서 마찰이 계속 생기고, 그 결과 발목 뒷부분에 아픈 큰 가골이 생긴다는 것이다. 의사들은 이 가골을 긁어내거나 깎아내려고 한다. 이렇게 하면 당장은 통증 없이 걸을 수 있지만 다시 재발할 것이다. 근본적으로 문제의 원인을 제거하지 않았기 때문이다. 더욱이 이 가골을 제거하고 나면 건은 약해진다. 그런 점에서 에고스큐 운동법이 훨씬 효과적이다. 그러나 건이 갑자기 파열되었다면 수술할 것을 제안한다.

아킬레스건을 보호하기 위해 특별한 기술이 만들어졌다. 그것은 준비운동이나 스트레칭부터 신더 트랙(cinder track, 석탄재를 깔아 다진 경주용 트랙)에 이르기까지 다양하다. 그러나 누가 뭐래도 가장 좋은 방법은 아킬레스건을 위협하는 근골격계 기능장애를 사전에 예방하는 것이다.

 아킬레스건의 위험을 알려주는 여섯 가지 표시

1. 신발이 고르게 닳지 않는가?
2. 일어서거나 걸을 때 발이 벌어지는가?
3. 아킬레스건의 둘레를 따라 만져보면 부드럽게 느껴지는가?
4. 책상 끝에 앉아 다리를 곧게 편 후에 버텨라. 당신 쪽으로 발을 당길 때 발목에 동작이 느껴지는가? (이것을 장딴지에서 느껴야 한다.)
5. 같은 위치에서 발을 굽힐 때 안쪽 날이 먼저 나가고 바깥쪽이 각도를 이루며 따라오는가?
6. 대부분의 시간 동안 장딴지 근육이 비정상적으로 조여지는 것처럼 느끼는가?

아킬레스건 통증(또는 예방)을 위한
네 가지 운동

- 총 30분
- 하루에 1번
- 기간 : 24시간 동안 통증이 완화될 때까지 매일 이 운동을 하고, 통증이 완전히 사라진 후에는 13장의 종합 컨디션 조절 운동을 한다.

◆ 발 회전

4장에 나와 있는 '발 회전' 동작설명을 따른다(84쪽). 아킬레스건 통증이 한쪽 발에만 있더라도 양발을 다 회전한다. 발끝을 구부리면 안 된다. 이 운동은 잃었던 발목의 움직임 범위를 회복시켜 준다.

◆ 등 고정하기

등을 대고 누워 두 다리를 적당한 각도로 구부려 의자나 단단한
상자 위에 둔다. 손을 어깨 아래 쪽, 즉 배나 바닥에 두고 손바닥을 위
로 향하게 해서 편하게 놓는다. 등이 바닥에 딱 닿도록 한다. 횡격막
에서부터 호흡하라(그러니까 배로 호흡하라). 배 근육은 숨을 들이마실
때 올라가고, 내쉴 때 내려간다. 이 자세를 5분에서 10분간 유지해
라. 이 운동은 엉덩이를 바닥에 고정시키고, 발과 발목의 걸음걸이를
방해하는 보상근을 풀어준다.

그림 5-5

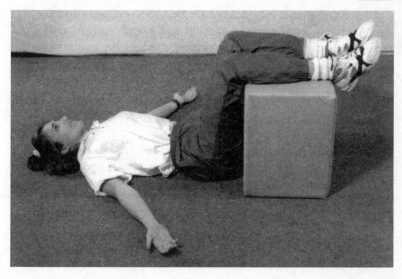

◆ 벽에 기대기

등을 대고 누워 다리를 엉덩이너비로 벌린 후 벽에 기대어 곧게
펴 올린다. 허벅지를 팽팽하게 하고, 발과 발가락은 바닥을 향하게

그림 5-6

굽힌다. 엉덩이와 뒤넙다리근(허벅지 뒷부분)을 가능한 한 벽에 바짝 붙인다. 틈이 좁을수록 좋다. 상체를 이완하는 데 집중한다. 이 자세를 3분에서 5분간 유지한다. 이 운동은 허벅지와 장딴지 뒤쪽 근육과 관련 있다.

◆ 반듯이 누워 사타구니 스트레칭 하기

이 운동은 허벅지 안쪽의 강력한 근육을 길들이는 것이다. 등을 대고 누워 한쪽 다리를 의자나 단단한 상자에 내려놓은 후 무릎을 90°로 구부리고, 다른 쪽 다리는 곧게 펴서 바닥에 내려놓는다. 두 다리가 엉덩이, 어깨와 정렬되어 있는지 확인한다. 편 다리의 발이 한쪽으로 굴러가지 않도록 신경 써라. 이 자세로 최소한 10분간 긴장을 풀고, 다리를 바꿔 실시한다.

이 운동시간을 조정하는 한 가지 방법은 허벅지 테스트를 이용하는 것이다. 편 다리의 허벅지에 힘을 주고, 어느 곳에서 수축이 가장 강하게 느껴지는지 파악하라. 처음엔 거의 무릎 근처일 것이다. 스트레칭을 계속하면서 이 테스트를 3분마다 실시한다. 수축이 가장 강하게 느껴지는 부분이 허벅지 위로 옮겨갈 것이다. 허벅지를 수축한 상태로 두지 말라. 테스트를 위해 허벅지를 수축시켰다가 다시 긴장을 풀어준다. 허벅지의 가장 윗부분에서 수축이 느껴질 때 다리를 바꿔라.

그림 5-7

장딴지 근육

장딴지는 5개의 근육으로 이루어졌는데, 그중 2개는 얕은 굽힘근육 층(superficial flexor layer)에 있고, 다른 3개는 깊은 굽힘근육 층(deep flexor layer)에 위치한다. 이것들은 강력하지만 복잡하진 않다.

장딴지 근육은 이동하는 데 반드시 필요하고, 우리 몸이 앞으로 쏠리며 넘어지는 것을 막아주기 위해 언제나 중력과 반대 방향으로 작용한다. 강력한 장딴지가 없었다면 인간은 일어서지 못했을 것이다. 기능장애와 그 결과 생긴 근골격계의 보정은 무릎, 허벅지 안쪽, 허리를 관할하는 장딴지의 역할을 다시 할당한다. 이런 메커니즘은 결국 중력과의 싸움을 패배로 이끌고, 그러는 사이 장딴지는 극도로 쇠약해진다(그러나 아킬레스건에 손상을 입힐 정도의 힘은 가지고 있다).

이것은 장딴지 이식수술이 실리콘을 이식하는 외과수술 중 가장 흔한 이유다. 예를 들어 체육관에서 몇 시간 동안 상체 훈련을 한 역도선수는 때로 흐느적대고 약해진 장딴지 근육 때문에 어려움을 겪는다. 그들은 다양한 기구를 가지고 다양한 연습을 하지만 장딴지에는 아무 효과 없는 짓을 행하면서 그것을 못쓰게 만든 것이다. 이런 상황은 역도선수가 체육관을 떠난 후에 근육이 규칙적인 자극을 받지 못하기 때문에 발생한다. 현대 생활에서 고작 의자에서 의자로 이동하는 데 사용되는 허벅지, 엉덩이, 허리 근육은 장딴지 기능을 빼앗는다. 발이 벌어지고 무릎이 돌아간 상태에선 아무리 강한 장딴지라고 하더라도 특별운동이 끝나면 순식하게 힘을 잃는다. 역도선수는 최후의 보루로 이식수술을 선택한다. 축 늘어진 장딴지 근육은 기능장애 덕분에 연결고리 밖에 놓인다. 자극이 장딴지 근육에 이르지 못하기 때문에 그것은 반응할 수 없다. 그래서 장딴지 근육 발달이 네 쌍의 하중 축받이 관절이 적절하게 정렬되었는지에 달려 있는 것이다.

정강이 덧대

당신은 정강이 덧대(shin splint, 경골부목, 정강이뼈에 통증이 오는 여러 가지 질환)가 장딴지와 아무 상관이 없을 거라고 생각해왔는지 모른다. 그러나 장딴지에 적절한 움직임을 주면 정강이 덧대는 사라질 것이다.

정강이 덧대는 사실 장딴지와 관련해서 통증이 가장 심한 상태다. 한걸음씩 걸을 때마다 발목 위 다리 앞부분의 근육조직이 찢어지는 것 같다. 그러나 기본적으로 그것만 발생하고 있는 게 아니다. 발과 발목에 지나친 회내, 회외, 측면 회전력이 존재하는 상황에서 발과 발목이 지레와 경첩 기능을 수행하려고 할 때, 아랫다리 앞 근육 집형성(덮개)이 미세한 고통을 겪는 것이다. 아랫다리가 유연하게 굽혔다 펴지는 대신 비틀리고 회전하고 요동친다고 상상해봐라. 근육 집형성은 격렬한 학대에 시달리고 있는 것이다. 이 경우 역시 치료를 위해 새로운 신발을 신고, 정형외과 치료를 받고, 바닥 표면을 새롭게 한 시설에서 달리고, 비교적 충격이 약한 운동을 활용하는 것은 적절한 해결방법이 아니다.

굽이 고르지 않게 닳은 신발 탓에 정강이 덧대가 생기는 게 아니다. 정강이 덧대가 생겼기 때문에 신발이 고르지 않게 닳는 것이다.

물론 문제는 통증을 멈추게 하는 방법이다. 정답은 4장에 있다. 바로 발이 부적절하게 착지하는 것을 교정하기 위한 운동을 활용하는 것이다. 다음 운동은 엉덩이, 무릎, 발목의 협력을 회복시켜 근육 집형성을 치료할 수 있게 하기 위해 고안된 것이다.

◆ 발 회전과 발끝 굽히기

4장에 나와 있는 '발 회전'과 '발끝 굽히기' 동작 설명을 따른다.
(84쪽)

◆ 반듯이 누워 끈을 이용해 장딴지와 뒤넙다리 펴기

4장에 나와 있는 '반듯이 누워 끈을 이용해 장딴지와 뒤넙다리 펴기'
동작설명을 따른다(85쪽).

◆ 늘이고 고정하기

4장에 나와 있는 '늘이고 고정하
기' 동작설명을 따른다(86쪽).

◆ 공중에 앉기

4장에 나와 있는 '공중에 앉기'
동작설명을 따른다(87쪽).

외경련

외경련(cramps)은 우리가 주로 '쥐'라고 부르는 것이다. 장딴지에 외경련이 자주 일어난다면, 그것은 대개 근육이 익숙지 않은 일을 해서 그렇다. 탈수나 영양상태가 나쁜 것 역시 원인이 될 수 있다. 자극적인 음료를 마시지 않는 게 도움이 될 것이다. 물을 되도록 많이 마시는 게 좋다. 외경련을 위한 특별한 운동은 없다. 외경련이 일어난 부분을 부드럽게 마사지하거나 안마해주고, 무릎을 향해 발을 굽히도록 한다. 다른 만성통증과 마찬가지로 장딴지에 생기는 외경련은 당신에게 뭔가 중요한 것을 말하고 있다. 멈춰서 귀 기울여보고 살펴보도록 해라.

6.

무릎 :

양측성을

지켜라

무릎은 단순한 일을 하는 복잡한 관절이다. 무릎은 엉덩이와 발목을
동시에 움직일 수 있게 한다. 반대로 무릎은 복잡한 일을 하는 단순
한 관절이라고 할 수도 있다. 이 두 가지 말은 모두 맞다.

무릎은 지극히 어려운 문제를 명쾌하게 풀 수 있는 해결책이기도 하
다. 우리 엉덩이와 발목이 움직이는 속도 차이는 엄청 크다. 말하자
면 엉덩이와 발목을 움직이는 기어의 크기가 다르다. 엉덩이와 발목
이 가진 근육의 힘 차이는 제트기 추진력과 고무줄의 힘 차이라고 할

수 있다. 그렇기 때문에 엉덩이와 발목을 동시에 움직인다는 것은 미쳤거나 천재가 아니고선 시도할 수 없을 만큼 어려운 일일 수 있다. 320만 년 전, 우리 조상이 무릎을 사용해서 엉덩이와 발목을 동시에 움직일 수 있었을 때 비로소 인간은 더 크고 무서운 맹수와 견줄 수 있는 힘과 지구력, 민첩성, 속도를 갖출 수 있었다.

무릎은
다치기 쉽다?

'무릎은 너무 다치기 쉽다'는 말을 들으면, 나는 무척 화가 난다. 만일 무릎이 정말 그렇게 약하다면 왜 인류가 멸종하지 않는가? 만일 무릎이 기기, 걷기, 달리기, 점프하기, 뛰어내리기 등 일상적인 요구를 감당하지 못한다면 인류는 이미 수천 년 전에 끝나버렸을 것이다. 무릎의 구조는 그때나 지금이나 동일하니까 말이다.

"그렇지만 인간의 수명이 예전보다 길어졌다는 게 문제예요. 원래 무릎은 아기를 낳고 기르는 나이를 지나면 기능이 다하게 만들어졌거든요"라고 반론을 제기하고 싶은 사람도 있을 것이다. 만일 이런 주장이 맞다면, 이것은 논리적으로 인간의 근육과 골격체계 전체에 해당하는 것이어야 하고, 40~45세 이전에 몸의 부위가 약해지는 경우가 극히 드물어야 옳을 것이다. 그러나 무릎이 아파서 우리 클리닉을 찾는 청소년이나 청년이 중년기에 접어든 무릎 환자보다 많아지기 시작했다. 숫자는 물론 차지하는 비율도 점차 커지고 있다. 물론 우리 클리닉을 찾는 사람들이 정확한 표본은 아니다. 어쨌든 50~80대까지의 사람들은 생체역학상의 기능장애가 그리 심각하지 않고, 오히려 젊은 사람보다 관절이 안정적인 편이다. 솔직히 말해 클리닉을 찾는 젊은 사람들의 상태는 엉망이다.

이것은 불길한 변화다. 갈수록 나이 어린 사람들에게 근골격계 쇠약이 발생하면, 우리는 중대한 생리학적 위기에 근접하고 있는 것이다. 의학기술에 의존한다고 해도 운동기능이 없는 부위를 활발히 움직이게 하거나 혹은 부분적으로나 적당히 움직이게 하는 것은 불가능하다. 게다가 우리 몸은 적절한 운동이 없으면 신진대사가 제대로 일어나지 못한다.

무릎 상태가 안 좋은 청년, 심지어 청소년을 진찰할 때마다 나는 18, 19세기 광부들이 가스가 새는지 확인하기 위해 탄광에 데리고 들어갔던 카나리아가 생각난다. 노래를 부르던 카나리아는 적은 양의 가스만으로도 죽고 만다. 카나리아가 죽고 나서 찾아온 정적은 밖으로 나가라는 경보장치와 같다. 마찬가지로 이런 기능장애는 우리에게 위험을 알려준다. 엉덩이와 무릎을 동시에 사용할 수 있는 능력을 청소년기에 상실한다는 것은 운동력 자체를 점차 잃어가고 있다는 뜻이다.

사고는 우연히
일어나지 않는다

건강한 무릎을 위해 필요한 조건은 단 하나다. 바로 다른 하중 축받이 관절과의 정렬이다. 무릎이 발목, 엉덩이와 연계해서 잘 정렬되어 있고, 그것들과 함께 움직인다면 문제될 것은 거의 없다. 그러나 우리는 무릎을 언제 일어날지 모르는 사고, 언제 터질지 모르는 시한폭탄 같다고 스스로에게 말한다. 사고나 폭발은 일어날 수도 있다. 나는 사고나 폭발을 증상이 나타나는 사건으로 여긴다. 축구장에서 방향을 바꾸려고 급정거하다가 무릎뼈가 다치거나, 스키를 타다가 걸려 넘어지면서 앞십자인대(ACL : anterior cruciate ligament)가 파열되는 게 재수가 없어 일어난 사고라고 생각하는가? 그렇지 않다. 운이 나빠서 이런 일이 생길 수도 있지만, 그것은 무릎이 상처를 입는 이차적인 원인에 불과하다. 목수가 딴생각을 하면서 망치질을 하다가 손가락을 다쳤는데, 그것을 망치 탓으로 돌리는 것과 같다. 만일 무릎이 제대로 정렬되어 있었다면, 축구를 하던 사람은 급히 섰다가 순식간에 돌아서서 골을 넣을 수 있었을 것이다. 스키를 타던 사람 역시 눈을 툭툭 털고 일어나 묘기를 부리며 내려왔을 것이다.

 ## 무릎뼈와 앞십자인대

무릎뼈는 무릎 덮개로, 무릎 관절 위에 떠 있는 것처럼 보이는 디스크다. 사실 무릎뼈는 다리 폄근(extensor muscle)의 힘줄에 박혀 있다. 이런 배열 덕분에 무릎은 상당한 신축성을 가지게 되었다. 앞십자인대는 매우 질긴 조직띠로, 무릎 뒤쪽으로부터 무릎 관절을 십(+)자 모양으로 가로지르면서 안정성을 준다.

　우리는 '사고는 우연히 일어난다'는 고정관념에서 벗어나야 한다. 이 장을 읽으면 그것에서 벗어날 수 있을 것이다. 지금은 우선 통증을 일으키는 원인에 대해 이제까지 우리가 가지고 있던 가정을 재검토해보아야 한다. 만일 통증이 다른 부위와 상관없이 홀로 생기고 관절이 원래 연약해서 생긴다고 생각한다면, 다친 부위만 치료하면 된다고 믿는 오류를 범할 것이다. 그리고 무릎은 다른 관절보다 다치기 쉬우니 무릎을 돌보고 무릎 통증을 없애는 산업을 키워야 한다고 생각할 것이다. 정형외과에서 무릎 수술은 미다스*Midas*의 손과 같다. 무릎 관절을 고치거나 교체해서 움직이게 하는 것이다.

사고가 먼저인가, 기능장애가 먼저인가?

무릎이 잘못되었다는 것을 알려주는 사건은 다양하다. 샤워하다가 넘어지거나 바닥의 작은 틈새에 걸려 넘어지거나 테니스장에서 넘어지는 것 등이다. 이런 사건의 공통점은 이미 그 전에 무릎에 기능장애가 있었다는 것, 그리고 그것 때문에 조만간 닥칠 부상을 피할 수 없었다는 점이다.

클리닉을 찾는 환자들은 거의 대부분 경미한 기능장애에서 시작해서 몇 가지 증세를 나타내는 사건을 거쳐 대재난에 이르는 과정에서 도망쳐 나온 난민과도 같다. 테리는 그 전형적인 경우다. 40대 중반으로 접어들면서 그는 오른쪽 무릎을 완전히 펼 수가 없었다. 이런 상태는 그가 우리 클리닉에 오기 전까지 12년간 계속되었다.

테리 이야기

내가 테리를 처음 보았을 때, 그는 이미 회전근개(rotator cuff, 어깨에 있는 힘줄, 팔을 회전시키는 역할을 함) 수술과 오른쪽 무릎의 손상된 연골을 제거하는 수술을 받은 후였다. 그리고 의사는 그의 왼쪽 무릎을 교체하기 원하고 있었다.

테리의 문제는 왼쪽 엉덩이가 유별나게 조여지면서 시작되었다. 당시 그는 장비 판매원으로, 직접 운전하고 다니며 고객을 방문했다. 그는 오른쪽 다리를 방화벽(fire wall, 엔진 화재로부터 운전자를 보호하기 위해 엔진과 운전석 사이에 설치된 단열재)에 걸치고, 가속장치를 작동시키면서 도로 위에서 많은 시간을 보냈다. 왼쪽 다리는 클러치를 밟아야 했기 때문에 보다 활동적이었다. 그는 멈출 때나 운전석에서 내릴 때에도 왼쪽 다리를 사용하곤 했다.

왼쪽의 힘이 오른쪽보다 세지기까지는 그리 오래 걸리지 않았다. 강한 왼쪽 엉덩이는 상대적으로 약한 오른쪽 엉덩이를 아래로 끌어내렸다.

골반은 실로 몸의 토대다. 골반의 막대한 효용은 등과 허벅지의 강력한 근육의 힘에 반응해서 스스로 굽혔다 재위치할 수 있는 능력에서 비롯된다. 그래서 골반은 언제나 좌우로, 수직으로 정렬된 초기 상태로 되돌아오도록 고안되어 있다. 그러나 테리는 오른쪽 근육이 약해서 오른쪽 골반을 바른 위치에 고정시킬 수 없었다. 주차장에서 고객의 사무실까지 걸어갈 때마다 그의 오른쪽 무릎은 엉덩이와 보조를 맞추지 못하고 움직이면서 압박을 받았다. 골반의 정렬도, 마땅히 있어야 할 역동적인 상호작용도 없었다. 어깨와 엉덩이와 무릎과 발목을 연결하는 연결고리가 깨져버린 것이다.

모든 관절은 회전하도록 설계되었다. 즉, 문이 경첩을 사용하는 것처럼 관절 역시 얼마간의 측면운동을 한다. 이런 점에서 골반은 배의 나침반을 수평으로 유지해주는 짐벌과 닮았다. 물론 짐벌과 달리 관절이 움직이는 범위는 제한되어 있다. 그게 아니었다면 수직의 무게를 견디지 못했을 것이다. 따라서 모든 관절은 회전요구(rotational demand)를 충족시키기 위해 내적·외적 작용을 한다. 몸을 비틀고, 갑자기 돌아서고, 위아래 혹은 좌우로 움직이고, 두 발로 버티고 서서 스트레칭을 할 때 우리는 관절을 회전한다. 그러나 굽혔다 펴는 것, 즉 다리를 들어올려 다시 꽝 내딛는 행동과 비교하면 무릎에서 회전 각도(rotational leeway)는 제한된다.

몸의 양측

척추와 두개골을 제외하면, 근골격계는 모든 것을 2개씩 가지고 있다. 몸은 척추의 오른쪽에 있건, 왼쪽에 있건 동일하게 기능한다. 양측은 같은 방법으로 기능하도록 설계되어 있다. 그렇지 않을 때 전체 근골격계의 균형과 건강은 나빠진다.

불행히도 테리는 관절의 회전 각도를 모두 사용하고 있었고, 나아가 모든 발걸음마다 그러했다. 무릎은 그를 똑바로 나아가게 하려고 애쓰고 있었지만, 그것이 엉덩이와 정렬되어 있지 않기 때문에 특별한 회전이나 근육의 임기응변(muscular improvision)이나 보완(compensation) 없이 일할 수 있는 생체역학적 능력이 부족했다.

뭔가 잘못되었다는 것을 감지했을 때, 테리는 체육관의 장비를 이용해서 뛰고 운동하는 것으로 '제대로 형태를 갖추기로' 결심했다. 그러나 주말에 몇 시간씩 운동하는 것으로는 충분하지 않았다. 일단 몸이 한쪽으로 기울자 근육의 불균형이 자리 잡았다. 무릎과 엉덩이와 발목이 틀어졌고, 모음근과 벌림근(몸을 중심선에 가깝게 하거나 멀어지게 하는 근육)이 대체되었다.

테리는 충분히 움직이거나 다른 하중 축받이 관절을 다시 정렬하지 않았고, 그래서 그의 운동은 오히려 기능장애를 강화시키는 것으로 끝이 났다. 사실상 운동이 무릎과 다른 메커니즘에 장기적인 손상을 가하고 있었던 것이다. 이때 핵심단어는 바로 '장기(長期)'다. 이것이 바로 만성통증을 유발하는 것이다.

 시간(Time) + 외상(Trauma) = 통증(Pain)

인상적인 것은 몸의 구조가 규정대로 움직이는 과정을 위반해도 견딜 수 있게 만들어졌다는 것이다. 우리는 특이한 자세로도 몸을 움직일 수 있다. 오른쪽 무릎을 안정시키기 위해 테리는 무의식적으로 무게를 왼쪽으로 옮기기 시작했다. 그것은 나름대로 균형을 잡으려는 시도였다. 그의 왼쪽 엉덩이와 무릎, 다리, 발은 (각각 독립적으로) 원래 해야 하는 역할보다 더 많은 일을 해냈고, 땅바닥을 더 세게 딛기 시작했다. 왼쪽 엉덩이가 원래 자리에서 뒤로 빠져 있었기 때문에 그는 허리를 약간 구부려 상체를 앞으로 밀어냈다. 그러자 왼쪽 어깨가 엉덩이의 역할을 보충하기 위해 끌려나왔다. 이것은 결과적으로 어깨 아래에 버팀목을 댄 것이다. 그의 골격구조는 앞으로, 그리고 아래로 축 처져 기울기 시작했다. 그의 어깨 근육, 등 윗부분과 목 근육이 새로운 머리 자리와 축 늘어진 어깨와 투쟁했고, 강제로 팽팽히 조여졌다.

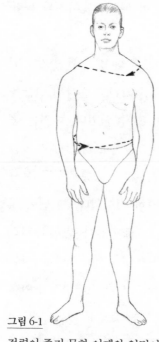

그림 6-1
정렬이 좋지 못한 어깨와 엉덩이

테리의 엉덩이와 어깨를 따라 그는 2개의 수평선을 상상해봐라. 정면에서 봤을 때 그의 엉덩이는 시계반대방향으로 회전하는 반면, 상체는 시계방향으로 회전하고 있다. 게다가 몸무게가 왼쪽으로 이동했기 때문에 어깨는 몸무게를 견디는 쪽을 돕느라 위로 들어올려진 반면, 오른쪽은 머리에 반해 평형을 이루려고 하면서 아래로 떨어져 있었다. 그러는 동안 중력의 중심은 발목 바로 위에서 발의 볼을 향해 이동했다(그림 6-1).

이것은 테리에게만 해당하는 문제가 아니다. 수많은 사람들이 수평적인 통합과 수직적으로 무게를 견딜 수 있는 능력을 상실했다. 금방이라도 넘어질 것처럼 느껴지자 굽힘근과 폄근(자세를 잡는 주요한 근육들)은 여러 각도에 대해 닫혔다. 그 사이 회전과 관련된 모든 근육과 벌림근, 모음근은 그를 움직이고 바로 세우느라 격렬하게 일해야 했다. 이런 근육은 일차적으로 자세를 잡아주는 근육이 아니다. 이것들은 다른 주 분야를 가지고 있는데, 측면운동의 수행과 관절 내 광범위한 조정이 바로 그것이다. 그런데 몸을 곧게 세우는 데 쓰인 것이다. 시간이 지나면서 움직임이 구조에 맞지 않아서 쌓인 압박과 손상은 대체하는 굽힘근과 폄근이 계속해서 수축하는 원인이 되었다.

그렇다면 무릎의 연골이 닳아진들 놀라운 일이겠는가? 어깨의 회전근개가 조여지거나 불가피한 사고가 발생해서 찢어진들 놀랄 일이겠는가?

의사는 넘어지면서 오른쪽 무릎의 연골을 다쳤고, 관절염이 문제를 악화시키고 있다고 테리에게 설명했다. 그리고 손상된 연골을 제거했지만, 테리는 오른쪽 무릎을 완전히 펼 수 없었다. 이것은 충분히 예측할 수 있는 것이어야 했다. 무릎을 완전히 펴는 데 사용되는 관절의 미끈한 표면을 제거해버렸기 때문이다. 어쨌든 통증은 사라졌다. 그리고 그들에겐 그것이 가장 중요한 일이었다. 몇 년이 지난 후에 회전근개를 고치고 왼쪽 무릎을 교체해야 한다고 하자, 테리는 통증을 완화하는 게 우선순위가 아니라는 것을 깨달았다. 의사는 왼쪽 무릎을 교체하면 통증이 없어지겠지만, 그 대신 테리가 좋아하는 운동을 모두 포기해야 한다고 말했다. 그는 그렇겐 살 수 없다고 생각했고, 결국 그 생각은 옳았다. 그는 통증을 없애기 위해 선택한 방법으로 자기를 죽이고 있었던 것이다.

테리는 수술을 거부했고, 우리 클리닉에서 3시간짜리 과정을 마친 후 정상기능을 완전히 회복했다. 에고스큐 운동법의 연속동작(대부분은 이 장에 있다)으로 꽉 죄인 골반대(帶) 근육을 풀어주고, 무릎에 회전을 가하는 대신 엉덩이가 제자리로 돌아가게 했다. 치료 메뉴의 마지막 항목을 마쳤을 때, 그는 바닥에서 일어나다가 넘어질 뻔했다. 그동안 정상적으로 기능하는 무릎으로 서는 방법을 잊어버렸던 것이다.

치료 과정 동안 테리는 무릎과 나머지 부위를 어떻게 바라보아야 하는지 배웠다. 그는 지나치게 많은 몸무게를 왼쪽 다리에 싣고 있었다는 것을 깨달았다. 이것은 그가 원인—결과의 연결고리를 만들게 했는데, 무릎 통증은 그 결과였다.

무릎과 성별

신문이나 잡지는 무릎, 특별히 여성들의 무릎에 관심을 가진다. 대개 왜 여자선수가 남자선수들에 비해 앞십자인대에 상해를 많이 입는가에 대한 것이다. 이것은 남자와 여자의 근골격계의 차이 때문으로 여겨진다. 그러나 무릎과 앞십자인대는 남자나 여자나 모두 정확히 같다. 여자의 경우, 출산을 위해 골반의 굽힘과 폄 능력이 남자보다 발달되어 있긴 하지만 이것이 앞십자인대 파열과 관계된 것은 아니다.

문제의 원인은 성별 간의 불평등이다. 남자가 쉽게 이용하는 몸 조절 프로그램의 혜택을 누리지 못하고 여자는 스포츠를 시작한다. 여자에게 열심히 경기하라고 요구하는 것은 좋지만, 그 전에 머리에서 발끝까지 적절한 근육과 정상 기능을 개발하기 위한 시간과 기회를 많이 줘야 한다. 남자든 여자든 누구나 이런 기능을 가질 수 있다. 최소한 운동을 잘하는 것이 몸의 구조에 반하지 않는 연습에서 비롯되는 것임을 이해하는 사람이라면 말이다.

무릎의 양측성을
찾아라

　나는 무릎 질병의 종류 헤아리는 것을 이미 오래 전에 포기했다. 무릎뼈-넙다리뼈 질병(patellofemoral disease), 반달염(meniscitis), 무릎앞주머니염(prepatellar bursitis), 무릎 퇴행성 골관절염(knee osteoarthritis), 무릎뼈의 연골연화(chondromalacia patellae), 잠김무릎(locked knee)…. 무릎 질병이 무엇이든 그것은 다른 하중 축받이 관절과 직접적으로 연결되어 있다. 연골에 상처가 났을 수도 있다. 인대가 파손되었을 수도 있다. 각 통증은 외과적 과정과 약물로 치료할 수 있다. 그러나 그렇게 하면 각 통증이 일어난 진짜 원인은 모른 채 남아 있다.

　완벽하게 통증이 없는 무릎의 출발점은 몸의 완전한 양측성이다. 통증을 없애기 위해 우리는 영향 받는 몸의 부위를 정상적인 위치로 복원시켜야 한다. 적절한 양측기능(bilateral function)은 기능장애 근육과 주도권 싸움을 하는 곳에 균형을 만들어준다. 양측기능이 없다면 근육은 뼈와 다른 근육, 힘줄, 연결조직, 신경을 끌어당긴다. 이것은 최소한 압박을 가하고, 궁극적으로는 근골격계를 재정렬해서 신체적 장애와 통증을 축적하고, 생리학적 장애를 진전시키는 결과를 가져온다.

　통증과 상관없이 무릎 문제 중 가장 두드러진 증상 두 가지는 발과 무릎뼈에서 나타난다. 발이 벌어졌다는 것은 발목, 무릎, 엉덩이, 어깨를 이어주는 운동사슬이 깨졌다는 증거다. 무릎이 제멋대로다. 대부분 한쪽 발만 벌어지거나 두 발이 다른 각도로 벌어질 것이다. 이것은 기능장애를 가진 몸으로 무엇을 하려고 하는가에 달려 있다.

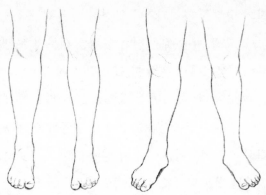

그림 6-2

정상적으로 기능하는 무릎(좌)과 기능장애를 가진 무릎(우)

반바지를 입고 신발을 벗은 채로 전신 거울 앞에 서서 무릎을 봐라. 발을 뻗으려고 애쓰지 말고 자연스럽게 서라. 편안한 자세가 되도록 몸을 약간 움직인다. 정상적으로 기능하는 무릎은 발목 위, 엉덩이 아래와 정렬을 이룬다. 직선을 생각하라. 우리 클리닉에서 하는 대로 따라해보는 것도 좋다. 사인펜을 들고 각 무릎뼈의 가운데에 커다란 파란 점을, 그리고 발목 앞부분에 또 다른 점을 찍는다. 만일 기능장애가 있다면, 무릎은 이 점 사이를 수직으로 잇는 보이지 않는 선의 안쪽이나 바깥쪽에 놓일 것이다. 뒤로 물러섰다가 거울을 향해 걸으면 점들이 격렬하게(선의 안쪽에 있다가 바깥쪽에 있다가), 차례대로 오른쪽과 왼쪽과 네 관절로 회전하는 것을 볼 수 있다. 무슨 일이 일어나고 있을까? 더 정확한 질문은 '무슨 일이 일어나지 않는 것일까'다. 동시화(synchronization)가 적절하게 일어나지 않는 것이다.

이 운동을 한 후 거울 앞에 멈춰 서서 무릎뼈를 주의 깊게 관찰해봐라. 정상적으로 기능하는 무릎뼈는 정면을 가리킨다. 당신 발은 뒤집힌 발의 방향을 가리키거나 완전히 다른 각도를 향하고 있을지 모른다. 그리고 두 무릎뼈는 전혀 일치를 이루지 못할지도 모른다. 한쪽이 다른 한쪽보다 높을 수도 있고, 가운데 부분이나 측면으로 비틀려 있을 수도 있다. 아니면 눈에 띌 정도로 다른 형태를 띠고 있을 수도 있다(그림 6-2). 양측성을 가진 몸의 왼쪽과 오른쪽은 닮았다. 불일치는 한쪽으로 치우치는 과정이 진행 중이고 무릎이 제멋대로 작동하고 있다는 것을 말해준다. 굽히고 펴는 작용을 하면서 직각을 따르기보다는 살짝 회전하고 원래 상태로 돌아오지 않고, 임시로 기능하는 근육이 뼈를 홱 잡아당긴다. 그러면 꽉 조이거나 뻣뻣해지는 느낌, 때로는 약해지는 느낌이 있고, 마침내 통증이 느껴진다. 약한 통증부터 무릎을 전혀 굽힐 수 없을 정도로 격렬한 통증에 이르기까지 이런 궁극적인 증상은 다양하다.

증상이 무엇이든 다음 규칙을 지켜야 한다.

 예방 무릎 버팀대(preventive knee bracing)는 피해라.

몸의 어느 부분이든 버팀대로 감싸는 것은 그 부분의 운동을 제한하고, 장기적으로 볼 때 근육과 관절이 적절히 움직일 수 없어서 더 큰 피해를 입는다. 무릎 버팀대는 관절, 결합한 뼈(정강뼈, 종아리뼈, 넙다리뼈) 사이의 상호작용을 바꾼다. 우리 몸에서 가장 긴 넙다리뼈(thighbone, femur)는 엉덩관절 소켓(hip joint socket)에서 움직임의 패턴을 바꾸는 것으로 버팀대에 반응한다. 그렇게 되면 엉덩이와 등에 심각한 문제가 생긴다. 당신은 버팀대를 가지고 기능장애 위에 기능장애를 쌓고 있는 것이다. 이때 당신이 느낄 수 있는 것은 관절을 움직일 수 없다는 게 전부다. 그런데 명심해라. 관절을 움직일 수 없다는 것은 관절이 죽어가고 있다는 의미다.

넙다리네갈래근(quads)에 대한 한마디 하겠다. 잊어라! 요즘은 무릎을 보호하기 위해 넙다리네갈래근을 강하게 한다. 하지만 엉덩이만 안정을 되찾으면, 그것은 알아서 제 자리를 찾는다. 만일 그게 아니라면 넙다리네갈래근을 위해 운동을 하는 것은 완전히 시간낭비다. 골반을 굽혀진 채로 두는 약한 골반대는 폄근 역할을 하는 보강된 넙다리네갈래근과 싸워야 한다.

무릎 통증 :
내회전

클리닉에서 무릎통증을 다루면서 맨 처음 하는 일은 통증을 일으키는 두 가지 주요 상태를 찾는 것이다. 첫 번째 상태는 (다리의 안쪽을 향하는) 무릎의 내회전(internal rotation)이다. 대개 이 상태는 제일 찾기 쉽다(그림 6-3). 가장 두드러진 형태에서 이것은 무릎을 한 대 얻어맞은 것처럼 보인다. 골반대 근육이 점차 약해지고, 이것은 골반을 굽혀진 채로 놔두고 펴는 능력을 잃게 한다. 그 결과 걸을 때마다 넙다리뼈가 안쪽으로 회전하고, 모음근은 다리를 몸쪽으로 끌어당긴다. 골반의 펴는 능력을 상실한 결과, 넙다리뼈는 반대회전(counter-rotation)을 충분히 할 수 없다.

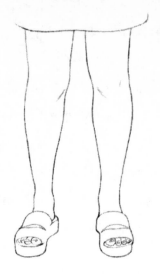

그림 6-3
내회전한 무릎

다음은 내회전에 좋은 운동이다.

- 총 시간 : 수건을 대고 반듯이 누워 사타구니를 스트레칭 하기 때문에 이 메뉴는 시간이 좀 걸린다. 통증이 심한 경우에는 45분 에서 1시간 정도 실시한다. 통증이 약한 경우에는 15분에서 20 분 정도면 충분할 것이다.
- 하루 1번, 아침에 실시
- 24시간 동안 통증이 완화될 때까지 매일 이 운동을 한다. 통증이 사라지고 나서도 일주일간 같은 운동을 반복하다가 13장의 종합 컨디션 조절 운동으로 넘어간다.

◆ 서서 엉덩이 근육 조이기

그림 6-4a, 6-4b

반듯이 서서 손을 옆에 둔다. 엉덩이를 바짝 모아 압착한다. 이 때 엉덩이 근육을 사용해야지 허벅지나 배 근육을 사용해선 안 된다. 한 번은 발을 엉덩이너비로 벌리고 곧게 편 채로 하고, 다음에는 엉덩이너비로 벌리고 밖으로 내민 채로 한다. 이 운동을 각각 20번씩 반복한다.

요즘 사람들은 너무 많이 앉아서 생활하므로 엉덩이 근육이 쉽게 쇠약해진다. 이 운동은 엉덩이 근육을 제대로 활용하도록 돌려놓는 빠르고 손쉬운 방법이다.

◆ 앉아서 뒤꿈치 들어올리기

의자나 벤치 끝에 앉아 엉덩이를 내밀어 둥글게 해서 허리의 아

그림 6-5

치를 만든다. 무릎 사이에 베개나 폼 블록*foam block*을 두고, 동시에 뒤꿈치를 바닥에서 들어올린다. 발가락은 계속 바닥에 닿은 채로 앞쪽을 향하게 한다. 발가락을 밀어서는 안 된다. 그 대신 엉덩이의 굽힘근을 이용해라. 발가락이 달걀껍질 위에 놓여 있다고 상상해봐라. 이 운동을 15번 반복한다.

기능장애가 있을 때 발을 굽히고 펴기 위해 근육이 임시적으로 어떤 일을 하는지를 보면 놀랍다. 이 운동은 모든 것의 지름길이다.

◆ **격리된 엉덩이 굽힘근을 수건 위에 대고 들어올리기**

그림 6-6

등을 대고 누워 무릎을 구부리고 발을 바닥에 평평하게 둔다. 수건 2개를 사용하는데, 각각 약 7~9㎝ 직경으로 말아서 쓴다. 하나는 목 뒤에, 다른 하나는 엉덩이 바로 위 허리부분의 아치 아래에 둔다. 이렇게 하는 이유는 엉덩이나 머리를 들어올리기 위해서가 아니라 힘을 받을 수 있는 받침대를 대주기 위해서다. 한쪽 발을 바닥에서 7~10㎝ 들어올린다. 어깨와 무릎과 발이 일직선을 이루게 한다. 이 과정을 10번 반복한다. 그리고 발을 바꿔 반복한다.

이 운동을 할 때 배 근육이나 허벅지 근육이 아니라 엉덩이의 굽힘근을 사용해야 무릎과 발이 올라간다.

◆ 수건 위에 반듯이 누워 사타구니 스트레칭 하기

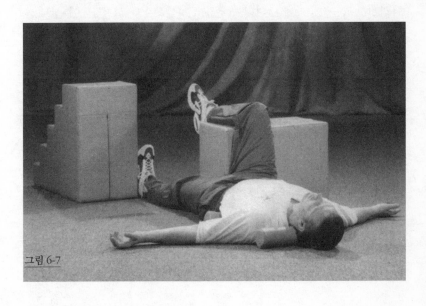

그림 6-7

등을 대고 누운 채 한쪽 다리를 90°로 구부려 단단한 상자 위에 둔다. 다른 쪽 다리는 쭉 뻗어서 바닥에 둔다. 말은 수건(약 7~9㎝ 직경)을 목과 허리 아래에 놓는다. 쭉 뻗은 다리의 발을 곧게 세우고, 한 쪽으로 쏠리지 않게 한다. 그 다리가 완전히 편해질 때까지 유지한 다. 그리고 다리를 바꿔 반복한다. 가장 좋은 결과를 얻으려면 허벅 지 테스트를 이용해라(106쪽). 처음에는 사타구니 근육이 다리에 가 하는 힘을 풀어주기까지 45분 정도의 긴 시간이 걸릴 수 있다.

무릎통증 :
외회전

　무릎통증의 원인으로 우리가 찾는 두 번째 주요한 무릎상태는 외회전(external rotation)이다. (무릎이 바깥쪽으로 회전한) 이 상태는 혼자서 찾아내기 어렵다(그림 6-8). 만일 이것이 내회전인지 외회전 인지 확신할 수 없다면 외회전이라고 가정해라. 통증은 골반대 근육 이 너무 팽팽하게 조여서 생긴 것이다. 일반적으로 골반은 펴진 채로 있고, 넙다리뼈는 바깥쪽을 향해 끊임없이 회전하도록 비트는 힘에 종속되어 있다.

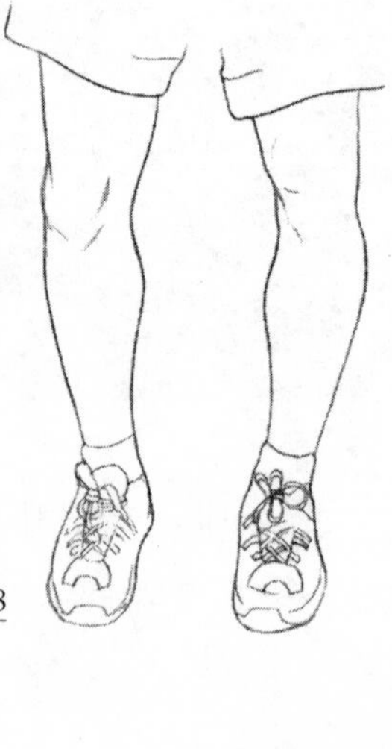

그림 6-8

◆ 등 고정하기

  5장에 나와 있는 '등 고정하기' 동작설명을 따른다(105쪽). 이것은 수년간 클리닉에서 대들보 역할을 해왔다. 엉덩이를 바닥에 납작하게 붙여라. 엉덩이와 몸통은 구조대로 같은 평면에 놓여 있을 때 최상으로 일한다. 이 운동은 그것들을 그 자리에 놓을 수 있게 한다.

◆ 무릎 사이에 베개 끼고 앉기

그림 6-9

의자나 벤치 끝에 앉아 엉덩이를 내밀어 둥글게 해서 허리의 아치를 만든다. 어깨를 뒤로 빼고, 엉덩이와 무릎과 발이 일직선으로 정렬되었는지 확인한다. 배 근육의 긴장을 풀고 그 상태로 둔다. 베개를 무릎 사이에 놓고, 허벅지 안쪽을 이용해서 그것을 압착

133

했다가 부드럽게 풀어준다. 베개를 접어서 두껍게 해도 된다. 발은 서로 평행이어야 한다. 배나 등의 윗부분이 움직여서는 안 된다. 이 운동을 10번 반복한다. 이 운동은 벌림근과 모음근이 걷는 데 사용되는 게 아니라 대신 그들의 일차적인 일을 하도록 돕는다.

◆ 바닥에 앉기

그림 6-10

벽에 기대어 앉아 다리를 앞으로 곧게 뻗는다. 어깨를 모은 채로 유지한다. 어깨를 위로 올려서는 안 된다. 허벅지를 팽팽하게 하고, 발은 구부려 발가락이 당신을 향하게 한다. 팔은 옆에 두거나 허벅지 위에 편한 자세로 올려놓는다. 이 자세를 4분에서 6분간 유지한다. 이 운동은 어깨와 엉덩이와 무릎과 발목의 연결을 확실히 해준다.

◆ 천천히 사타구니 스트레칭 하기

한쪽 다리를 의자나 단단한 상자 위에 올리고 90°로 구부린다. 다른 쪽 다리는 쭉 뻗고 작은 발판이나 책 더미를 이용해서 등과 엉

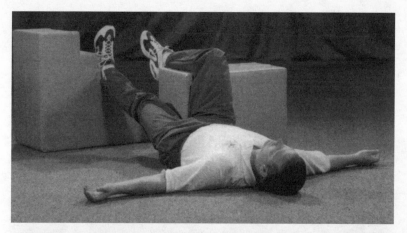

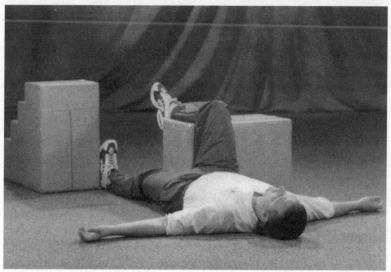

그림 6-11a, 6-11b

덩이가 바닥에 평평할 수 있는 높이까지 올린다. 그리고 등을 대고 눕는다. 발은 뒤꿈치를 대고 쉰다. 사진에서 남자의 다리는 60㎝ 정도 높이에서 쉬고 있지만, 그 높이는 개인의 신장에 따라 다르다. 쪽 뻗은 다리 바깥쪽에 물건을 두어 바깥 방향으로 쏠리지 않게 한다.

바닥에 발이 닿을 때까지, 한 번에 약 13~20㎝씩 점진적으로 낮춰라. 등은 펴려고 애쓰지 말고 자연스럽게 놔둬라. 이 자세를 단계마다 최소한 3분간 유지한다. 그리고 발을 바꿔 반복한다. '반듯이 누워 사타구니 스트레칭 하기'에서 사용하는 허벅지 테스트는 속도를 조절하는 좋은 수단이 될 수 있다. 이 운동은 벌림근과 모음근(측면운동)을 통해 회전하기보다는 다리를 굽히고 펼 수 있게 하기 위해 고안되었다.

무릎을 자주 들여다봐라! 통증을 느낄 때마다, 끊임없이. 정상적으로 기능하는 표시나 기능장애의 징후를 발견할 수 있을 것이다. 두 발 달린 동물의 이동체계는 인간만의 독특한 것으로, 스스로 진단할 수 있도록 설계되어 있다. 당신의 무릎이 얼마나 튼튼하고 잘 설계되었는지를 이해한다면, 사고가 일어나기 전에 그 잠재성을 찾아낼 수 있을 것이다. 사실 만성통증은 충분히 예방할 수 있다.

7.

엉덩이 :

우리는

하나다

해부학적으로 움직임의 중심에 있는 엉덩이는 거대한 관절로서, 골반대의 핵심 부분이다. 엉덩이는 강력한 두 부분을 하나로 합한다. 허리 아랫부분을 사용해서 사람은 달리고 높이 뛰고 차고 곡예에 가까운 춤을 춘다. 그리고 허리 윗부분을 사용해서 던지고, 성큼성큼 기어오르고, 무거운 짐을 들고, 사물을 움켜쥐고, 공예와 미술과 과학을 한다.

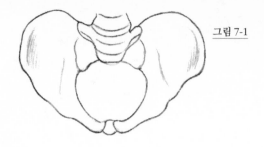

그림 7-1

과학서 저술가 콜린 터지Colin Tudge는 《역사 이전의 시대The Time Before History》에서 이런 이원성이 반인반마(半人半馬)와 같은 인간의 형체를 만들어냈다고 주장했다. 물론 네 발 달린 말의 거추장스러움은 생략된 채로 말이다. 엉덩이에서 다른 두 부분이 합쳐진 인류는 두 발로 세상을 돌아다니면서 강한 두 팔을 이용해 무기를 던져 멀리서 먹이를 잡을 수 있는 최초의 육식동물이 되었다. 이것이 가능할 수 있었던 것은 움직이는 부분이 작은 반면 최대의 힘과 유연성을 가지고 있으면서 화려하거나 요란하지 않은 골반 덕분이다. 바로 눈에 띄는 두개골이나 가슴과 달리, 골반은 인간의 골격 치고는 잘 보이지 않는다. 논란의 여지가 있긴 하지만, 골반은 인간의 특성을 가장 잘 나타내주는 몸의 구조다. 예를 들어 척추동물은 모두 척추를 가지고 있지만, 그 어떤 동물도 인간의 골반과 비슷한 구조를 가지진 못했다.

무엇보다 골반대는 직립 자세의 중심이다. 골반 없이는 척추가 수직으로 설 수 없다. 골반은 안정적이고 평평한 표면을 제공하는 플랫폼처럼, 아래에서 척추를 지지해주고 있다. 그리고 척추를 수직으로 끌어올릴 수 있는 지렛대 작용을 한다.

골반은 몸의 상반신과 하반신의 근골격계의 구성요소를 결합시킬 뿐 아니라 잭나이프(jackknife, 튼튼한 휴대용 접칼) 효과를 만든다. 잭나이프의 칼날처럼 우리 몸은 자유롭게 구부리고 펴는 것이 가능하다. 골반 덕분에 몸통은 거의 180°회전이 가능하다. 몸통근육 혹은 엉덩이와 다리 근육만을 사용해선 이런 자세가 절대 나올 수 없다(기능장애가 있는 사람은 제외).

몸을 이렇게 회전시킬 수 있다는 점에서 골반 지렛점은 경첩 이상의 역할을 한다. 골반은 중앙 조정 장치 혹은 균형 장치와 같다. 따라서 골반을 몸의 또 다른 두뇌라고 말하는 게 그리 억지스러운 것도 아니다. 골반은 그 정도로 중요하다. 두개골과 골반은 같은 등급으로 분류할 수 있다. 두개골과 마찬가지로, 골반 역시 엄청난 압박을 견뎌내면서 몸의 핵심 기능을 보호할 수 있도록 만들어져 있다.

그런데 엉덩이 통증을 호소하는 사람들이 갈수록 많아지고 있다. 대부분 나이 탓으로 여기는 편이다. 엉덩이에 통증이 있거나 뻣뻣해진다고 하면, 의사는 엉덩관절 소켓에 들어가는 넙다리뼈 머리 부분을 살펴본다(그림 7-2). 그리고 그 부분에 염증이나 연골 훼손이 보이면 대개 관절염이라고 진단한다. 넙다리뼈 머리부분을 연골이 감싸고 있는 것처럼 엉덩관절 역시 미세한 얇은 막으로 싸여 있다. 바로 윤활막(synovium)인데, 윤활제 역할을 하는 액체를 분비한다. 이것은 관절염에서 염증과 부종기를 만드는 메커니즘이다. 하지만 자기 역할을 수행하고 있는 것이기도 하다. 윤활막은 관절을 보호하기 위한 것으로, 마찰이나 자극이 세면 예외적으로 많은 양의 액체를 생산한다. 그러나 관절에는 충분한 공간이 없기 때문에 부가적으로 발생한 액체는 점차 우유 같은 끈끈한 상태로 변하고 볼―소켓 기능을 제한한다.

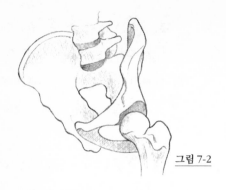

그림 7-2

다시 말하지만, 윤활막은 아무 문제없다. 붓는 것은 관절이 다치는 것을 막기 위한 합리적인 대응방식일 뿐이다. 에어백이 작동하는 것과 마찬가지 원리다. 물론 순식간에 작동하는 게 아니라 몇 해에 걸쳐 천천히 진행되긴 하지만 말이다. 근골격계의 기능장애가 나타났을 때 윤활막이 나오는 것은 병이 아니다. 나이 든 것과도 관련이 없다. 오히려 염증은 어깨나 엉덩이, 무릎, 발목이 제대로 배열되지 않았을 때 생기고, 이 때문에 엉덩관절이 대신 움직이지 않으면 안 된다. 넙다리뼈 머리부분이 다른 관절과 제대로 연결되지 못하고, 결과적으로 넙다리뼈 머리부분이 엉덩관절 소켓 안으로 들어가 필요 이상으로 회전을 하는 것이다.

퍼진넙다리뼈(coxa valga)로 불리는 엉덩이뼈가 제대로 정렬되지 않은 상태에서 넙다리뼈 머리부분의 모양이 변하면 엉덩관절 소켓으로 들어가는 각도가 커지고, 골반이 앞으로 (위쪽 끝까지), 아래로 (아래쪽 끝까지) 돌아간다. 몇몇 의학전문가는 이런 상태에서 걸으면 정상적인 상태보다 10배에서 20배 이상의 하중, 즉 몸무게의 약 세 배 정도가 엉덩관절에 가해진다고 말한다. 80kg의 남성의 경우엔 240kg 정도의 회전하는 힘이 엉덩관절에 가해지는 것이다! 넙다리뼈 머리부분의 모양이 변하는 것은 아니지만 골반의 좋지 않은 배열을 닮아간다. 배열이 바르지 못한 것은 정도의 차이에 상관없이 잔혹한 고통의 시작이다.

엄청난 힘을 다뤄야 함에도 불구하고, 윤활액을 분비하는 주머니는 한 시간, 하루, 일주일을 보호할 수 있다. 그러나 몇 년에 걸친 강타와 마멸 때문에 결국엔 주머니가 감당할 수 없는 지경에 이르고, 머지않아 연골이 찢어져 관절의 운동 범위가 제한된다. 만일 윤활막이 에어백이라면, 연골은 안전벨트다. 두 뼈가 만나는 곳엔 이 질기고 미끈미끈한 연골이 미끄러운 표면을 형성하여 뼈와 뼈의 직접적인 접촉을 막아준다. 만일 연골이 없다면 너무 아파서 관절 운동이 불가능할 것이다. 연골이 서서히 파괴되면서 걸음걸이가 그나마 남은 쿠션을 이용하려고 변형된다. 이런 변형은 넙다리뼈의 압박부위에 집중되고, 이미 상한 연골을 더욱 손상시킨다. 게다가 연골의 조각들이 관절의 정교한 볼-소켓 작용을 방해한다. 피스톤이 위아래로 움직이는 엔진 실린더 안으로 작은 돌이 떨어진 것처럼 말이다.

현대 의학은 이런 상태를 관절염이라고 부른다. 그리고 이것은 원인을 모르고 치료할 수 없다고 한다. 관절염을 치료하는 한 가지 방법은 엉덩관절을 바꾸는 것이다. 넙다리뼈의 머리부분을 잘라내고, 세라믹이나 금속이나 플라스틱으로 만든 새로운 볼과 소켓을 장착한다. 5~6시간의 수술과 몇 달이 걸린 재활치료 끝에 엉덩관절을 방해하는 윤활액이나 연골조각은 없어진다. 환자는 엉덩관절이 전보다 강해졌다고 느끼는데, 그것은 운동감각을 상실했기 때문이다. 인공적인 관절엔 신경이 없다. 그러나 근골격계의 요구는 변함없고, 기능장애는 여전히 존재한다. 그래서 골반은 여전히 문제를 가진 채 움직이고 엄청난 충격과 회전을 경험한다. 그러나 새로운 엉덩관절을 통해 아무 고통도 느끼지 못한다. 세라믹이나 금속, 플라스틱이기 때문이다. 뭐, 어쨌든 관절염 탓에 생긴 통증은 성공적으로 없앤 셈이다.

그런데 과연 성공이라고 할 수 있을까? 30세에 수술한 인공 엉덩관절의 유효기간은 보통 10년이다. 그것은 반드시 교체해야 하고, 큰 수술과 장기간의 재활치료를 다시 받아야 한다. 평균 수명을 80세라고 할 때, 엉덩관절을 대략 5번이나 교체해야 할 것이다.

그래도 최소한 통증 없이 사는 게 아니냐고 물을 수 있다.

문제는 그런 게 아니라는 것이다. 다른 관절에서 통증이 나타날 수 있다. 그리고 좋지 않은 엉덩관절 탓에 생긴 근육통 역시 남아 있다. 그렇다면 해결책은 뭘까? 무릎관절을 교체하고, 허리디스크 수술을 하고, 척추를 융합하고, 어깨를 재건할 뿐만 아니라 엉덩관절을 다른 것으로 교체하는 것이다. 아니면 바꾼 엉덩관절이 닿지 않게 하기 위해 기본적인 충고를 따르면서 '힘든' 신체활동을 포기하는 수도 있다. 그런 사람들은 걷는 대신 수영을 시작할 것이다. 그러나 점점 고통을 피하기 어려워지고 변명하기 시작할 것이다. "나는 너무 피곤해" "시간이 충분치 않아" "등이 너무 아파" "밤새 잠을 못 잤어" 등. 우리 몸은 움직임이라는 연료를 공급 받는 기계이기 때문에 움직임이 줄어들면 멈추게 된다. 소화와 혈액순환, 호흡작용을 포함하여 움직임에 의지하는 모든 시스템이 굶주리고 퇴화하기 시작한다.

엉덩관절
교체 수술을
다시 생각해라

    얼마 전 커뮤니케이션 전문가인 숀이 자기 X-ray 사진을 내게 보내왔다. 그는 엉덩관절 교체수술을 준비하고 있었다. 그는 수술을 대비해 마지막으로 피를 뽑고 돌아오는 길이었다. 그는 다른 의견을 더 들어보라는 충고를 마지못해 받아들이긴 했지만, 이미 마음먹은 후였다. 그는 수술을 받을 것이다.

    전화상으로, 나는 기분이 어떤지 물었다.

    "오른쪽 골반이 너무 아파서 죽고 싶을 지경이에요."

    "그것 때문에 수술 받으려는 거죠?"

    숀은 정말 바보 같은 질문을 한다고 생각했을 것이다. 그는 이미 통증 때문에 수술을 받으려고 한다고 밝혔으니 말이다.

    "X-ray 사진을 보세요."

    숀이 봉투에서 사진을 꺼내는 동안 잠시 정적이 흘렀다.

    "예, 보고 있어요."

    "오른쪽과 왼쪽 골반을 찍은 사진을 자세히 보세요."

    다시 조용해졌다. 사진에서 연골은 아주 가느다란 그림자로 밖에 보이지 않았다. 건강한 연골의 1/8 정도밖에 안 되는 두께였다. 마침내 숀이 입을 열었다. "오른쪽 골반의 연골이 얼마 없네요."

    "비록 통증을 느끼진 않았겠지만, 왼쪽 골반의 연골이 심지어 더 적다는 것을 말해 준 사람이 있나요?"

    아까보다 긴 침묵이 흘렀다. 숀은 오른쪽 골반에서 그나마 약간

143

의 연골을 볼 수 있었다. 그러나 왼쪽 골반의 연골을 보기 위해선 눈을 가늘게 뜨고 쳐다봐야만 했다.

"어." 탁월한 협상 전문가 숀이 말을 잃었다. 그는 이게 무슨 말인지 알았기 때문이다.

 ### 엉덩이 통증

인공 엉덩이로 바꾸어도 근육은 그대로다. 근육통으로 괴로워하는 사람들은 대부분 '건강하지 않은' 엉덩이 탓을 했다. 근육과 구조는 근골격계 기능장애 탓에 지나치게 사용되면서 여러 해 동안 고통을 받았다. 이것을 바로잡지 않은 한 그것들은 계속 다칠 것이다. 상식적으로 생각해봐도, 효과적 치료는 공격적이지 않은 방식으로 통증을 다루는 것에서 시작한다.

만일 통증이 없는 왼쪽 엉덩이의 연골이 오른쪽 엉덩이 것보다 작다면, 연골이 손상되었기 때문에 통증이 생겼다고 장담할 순 없다. 연골이 손상되어서 그럴 수도 있고, 근육과 근골격계의 메커니즘 때문에 그럴 수도 있다. 이런 경우 오른쪽 골반을 교체하는 것은 통증을 전부 치유할 순 없을 것이다. 다만 뼈와 뼈가 만나는 부분의 통증만 없앨 수 있을 것이다. 한편, 뼈와 뼈가 만나는 문제는 왼쪽 엉덩이에서 더 심각하지만 그쪽에는 통증이 없다. 추측하건대 왼쪽 엉덩이 근육 상태가 상당히 좋았을 것이다. 대수술을 하지 않고 오른쪽 엉덩이에 똑같은 결과를 가져올 수는 없을까?

숀은 수술을 연기하기로 결심했다. 나는 우리 몸은 양측이 같게 설계되었다고 설명해주었다. 만일 오른쪽 엉덩이와 왼쪽 엉덩이가 함께 기능한다면, 이미 한쪽은 고통이 없기 때문에 양쪽 모두 고통이 없으란 법이 없다. 그리고 그는 이번 장의 에고스큐 운동법을 실천해서 고통에서 벗어날 수 있었다.

손의 경우, 오른쪽 엉덩이 역시 제자리에서 벗어나서 회전하고 있었지만 왼쪽 엉덩이는 그것보다 더 심했다. 오른쪽 엉덩이에 비해 더 회전하고 더 아래쪽으로 기울어져 있었다. 연골의 두께가 다른 이유는 여러 해 동안 일을 하고 운동을 하면서 오른쪽 다리에 비해 왼쪽 다리를 더 많이 사용했기 때문이다. 문제는 그가 무엇을 했는지가 아니라 왼쪽과 오른쪽이 서로 다른 방식으로 움직인다는 것이었다. 달리 말하면 그들이 따로 기능한다는 것이다.

 너무 늦었다. 나는 새 엉덩이를 가졌다.

그렇지 않다. 만일 당신이 벌써 엉덩이 교체 수술을 받았고, 물리치료까지 끝냈다고 해도 이 장에서 소개하는 에고스큐 운동법은 여전히 매우 유용할 것이다. 근골격계 기능장애는 계속해서 존재하기 때문에 엉덩관절은 앞으로도 나빠질 수 있다. 같은 증상이 다른 곳에서도 돌발적으로 나타나는 것을 예방하기 위해 당신은 관절과 나머지 하중 축받이 관절을 바르게 정렬해야 한다. 그렇게 하지 않으면, 머잖아 당신의 의사가 다른 쪽 골반이나 무릎교체에 대해 이야기할 것이다. 그리고 13장의 종합 컨디션 조절 운동을 실천하길 바란다. ❧

손은 왼쪽 엉덩이가 심하게 불안정해지면서 오른쪽에 더 의존해서 걷기 시작했다. 그러나 더 이상 하중 축받이 관절이 수직 정렬 상태를 유지하지 못했다. 오른쪽 엉덩이가 더욱 아래로 기울고, 필요 이상으로 회전해서 연골이 마모된 것이다. 그래서 통증은 오른쪽에서 특히 심해졌다. 그는 무거운 것을 들고 이동할 때 주로 오른쪽을 사용하고 있었다(왼쪽 연골은 이미 거의 다 닳아서 더 이상 선택의 여지가 없었다). 그것을 그의 올라간 어깨와 골반에서 확인할 수 있었다. 친한 재단사가 있었다면 오른쪽 다리가 왼쪽에 비해 길다고 한 번쯤 말해줬을 것이다.

이런 착각은 흔한데, 이는 우리가 얼마나 기능장애를 합리화하면서 살 수 있는지를 보여준다. 선천적 장애와 어린 시절 사고를 제외하곤, 우리 양쪽 다리 길이는 똑같다. 그런데 손의 경우 근육이 오른쪽을 들어 올렸고, 다리와 엉덩이에서 굽히고 펴는 것처럼 보이기 위해 앞뒤로 기울어 있었다. 물론 적절한 굽힘과 폄이 없었고, 모으고 벌리고 회전하는 운동만 있었다. '짧은' 왼쪽 다리는 오른쪽이 주도적이라는 것과 골반이 왼쪽 아래로 기울어져 있는 것을 분명히 보여주었다.

달 표면
걷기

만일 엉덩이에 통증이 있다면, 그것은 뼈와 뼈가 부딪치면서 연골이 손상되어 생긴 것은 아닐 것이다. 우리 몸은 통증을 피하면서 살 수 있는 방법을 찾다가 고통을 최소화하기 위해 달 표면을 걷는 것처럼 사뿐히 걷는다. 엉덩관절 속의 볼과 소켓은 근육의 명령대로 움직여야 하기에 가능한 한 최악의 지점을 피한다. 그리고 어쩔 수 없이 접촉해야 하는 지점을 최대한 줄이고자 한다. 따라서 엉덩이의 움직임은 관련 근육이 그때그때 임시적으로 움직이는 것을 따라가면서 점점 복잡해지고 많은 제약을 받게 된다. 예를 들어 하배부 근육은 엉덩이의 굽힘이나 폄과 관련 있다. 또는 (통증이 있으면 마음대로 관련할 수 없지만) 최소한 관련하려고 애쓴다. 그 근육은 엉덩관절을 회전시키는 것으로 관절의 굽힘과 폄을 흉내 낸다. 이것은 넙다리뼈 머리부분이 앞에서 뒤로 부드럽게 움직이는 대신, 소켓 안에서 회전하거나 좌우로 흔들린다는 것을 의미한다. 근육은 하배부 구조의 압박을 받으면서 한계를 넘어 혹사당하고, 동시에 연골은 계속해서 손상될 것이다. 넙다리뼈가 연골 손상이 심한 곳을 피하면서 새로운 부위를 갈아내고 있기 때문이다.

악순환이다. 몸의 구조에 맞지 않고 제약을 많이 받는 움직임일수록 압력이 파괴적으로 작용하기 때문에 연골은 점점 줄어든다. 그리고 그럴수록 몸의 구조에 맞지 않고 제약을 많이 받는 방식으로 움직이고 압력이 점점 커져 결국 몸 전체에 통증이 생기는 것이다.

그러나 엉덩관절이 스스로를 잘 보호함에 따라 근육이 처음으로 기능장애의 위기에 도달하는 경향이 있다. 손이 오른쪽 엉덩이 통증이 '마치 지옥과 같다'고 말했을 때, 그 말은 일부만 옳았다. 그의 엉덩이 볼과 소켓은 물론 하체 근육 역시 고통스러웠을 테니 말이다. 우선 근육은 볼과 소켓을 조정하는 능력을 상실했고, 뼈와 뼈가 부딪치는 결과를 가져왔다. 그 다음 (이게 더욱 중요한데) 근골격계는 잘못된 시간에 잘못된 장소에서 닳아지게 하고 상하게 한다. 그러면서 고

147

통은 증가하고 볼—소켓 기능은 더 감소한다.

통증을 느끼는 장소와 통증의 원인이 반드시 일치하는 것은 아니다. 엉덩이의 정렬불량은 여러 장소에서 그 흔적을 뚜렷이 남기고 있었다. 이것은 의사들이 엉덩이 통증을 진단하는 데 어려움을 겪는 이유 중 하나다. 의사는 환자에게 엉덩이 통증이 엉덩이나 넙다리뼈 위쪽, 무릎 혹은 하배부에서 생겼다고 설득해왔다. 이런 불확실성은 X-ray에 의존하도록 만들었다. 엉덩이 사진을 찍고, 그것을 주시한다. 그리고 손상된 연골을 발견한다.

연골은 한 번 손상되면 회복 불가능한 것으로 알려져 있기 때문에 통증을 느끼지 않으면서 볼과 소켓을 움직일 방법이 없는 것 같아 보인다. 그러니 연골이 손상되면 성급하게 교체 수술을 하려고 한다. 하지만 적절한 근육이 다시 관여하게 해서 엉덩이의 원래 구조를 되찾아주는 게 낫다. 이것이 이 장의 에고스큐 운동법을 통해 우리가 하고자 하는 일이다. 3장에서 말했듯이, 뼈는 근육이 하라는 대로 한다. 몸의 구조에 맞는 근육을 사용하도록 하면 특정 부위에 압력이 집중되는 현상을 막을 수 있고, 그렇게 해서 압력이 연골을 후벼 내는 일을 줄일 수 있다. 이것은 몸의 근육과 다른 메커니즘을 심하게 압박하는 피로와 통증을 완화시키고, 엉덩관절이 거의 정상적으로 굽혀지고 펴지고 회전하도록 복귀시키는 것이다. 이때 '거의 정상적'이라고 말한 까닭은 이미 연골이 손상되어서 볼—소켓 관리가 여전히 필요하기 때문이다. 설령 그렇더라도 몸의 구조가 변하지 않고 건전하다면, 그리고 특별히 넙다리뼈 머리부분이 소켓에 지속적으로 세게 부딪히지 않는다면 우리 몸은 해낼 수 있을 것이다.

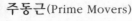 **주동근**(Prime Movers)

주동근은 특정한 뼈를 움직이게 하는 특정한 임무를 가진 근육으로, 협동근(synergist)으로 작용하거나 관절과 뼈를 안정시키는 근육과 함께 일한다. 엉덩이의 중심 역할을 하기 때문에 이 두 종류의 근육은 대부분 골반대에서 시작한다. 다른 끝은 움직이거나 고정되어 있는 뼈에 부착된다. 다리는 매우 중요하기 때문에 주동근과 골반의 협동근은 매우 강력하게 설계되어 있다.

연골의 손상에 대해 살펴보자. 왜 몸에서 연골만이 재생되지 않을까? 스웨덴 연구실에서 실시한 실험들은 제대로 갖춰진 조건에서는 연골도 다른 조직과 마찬가지로 성장한다는 것을 보여주고 있다. 더욱이 스포츠 의학을 하는 사람들은 선수들이 적절한 트레이닝을 하는 동안 연골 밀도와 충격 흡수 역량이 증가했다는 것을 오래전부터 알고 있었다.

연골은 재생될 수 있다. 단, 조건이 마땅할 경우에만 그렇다.

완전히 부러진 넙다리뼈라도 6주 안에 다시 붙을 수 있다. 그러나 그동안 마치 아무 일도 없었던 것처럼 걷고자 한다면, 뼈는 절대 붙을 수 없을 것이다. 부러진 넙다리뼈로 걷는 게 불가능한 것처럼, 연골 없이 걷는 것도 불가능하다. 그런데 몸은 엉덩이 안에서 집중적으로 압박 받는 곳을 건강한 연골 쪽으로 옮기면서 걸어보려고 노력한다. 그것은 화산을 하나씩 터트리는 것과 같은데도 말이다. 나중에

149

는 더 이상 폭발할 곳이 없어진다. 하지만 엉덩이는 여전히 제대로 정렬되어 있지 않기 때문에 손상된 연골을 재생할 수 없다. 이쯤 오면 우리는 절대 불가능한 것을 시도하려고 한다. 바로 연골이 전혀 필요 없는 엉덩이를 만드는 것이다.

엉덩이의
굽힘과 폄

만일 근골격계 장애를 치료할 묘안이 있다면, 그것은 엉덩이의 정렬불량이 머리에서 발끝까지 몸 모든 부분에 걸쳐 엄청난 영향을 끼친다는 걸 이해하는 것이다(참고로 말하자면, 엉덩이뿐만 아니라 모든 하중 축받이 관절의 정렬불량은 엄청난 결과를 가져온다).

우리 클리닉에서 실시하는 에고스큐 운동법에서 엉덩이는 종종 출발점이다. 이 책에 나오는 운동 역시 특정 관절을 다루든 통증 증상을 다루든 엉덩이 정렬불량에 초점을 맞추고 있다. 우리는 먼저 엉덩이 기능장애를 없애야 한다. 엉덩이가 중심 역할을 하기 때문이다. 만일 엉덩이가 적절한 자리, 즉 어깨에서 곧게 내려오는 자리, 무릎과 발목에서 곧게 올라가는 자리에서 밀렸거나 당겨졌다면, 몸통과 하체의 적절한 굽힘과 폄 운동은 불가능하다. 이것은 골반에서 시작되는 많은 근육 또는 주동근 때문이다. 예를 들어 만일 골반이 틀어져 있고 어깨가 처져 있으면, 어깨 힘을 키우기 위한 웨이트 트레이닝도 아무 소용이 없다.

만일 몸 전체에 안정성과 유연성과 힘을 주고자 한다면, 골반대는 고도의 좌우·상하 운동성이 있어야 한다. 최소한 네 가지를 동시에 할 수 있어야 한다. 걷거나 뛰는 동안, 오른쪽 엉덩이가 펴지면 왼쪽 엉덩이는 굽혀야 하고, 그 반대 역시 마찬가지다. 그러는 동안 골반은 상체를 수직으로 고정시키고 있어야 하고, 동시에 지형의 변화와 다른 변수에 대응하는 관절의 회전도 고려해야 한다.

그림을 그려볼 수 있는가? 잘 그려지지 않는다고 해서 실망할 필요는 없다. 엉덩이의 굽힘과 폄을 상상하는 것은 어려울 수 있다. 시소를 예로 들면 도움이 될 것이다.

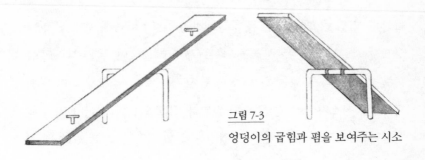

그림 7-3
엉덩이의 굽힘과 폄을 보여주는 시소

굽힘과 폄은 엉덩이에서 많은 운동성을 요구한다. 그러나 그것들 역시 기능장애를 일으키기 쉽다. 부서지기 쉽다거나 연약하다는 뜻이 아니다. 엉덩이는 다른 뼈처럼 강하고, 근육에 복종해야 한다. 매일 몇 시간씩 의자에 앉아 있는 사람의 등은 의자에 기대져 있고, 그의 어깨는 앞으로 구부정하게 휘어져 있고, 근육은 엉덩이에게 굽히라고 말한다. 당신도 시도해보길 바란다. 허리를 똑바로 펴고 앉아서 두 발로 바닥을 디딘다. 그리고 등을 구부려서 아치를 만든다. 당신의 골반대를 엉덩뼈능선(iliac crest)을 가진 사발이나 우둘투둘한

151

손잡이 역할을 하는 엉덩이뼈로 상상해봐라. 엄지손가락을 각 엉덩이뼈에 얹는다. 그리고 등을 낮추어서 의자 뒷부분에 닿게 한다. 엉덩이(그리고 골반 사발)가 아래쪽으로 기울어 같은 방향으로 움직이는 것을 볼 수 있을 것이다. 그러는 사이 척추의 윗부분이 앞으로 나오면서 머리와 어깨를 데리고 나오고, 등의 아치는 평평하게 퍼지고 나서 다시 반대 방향의 아치를 만든다. 이것이 엉덩이 굽힘의 예다.

엉덩이 굽힘과 폄의 오르내림

나란히 서 있는 2개의 시소를 상상해봐라(그림 7-3). 2개 모두 남북 방향으로 정렬되었다. 두 시소를 남쪽에서 바라본다면, 왼쪽 시소의 북쪽 날개가 올라가 있는 반면 오른쪽 시소는 북쪽 날개가 내려가 있다. 만일 시소가 (남쪽을 향해서) 걷거나 뛰고 있는 엉덩이라면, 왼쪽 엉덩이는 폄 작용을, 오른쪽 엉덩이는 굽힘 작용을 하고 있다. 왼쪽은 앞으로 기울어져 있고, 오른쪽은 뒤로 물러나 있다. 시소처럼, 엉덩이 앞에서 뒤로 곧게 뻗는 가상의 수평선을 생각해봐라. 이 시소의 움직임은 정확히 당신이 걷거나 뛸 때 일어나는 (혹은 일어나야 하는) 것이다.

분명히 골반은 근육에게 복종한다. 척추 역시 마찬가지다. 엉치뼈에 붙어 있는 삼각형 형태의 받침대는 한쪽 끝은 오른쪽 엉덩이에, 다른 쪽 끝은 왼쪽 엉덩이에 붙어 있다. 그리고 골반대 꼭대기에 얹혀 있다. 2개의 '손잡이'가 뒤쪽, 아래쪽으로 움직이고, 엉치뼈 받침대를 같은 방향으로 기울인다. 동시에 굽히는 골반에 단단히 붙어 있고, 척추를 따라 올라가고 있는 근육은 유연한 척주(척추 기둥) 위로 끌어당긴다. 그리고 부드럽고 오목하게 들어간 의자 등받이에 맞추기 위해 이동한다.

정상적으로 기능하는 사람이 걷거나 뛸 때, 척추에서 이런 효과는 나타나지 않는다. 골반이 굽혔다 폈다 하고 좌우로 왔다 갔다 하면서 중립적인 위치를 유지하기 때문이다. 근육의 힘과 기능이 균형 잡혀 있다. 그리고 그것은 관련이 없는 것과 반대로 작동하고 있다. 이와 대조적으로, 내가 방금 묘사한 앉아 있는 엉덩이는 굽힌 채로 고정되어 있었고, 그곳에서 펼 수 있는 힘과 능력을 잃었다. 동시에 상체에서 일어나는 일들은 골반 안에서의 근육 활동과 거의 상관없다. 등 근육은 엉덩이(또는 앞으로 나오고 처진 어깨)의 기능적인 지원 없이 척추를 수직으로 유지해야만 한다.

엉덩이와 분만

태아를 산도(birth canal)로 들어가게 하기 위해, 산모의 엉덩이는 앞으로 퍼져 나오고 부가적인 폄 작용을 한다. 여자의 골격 구조는 넙다리뼈가 엉덩관절에 더 큰 각도로 들어가도록 함으로써 이것을 가능하게 한다. 설령 그렇더라도 엉덩이가 굽힘 상태로 꼼짝하지 않을 경우, 분만할 때 어려움을 겪을 수 있다. 엉덩이가 올바른 자리에 있지 않기 때문이다. 이것은 남자나 여자 모두에게 매우 흔한 경우다. 마찬가지로 정반대의 경우, 즉 엉덩이가 폄 상태로 꼼짝하지 않을 때, 여자들은 태아가 준비되지 않았는데도 분만 자세를 취하곤 한다. 이렇게 되면 아직 채 성숙하지 않은 아기를 출산할 수 있다. 이 장의 운동은 13장의 종합 컨디션 조절 운동과 마찬가지로 골반의 위치를 중립적으로 만들도록 도와준다.

관절염과
엉덩이 통증

코르티손(cortisone : 스테로이드 약물)의 지나친 복용, 알코올 중독과 같은 상태는 넙다리뼈 머리부분으로 가는 혈액순환을 제한한다. 하지만 병이 엉덩이 통증의 주요 원인은 아니다. 심지어 많은 사람들이 엉덩이 문제의 주요 원인이라고 말하는 퇴행성 골관절염과 우연한 사고는 정렬불량 탓에 엉덩이가 위태롭게 된 후에 발생하는 이차적 요소다.

나는 활동적이고 제대로 정렬되어 있는 관절에 관절염이 생기는 것을 본 적이 없다. 절대로 말이다. 최근의 임상 테스트가 보여주는 것처럼, 온전하고 규칙적인 운동은 노인들의 골관절염 증후를 완화시켜줄 것이다. 그리고 젊은 사람들에게 질병이 생기는 것을 처음부터 막아줄 것이다.

심한 관절염(단순히 붓고, 연골이 손상되는 게 아닌 병 메커니즘)은 가게를 시작하기 위해 조용하고 방해받지 않는 장소를 물색하는 것처럼 보인다. 관절주머니(joint capsule)는 요새고, 하나의 세계다. 그것은 혈액과 산소의 부족으로 약해지고, 관절염이 자라는데 필요한 환경을 만든다. 만일 엉덩이 통증이 느껴지면 일반적인 원인을 탓하지 말라. 가장 쉬운 방법부터 시도해보고 어떤 일이 일어나는지 살펴봐라.

엉덩이 통증에 적합한
운동

　허리, 허벅지, 엉덩이(buttock, 엉덩이 아래로, 앉으면 바닥에 닿는 근육이 많은 부분), 사타구니 통증은 엉덩이(hip)에서 시작되었을 수 있다. 물론 아닐 수도 있다. 튼튼한 엉덩관절이 통증을 느끼기 시작했다면, 그 근방의 근육과 다른 메커니즘은 심하게 닮았을 것이다. 고통이 어디에서 오든 이 운동은 엉덩이 위치를 재정렬하도록 도와줄 것이다. 덩달아 다른 근육 역시 혜택을 볼 것이다.

　당신은 엉덩이의 근본적인 역할을 따져볼 때, 왜 운동이 4개밖에 없나 하고 의아할 것이다. 하지만 이것들은 통증을 완화해주고, 엉덩이를 바르게 정렬해줄 것이다. 이런 효과가 나타나면 13장의 종합 컨디션 조절 운동을 하길 바란다.

- 총 시간 : 이 메뉴는 반듯이 누워 사타구니 스트레칭을 하기 때문에 시간이 좀 걸린다. 통증이 심한 경우에는 45분에서 1시간 정도 실시한다. 통증이 약한 경우에는 15분에서 20분 정도면 충분할 것이다.
- 하루에 1번
- 24시간 동안 통증이 사라질 때까지 매일 이 운동을 한다. 통증이 완전히 사라지고 나서도 일주일간 같은 운동을 반복하다가 13장의 종합 컨디션 조절 운동으로 넘어간다.

◆ 테이블 이용해서 뻗기

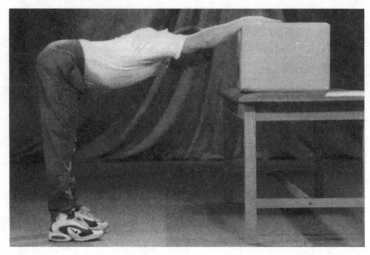

그림 7-4

대략 허리쯤 오는 테이블 위에 손바닥을 평평하게 올린다(약간 높거나 낮은 건 상관없다). 머리와 수평이 되게 팔을 밖으로 뻗으면서 엉덩이에서 몸을 앞으로 구부린다. 발과 발목과 무릎은 엉덩이 바로 아래에 바르게 정렬되어 있어야 한다. 엉덩이가 서툴게 방해받지 않으면서 완벽하게 몸을 뻗기 위해 발을 약간 뒤로 움직여야 할 것이다. 엉덩이를 앞으로 구부리고, 허벅지는 긴장을 늦추지 않으면서 고개는 팔을 따라 아래로 떨어뜨린다. 이 자세를 30초간 유지한다. 이 운동은 굽힘 작용으로 엉덩이를 밖으로 나오게 해주고 척추의 S자를 복원시키며 어깨를 보조적인 자세에서 벗어나게 한다.

◆ 바닥에 앉기

6장에 나와 있는 '바닥에 앉기' 동작설명을 따른다(134쪽). 두 다리를 같은 힘으로 당기는 것에 집중한다. 이 자세는 하체 시스템을 엉덩이와 연관시키는 역할을 한다.

◆ 등 고정하기

5장에 나와 있는 '등 고정하기' 동작설명을 따른다(105쪽). 숨을 깊이 들이마신다. 상자가 너무 높지 않은지, 허리와 엉덩이가 땅에서 떨어져서 들려 있지 않은지 다시 한 번 체크한다. 이 운동은 중력을 사용해서 엉덩이를 중립적인 자세로 잡기 위한 것이다.

◆ 반듯이 누워 사타구니 스트레칭 하기

5장에 나와 있는 '반듯이 누워 사타구니 스트레칭 하기'의 동작 설명을 따른다(106쪽). 만일 허벅지 테스트를 시간에 맞춰 하고자 한다면 왼쪽과 오른쪽 허벅지에서 균형 잡힌 수축을 하려고 해라. 이 자세에서 사타구니 근육은 굽힘과 폄 작용을 막으면서 엉덩이 위에서 당기고 있다. 이것은 그런 작용들이 사라지도록 유도한다.

25년 전만 해도 관절염은 지금처럼 흔하지 않았다. 사람들의 엉덩이는 대부분 제대로 기능하거나 (앞쪽으로 기울어진) 폄 운동을 했다. 엉덩이 폄 운동은 근육의 단단함과 힘에 대한 표시였다. 그리고 단단하고 수축한 근육은 쉽게 이완되고 쉽게 기능을 회복했다. 그러나 엉덩이를 굽히는 근육은 약하고, 회복 운동을 많이 하지 않은 한 그대로 머무는 경향이 있다. 약간의 회복으로 도움을 받기도 하지만 그것조차 많이 일어난다고 볼 수 없다. 실제로 굽힘 현상이 점점 심해지고 만성통증이 늘면서 극단적인 치료 역시 증가하고 있다. 그러나 우리 엉덩이는 수술 외에 거의 모든 것을 수용할 수 있다.

8.

척추:

S곡선을

지켜라

통증의 원인이나 증상이 무엇인지 상관없이 만성통증은 너무 견디기 힘든 시련이다. 특히 척추의 만성통증은 신중하게 생각해보거나 다른 의견을 더 들어보지 않고 극적인 처방을 선택하게 하는 일종의 비상사태다. 등에 심한 경련이 일어났던 사람이라면 누구나 그 통증이 얼마나 고통스러운지 잘 안다. 무릎이나 엉덩이 통증 역시 심하지만, 척추 통증은 그 정도가 매우 심하다. 그래서 사람들이 합리적인 결정을 내리기 위해 속으로 이리저리 생각해보는 것조차 어렵게 만든다.

만성적인 등 통증을 치료하기에 가장 좋은 순간은 통증이 시작되기 전이나 그것이 어느 정도 완화되었을 때다.

척추 곡선의 중요성

그림 8-1

내가 클리닉에서 하는 일과 이 장을 마련한 목적은 사람들이 등 통증의 특정 증상에 사로잡히지 않도록 하는 데 있다. 통증에서 얼마간 떨어져서 생각하면 문제의 진짜 원인, 즉 근골격계의 기능장애에 대해 이야기할 수 있기 때문이다. 통증에만 집중하면 증상만 이리저리 나열하다가 끝나기 십상이다.

등이 왜 아픈지를 알아야 비로소 통증을 없애기 위해 무엇을 시작해야 하는지 알 수 있다. 결론부터 말하면 통증의 원인은 바로 근육이다. 이것은 조금만 더 설명하면 훨씬 간단명료해진다. 척추의 앞부분에는 2개의 곡선부위가 있다. 바로 목과 허리다. 척추 뒷부분에도 곡선이 있는데, 이것은 쉽게 말하면 흉곽에 있다. 이런 곡선(그림 8-1)은 근육이 활동적으로 움직여서 그 모양을 유지할 때에만 존재한다.

척추는 33개의 개별적인 척추뼈로 이루어져 있다. 척추뼈 위에 척추뼈를 올려놓은 모양으로 쌓여 있으며, 이 척추뼈는 척수를 통해 하나로 이어져 있다. 척추에는 근육이 전혀 없고, 그것은 두꺼운 산호초 목걸이처럼 그렇게 뻣뻣하지 않고 유연하다. 그러나 사람들은 모든 주요 장기들, 볼링 공 모양의 머리, 합하면 몸무게의 절반 이상에 해당하는 기타 모든 것들을 포함한 하중을 꼿꼿이 세우기 위해 척추를 사용한다. 우리는 이런 하중을 진 채로 걷고 뛰고 몸을 비틀고 방향을 바꾼다. 태어나서 60년, 그 가운데 깨어 있는 시간 320,000시간 이상을 말이다.

앞에서 나는 몸을 중력에 저항하는 기계라고 했다. 이 기계의 구동축이 바로 척추다. 척추의 특이한 모양 때문에 우리는 균형을 잡을 수 있다. 그러나 근육 역시 척추 모양을 유지하고 그것을 꼿꼿이 세우는 데 반드시 필요하다. 만일 근육이 활발하지 않고 위축되어 있으면 이를 대체하는 보상근이 움직일 것이고, 이것은 목, 흉곽, 허리에 있는 척추의 곡선을 변형시킨다. 원래 척추의 곡선을 만들고 유지해야 하는 근육, 말하자면 척추 옆에 붙어 있는 근육, 골반과 몸 아래쪽에 있는 근육을 포함한 근육이 계속해서 휴식을 취하고 있는 셈이다.

근골격계 기능장애는 몸 안쪽에서 시작해서 바깥쪽으로 퍼지는 경향이 있다. 기능장애는 깊이 있는 근육 층에서 가장 먼저 시작한다. 🍂

척추 주위에 있는 근육이 한꺼번에 움직임을 멈추는 것은 아니다. 근육이 퇴화하는 속도는 개인의 생활 방식과 작업 환경에 따라 다르게 나타난다. 그러나 환경에서 받는 자극이 점차 줄어들고 마법의 척추 S곡선이 사라지면서 척추는 유연성과 하중을 지탱하는 힘과 충격을 흡수하는 능력을 차츰 상실한다.

등은
최후 수단을
가지고 있다

폭풍우가 칠 때 텐트 안에서 캠핑을 해봤다면, 바람이 불 때 텐트가 움직일 수 있게끔 밧줄을 조정하는 게 얼마나 중요한지 알 것이다. 바람이 부는 쪽을 향해서는 밧줄을 팽팽하게 당겨야 하고, 바람이 불어 나가는 쪽을 향해서는 느슨하게 매야 한다. 그리고 한밤중에 바람의 방향이 바뀌면 밖으로 나와 밧줄을 다시 매줘야 한다. 그렇지 않으면 텐트가 심하게 펄럭거릴 것이다. 사람이 움직일 때, 몸통 근육 역시 수백억 분의 일초 단위로 텐트처럼 움직인다. 척추의 위치를 잡는 근육은 끊임없이 활발하게 상호 작용을 유지하고, 이를 통해 척추를 곧게 세워 제 기능을 할 수 있게 해준다.

 근육을 움직이지 않으면, 곧 근육을 움직일 수 없게 된다.

배열은 한 가지만 제외하면 아무 문제없다. 근육은 명령이 있어야만 움직인다는 것이다. 움직이라는 명령이 없으면, 근육은 원래 위치에서 꿈쩍도 하지 않는다. 척추에 가까이 있는 근육이 충분히 움직여지지 않으면, 그 다음엔 등 전체가 움직이지 않을 것이다. 그리고 등에 기능장애가 생기면, 다른 근골격계의 하부조직 역시 제대로 움직이지 않을 것이다.

척추를 똑바로 유지해주는 근육이 그 기능을 수행하지 않으면, 척추 곡선의 전체적인 통일성이 사라진다. 그러면 척추는 중력의 법칙을 따를 수밖에 없다. 중력은 절대 사정을 봐주지 않을 것이다. 말하자면 중력은 위에 있는 모든 것을 끌어내린다. 균형을 잡아주는 유연성이 사라지면 뻣뻣하게 경직된다. 척추가 불안정해지면, 몸은 마지막 남은 수단을 사용하려고 한다. 이것으로 퇴화하고 있는 근육에 아직 남아 있는 얼마 안 되는 힘을 이용하고, 그 결과 근육은 수축된다. 수축된 근육으론 중력을 당해낼 수 없다. 척추는 움직이는 부분이 많아서 작은 힘으론 척추를 제자리에 고정시키지 못하기 때문이다. 몸통의 위쪽은 앞으로 굽힐 수 있는 구조로 되어 있기 때문에 근육은 마지못해 굽혀지는 것을 허용한다. 하지만 결국 척추의 구조는 한계에 이르고, 그 자리에서 뻣뻣하게 굳어버린다.

 취침시간

등 통증이 너무 심하면 제일 먼저 하루 이틀 누워 있어야 한다. 이렇게 휴식을 취하면 통증이 완화되면서 에고스큐 운동법을 시작할 수 있다. 누워 있으면 근육이 뼈나 디스크를 움직여 신경과 접촉하게 하는 일을 감소시켜 주기 때문이다. 하지만 통증이 완화되었다고 해서 평소처럼 일해선 안 된다. 그때 치료를 시작하자. 그리고 누워 있는 시간은 2~3일을 넘기지 말아야 한다. 몸의 주요 기능은 몸을 움직이지 않으면 금세 기능저하를 일으키기 때문이다.

이런 일련의 과정을 좀더 정확하게 이해하려면 다음 상황을 상상해봐라. 텐트를 꾸려서 차에 싣고 집으로 향한다. 날씨가 폭풍이 심한 눈보라로 바뀌면서 길이 얼어붙었다. 그런데 갑자기 사슴이 차 앞으로 뛰어들었다. 브레이크를 밟았지만 제대로 작동하지 않는다. 이런 일이 근육에서 일어나고 있다. 당신은 핸들을 이리저리 움직이면서 미끄러지지 않으려고 안간힘을 쓸 것이다. 차는 심하게 흔들린다. 등 통증이 있으면 핸들 역할을 하는 보상근은 척추를 잡아당긴다. 이것은 척추를 조금이라도 움직이며 똑바로 세우려는 필사적인 시도다. 하지만 이런 환경에서는 척추가 제대로 기능하지 못한다. 마비와 사후 경직상태가 아니고서야 몸이 움직이는 것을 피할 수 없다. 아니, 몸은 움직여야 한다. 그런데 기능장애를 가진 몸이 조금이라도 움직이려면 몸통에 있는 뼈와 근육, 관절, 힘줄, 연골을 억지로 움직여야 한다.

등 통증에 대한 해결책은 순전히 인과관계에 기초한다. 척추가 아니라 근육을 목표로 해야 한다. 등 통증의 원인은 때로 척추나 척추의 구성요소(추간판 탈출증, 신경충돌)의 손상이나 그 밖의 또 다른 상황일 수 있다. 그러나 등 통증은 대부분 지속적으로 근육을 잘못 움직였거나 근육을 너무 움직이지 않아서 생긴 결과다. 기능장애 상태라면 몸의 구조에 맞지 않는 근육 활동을 당장 멈춰라. 그러면 통증은 사라질 것이다. 나는 이런 일이 일어나는 것을 수천 번도 넘게 봤다.

추간판 탈출증
치료법

　등 통증으로 우리 클리닉을 찾는 환자는 대부분 추간판 탈출증을 앓고 있다. 그들은 디스크(척추뼈 사이에서 쿠션 역할을 하는 질긴 패드) X-ray 사진을 가져온다. 그 사진은 뼈가 디스크를 압박해서 결국 신경에 붙게 한 모습을 보여준다. 디스크는 바람 빠진 풍선모양이거나, 도넛이 찢어지면서 그 안에 있던 젤리가 흘러나오는 것처럼 부드러운 물질이 중심에서 새고 있는 모습이다. 나는 사진을 보며 이렇게 말한다. "그래요. 틀림없는 추간판 탈출증이에요."

　"제 주치의는 수술을 해서 신경을 누르고 있는 디스크를 제거해야 한다고 말했어요."

　나는 고개를 끄덕이며 묻는다.

　"등이 여기 있는 디스크를 모두 사용하도록 설계되었다고 생각하지 않나요?"

　"하지만 신경을 누르고 있잖아요."

　"왜요? 그런 일이 어떻게 일어났죠?"

　그리고 나와 환자는 인간의 생체역학에 대해 토론한다. 그러면 다음과 같은 대답을 듣는다.

　"근육 때문에 디스크가 신경을 누르고 있군요."

　"맞아요. 근육은 또한 디스크가 신경을 누르지 않게 할 수도 있지요."

　허리의 근골격계 통증을 완화시키는 효과적인 운동이 있다.

- 총 20분
- 하루에 1번, 오전에 실시
- 48시간 동안 통증을 느끼지 않을 때까지 운동을 매일 한다. 그리고 열흘간 같은 동작을 계속한다. 그러고 나서 13장의 종합 컨디션 조절 운동으로 바꾼다. 서두르지 말라. 하루 종일 등 통증을 느꼈던 사람이라면 한 시간이나 두 시간 동안만 통증이 없어도 진전을 보인 것이다. 더 이상 나아지지 않고 정체기인 것 같다면 반복 횟수를 늘려라.

◆ 무릎 사이에 베개 끼고 앉기

　　6장에 나와 있는 '무릎 사이에 베개 끼고 앉기' 동작설명을 따르고(133쪽), 의자 끝에 바르게 앉았는지 확인한다. 발은 바닥에 평평하게 두고 엉덩이너비로 벌린다. 발가락은 앞을 향해 곧게 편다. 15번씩 세 차례 반복한다. 천천히 그리고 같은 힘으로 베개의 양쪽을 누른다. 이 운동은 엉덩이 벌림근과 모음근의 힘을 길러주어 구부러진 등을 펴준다.

◆ 등 고정하고 무릎으로 베개 누르기

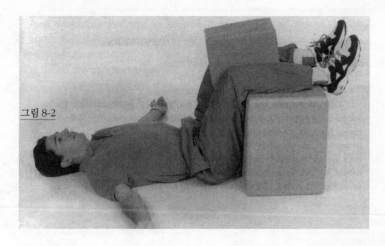

그림 8-2

5장에 나와 있는 '등 고정하기' 동작설명대로 등을 고정(105쪽)하고, 무릎 사이에 베개를 끼운다. 허벅지 안쪽을 사용해서 같은 힘으로 베개를 눌렀다가 푼다. 발은 서로 평행을 이루도록 한다. 배의 긴장을 풀고 편하게 한다. 15번씩 세 차례 계속한다. 이것은 벌림근과 모음근이 중력에 일치하도록 해주고, 허리에 과도한 힘이 들어가는 것을 풀어준다.

◆ 바닥에 놓인 상자 변형

바닥에 이마를 대고 엎드린다. 발을 안짱다리 모양으로 만들고, 엉덩이(buttock)는 긴장을 푼다. 팔꿈치는 상자에 댄다. 손과 팔은 '항복' 이라고 말하는 것처럼 둔다. 양쪽 어깨가 평평하게 유지되도록 주의한다. 숨을 깊이 들이마시고 몸 위쪽은 긴장을 푼다. 팔로 상자를 누르면 안 된다. 가슴과 배를 바닥에 붙이고 엉덩이는 위를 향하게 한다. 이 자세를 6분간 유지한다. 이 운동은 어깨를 쉬게 해준다.

그림 8-3

◆ 늘이고 고정하기 변형

4장에 나와 있는 '늘이고 고정하기' 동작설명을 따른다 (86쪽). 하지만 한 가지 중요한 차이가 있다. 상자를 사용하지 않고 바닥에서 한다는 것이다. 편 상태를 유지하되 몸에 무리를 주면 안 되기 때  문이다. 보통 너무 심하게 몸을 구부리면 추간판 탈출증에 걸린다. 이 운동은 몸을 뻗게 하면서 디스크에 가하는 압력을 없애준다. 손이 앞을 향하게 해야 엉덩이가 무릎 앞으로 움직일 수 있다. 이런 운동을 하면 등을 움직일 수 있고, 잃었던 허리 아치를 회복할 수 있다. 등이 기울어져 있는지, 평평하지 않은지, 심한 경우 구부정하지 않은지 다른 사람에게 봐달라고 해서 확인하는 것도 도움이 된다. 배에 힘을 주지 말라. 추간판 탈출증이 악화되지 않는다는 것을 확인할 수 있어야 한다. 통증은 금세 완화될 것이다. 이 자세를 1분간 유지한다.

◆ 공중에 앉기

4장에 나와 있는 '공중에 앉기' 동작설명을 따른다(87쪽). 머리와 어깨를 벽에 붙인다. 이 자세를 1 ~2분간 유지한다. 이 운동은 발목과 무릎과 엉덩이를 다시 정렬해준다. 일주일간 같은 동작을 반복하면 통증이 완화된다. 그리고 다음에 나오는 운동을 한다.

◆ 등 고정하기

5장에 나와 있는 '등 고정하기' 동작설명을 따른다(105쪽). 무리하지 말아야 한다. 1시간 후에 통증이 완화될 것이다. 이런 자세가 좋긴 하지만, 아침 내내 혹은 오후 내내 이렇게 있으면 오히려 역효과를 가져올 수 있다. 몸을 움직이지 않아서 피해를 줄 수 있기 때문이다. 이 자세를 5~10분간 유지해라. 이 운동은 중력을 사용해서 몸의 구조를 수평상태로 돌려 놓는 방법이다. 하지만 몸의 구조는 무게를 수직으로 견디는 것까지 해야 하기 때문에 이렇게 누워서 오래 있으면 안 되는 것이다.

◆ 반듯이 누워 사타구니 스트레칭 하기

5장에 나와 있는 '반듯이 누워 사타구니 스트레칭 하기' 동작설명을 따른다(106쪽). 사람들은 이 운동을 충분히 하지 않는다. 이것이 문제다. 시간을 충분히 할애해서 이 운동을 해라. 한쪽 다리마다 최소한 10분간 유지한다. 사타구니 근육은 힘이 세기 때문에 제대로 움직이도록 하는 데에는 시간이 걸린다.

◆ 공중에 앉기(두 번째 세트)

앞에서 말한 방법대로 다시 한다.

수술 받기 전에 알아야 하는 것들

허리 디스크를 제거하는 수술은 더 이상 특별한 게 아니다. 만일 당신이 이런 수술을 고려하고 있다면, 우선 의사에게 다음 네 가지 질문을 해야 한다.

1. 추간판 탈출증이 왜 생겼나요?
2. 제거할 디스크의 일부가 필요한 게 아닌가요?
3. 지금까지 하던 활동을 다시 할 수 있을까요?
4. 다른 디스크에 같은 문제가 일어날까요?

만일 첫 번째 질문에 대해 나이를 먹어서나 사고 때문에 디스크 손상이 생겼다고 답했다면, 의문을 가져봐라. 두 번째 질문의 경우, 당신의 등은 모든 디스크를 사용하도록 만들어졌다. 활동에 대한 질문은 무엇보다 중요하다. 치료의 목적은 건강을 회복하고, 몸의 기능을 다시 찾는 데 있기 때문이다. 치료가 오히려 몸의 기능을 해쳐선 안 된다. 마지막으로 같은 문제가 반복되는 일은 충분히 있을 수 있다. 첫 번째 디스크를 생기게 했던 근골격계의 문제가 여전히 남아 있기 때문이다.

만일 통증이 완화되지 않고 계속되면, 앞의 다섯 가지 운동을 중단하고 나중에 언급한 세 가지를 반복해서 행하라. 그러니까 '등 고정하기', '반듯이 누워 사타구니 스트레칭 하기', '공중에 앉기'를 말한다. 그래도 통증이 계속되면 우선 엉덩이가 더 회전되는 것을 막아

171

야 한다. 일주일 정도 지나서 다시 앞의 다섯 가지 운동을 포함시킨다. 며칠을 두고 1~2개씩 추가한다. 상식적으로 생각해봐라. 등 통증은 몇 년간 계속해서 발전해온 증상이다. 통증이 완화되려면 몇 분 가지고는 안 될 것이다. 에고스큐 운동법은 근육이나 기능에 따라 달라지기 때문에 만족할 결과를 얻을 때까지 걸리는 시간도 다르다.

척추를
조율하자

허리 통증은 척추의 굽이와 직접적인 관련이 있지만 통증이 구조의 문제는 아니다. 그리고 영구적인 문제도 아니다. 의자 끝에 앉아 보면 근육이 어떻게 등 모양을 만드는지 느낄 수 있다. 바닥에 발을 평평하게 놓고 엉덩이너비로 벌린다. 허리가 수직이 되었다고 느낄 때까지 몸을 뒤로 기댄다. 배 근육과 어깨 근육의 힘을 뺀다. 양손을 허리 바로 위쪽에 놓는다.

무엇이 느껴지는가? 사람들은 대부분 "뭐, 별거 없는데요? 등이요"라고 대답한다. 하지만 오목한 상태나 아치 모양(허리 곡선)을 느껴야 한다. 그것이 있다면 아무 이상이 없는 것이다. 무언가 이상한 것처럼 생각되어도 아무 이상이 없다(그림 8-4).

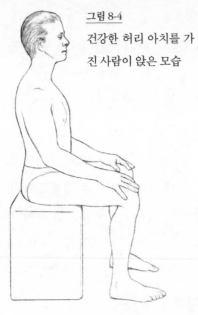

그림 8-4
건강한 허리 아치를 가
진 사람이 앉은 모습

등에 손을 살짝만 갖다댄다. 머
리와 어깨를 천천히 뒤쪽으로
잡아당긴다. 이때 배에 힘을 주
지 말고, 어깨뼈와 등 윗부분에
힘을 준다. 변화가 느껴지는가?
허리 아치가 더 뚜렷하게 생겨
야 한다. 이 과정에서 엉덩이가
움직이는 것(위쪽으로 회전하는
것)을 경험할 수 있을 것이다.
이제 자연스런 자세로 돌아와
라. 반대로 머리를 숙이고 어깨

를 앞으로 구부리면 아치가 곧게 펴지면서 없어지는 것을 느낄 수 있
을 것이다.

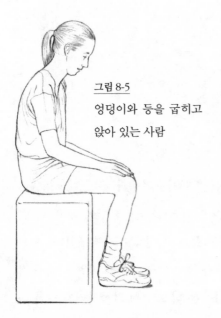

그림 8-5
엉덩이와 등을 굽히고
앉아 있는 사람

이런 과정이 일어날 때, 허
리뼈는 엉덩이를 따라 움직이고
허리는 굽혀진다. 허리를 앞으
로 구부리는 것은 잭나이프를
접는 것과 같다. 폄(extension,
머리를 골반 위 중심에 위치시키고
척추를 똑바로 세울 수 있는 능력)
은 타협한다. 그동안 척추의 지
렛점이 반대 방향으로 바뀐다
(그림 8-5).

이야기가 복잡해지는 것 같다면, 척추의 지레 작용을 머릿속에 그림으로 그려보자. 각각의 척추뼈 사이에 작지만 완벽하게 둥근 구슬이 있다고 생각해보자(물론 구슬은 실제로 없다. 가정일 뿐이다).

등이 제대로 기능하는 경우, 구슬은 정확히 등 중앙에 있다. 척추뼈는 부드럽게 비틀리고 방향을 바꾸고, 가장자리는 올라가거나 내려간다(그림 8-6). 그러나 굽혀져 있으면 구슬이 몸 뒤로 움직여서 척추를 쭉 펴거나 팽팽하게 하려고 할 때 척추뼈 디스크 전체가 관여하지 않는다. 안 좋은 것은 바뀐 지렛점(구슬)이 척추의 표면 가까이에 지레를 형성하고, 그것이 커진 힘으로 디스크 뒤 가장자리에서 올라갔다 내려갔다 한다는 것이다. 강력한 점이 디스크를 누르면, 결국 볼록해지거나 디스크 속 물질을 밀어내기 시작한다.

그림 8-6
서로 연결되어 있는
척추뼈

그림 8-7
압력을 받는
척추 디스크

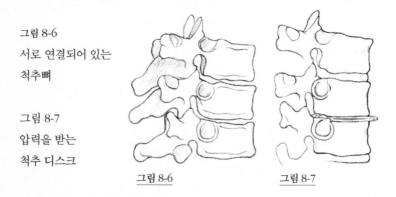

그림 8-6   그림 8-7

굽힘 역시 척추뼈 사이를 연결해주는 척추의 후관절을 힘들게 한다. 충분히 굽혀지면 척추는 그 안의 구슬을 한꺼번에 잃고, 그 단면이 결국 지렛점이 된다. 그러면 문제가 이중으로 발생한다. 우선 관절 단면은 충격을 거의 흡수하지 못하고 움직이는 범위도 매우 작기 때문에 부서지기 시작한다. 다음은 디스크 뒤 가장자리가 강한 나선형 계단의 좁은 입구에 갇히는 것이다. 나선형 계단은 등을 움직일 때마다 다른 방향으로 구부러진다.

아픔을 느끼지 못할 때

통증과 마찬가지로 마비 역시 증상이다. 다리의 한쪽이나 양쪽에 마비가 왔다면, 이것은 디스크나 허리 구조가 신경충돌을 일으켰다는 증거다. 그러니 늑장부리지 말라. MRI 사진을 찍어 무슨 일이 일어나는지 살펴봐라. 그리고 나서 근골격계 기능장애가 문제임을 아는 의사와 함께 치료계획을 세워라.

내가 추천하는 운동은 각 척추뼈 사이에 있는 구슬이 중앙에 위치하도록 돕기 위해 만들어졌다. 이것은 디스크에 가하는 압박을 제거해주기 때문에 디스크가 원래 가지고 있는 탄력을 회복하고 신경을 누르고 있던 물질을 도로 잡아당길 수 있게 한다. 그리고 척추뼈를 구성하는 모든 부분을 뒤로 잡아당겨서 원래 신경이 차지해야 할 공간을 다시 확보하도록 한다. 만일 후관절도 관련되었다면, 그것들은 동시에 구원을 얻을 것이다.

근육 수축은 과정을 복잡하게 한다. 근육이 이완되는 것을 실제로 싫어하기 때문이다. 나는 그것을 비난할 수 없다. 영원한 수축과 영원한 이완 중 하나를 선택하는 것은 삶과 죽음 중에서 하나를 선택하는 것과 같다. 근육은 가능한 한 계속해서 수축하려고 하는 경향이 있다. 허리 통증이 있을 때, 근육 이완제의 도움을 받을 수 있다. 그것은 근육을 이완해주고, 근육이 뼈나 디스크를 눌러 신경 쪽으로 파

고드는 것을 멈춰주기 때문이다. 누워서 쉬는 것은 자극을 없애주기 때문에 근육 이완제와 같은 효과를 가질 수 있다.

조지의 예를 살펴보자. 조지는 아침마다 신발 끈을 묶기 위해 몸을 굽히는 버릇이 있었다. 그는 허리 통증 때문에 며칠간 누워 있었다. 며칠간 통증이 없으면, 그는 다시 신발 끈을 묶을 것이다. 그리고 근육은 다시 수축하라는 명령을 받을 것이다. 근육 이완제를 사용하는 경우 역시 같다. 치료가 끝나면 근육은 예전 상태로 돌아갈 것이다. 그렇다고 해서 근육 이완제를 계속해서 사용하면 근육의 무기력한 상태가 계속돼 충분히 움직이지 않을 것이고, 결국 또 다른 통증을 야기할 것이다.

이런 행동 수정 패턴을 감안하면, 어째서 최근 연구에서 심각한 등 통증을 호소하는 환자 중에 의사나 물리치료사를 찾아가 치료를 받는 사람과 그렇지 않은 사람의 회복 속도가 같은지 설명할 수 있다. 두 경우 모두, 자극이 변한 것이다. 치료를 받지 않는 사람은 '쉬엄쉬엄' 일한다. 시행착오를 겪으면서 통증 없이 몸을 움직이는 법을 깨우친다. 즉 자가 치료를 통해 자기 움직임을 제한하는 것이다. 수술이나 물리치료, 인위적인 방법으로 통증을 치료한 사람 역시 기본적으로 같은 방법을 사용한다. 몸은 통증을 피하는 새로운 방법을 발견하면서 사실상 스스로 치료한다. 다만 문제는 그 방법이 쉽사리 바닥난다는 것이다.

경고 :
전방에 날카로운 가슴 곡선

다시 조지 이야기로 돌아가자. 그는 지금 침대에서 일어섰다. 그를 따라가 보자. 결국 그는 신발 끈을 묶을 때 저절로 가슴 반대편 등을 사용한다. 중력은 가슴 반대쪽 등을 앞으로, 그리고 아래로 잡아당긴다. 가슴 반대쪽 등은 앞으로 구부리는 움직임을 돕도록 설계되었기 때문이다. 결과적으로 가슴 반대편 등은 그 방향에서 움직임의 범위가 더 크다. 그리고 목, 허리 곡선이 한계에 다다를수록 가슴 곡선이 그 기능을 계속한다. 조지는 잃어버린 기능을 대신하기 위해 가슴 곡선 사용하는 것을 재빨리 배웠다. 예를 들어 그는 신발 끈을 묶을 때 앉아서 오른발을 왼쪽 무릎까지 올린다. 허리를 움직일 수 없을 때까지 몸을 앞으로 구부린다. 이때 그는 가슴 반대편 등을 구부린다. 직접 해봐라. 엉덩이를 최대한 의자 뒤쪽에 붙이고 앉아 등을 고정해라. 등과 엉덩이를 움직이지 말고 전화기를 잡아라. 등 윗부분과 어깨가 몸을 구부리라는 요구대로 움직이고 있다는 것을 알 수 있다. 많은 사람들이 이런 자세로 오랜 시간을 보낸다. 그들은 조지처럼 허리가 해야 할 일을 가슴 반대편 등이 하도록 한다.

이것은 상당한 대가를 치러야 하는 일이다. 가슴 반대편 등을 구부리면 몸통 위 골격의 구성요소를 앞으로 잡아당기고, 이에 반응해서 펴고 회전하고 측면운동을 하는 반대편 근육들이 단단히 조여진다. 결과적으로 등 윗부분과 어깨의 움직임이 제약을 받는다. 게다가 몸통 윗부분이 무거워지기 시작해서 중력이 점점 더 세게 몸을 잡아당긴다. 어깨는 계속해서 앞으로 구부러지고, 머리는 점점 더 아래로 수그러진다. 그 다음엔 어떤 일이 일어나겠는가? 가슴 반대편 등이 더 많이 구부러지고, 등의 다른 근육이 팽팽해지면서 기능장애가 더 많이 나타날 것이다.

 배(stomach) 문제

사람들은 모두 평평한 배를 원한다. 하지만 배 근육을 일부러 수축시키는 것은 가장 안 좋은 방법이다. 그렇게 하면 엉덩이와 척추를 굽은 채로 두어서 원래의 중립적인 자세를 지킬 수 없기 때문이다. 건강한 배 근육은 등을 안정시키는 장치다. 주동근이 아니다. 배 근육의 긴장을 풀고, 운동과 다이어트로 평평하게 만들어라.

나중에 가슴 반대편 등 통증은 마치 다른 부분의 통증인 것처럼 느껴질 수도 있다. 가슴 반대편 등 근육을 조이면 양어깨 사이가 타는 것처럼 느껴지고 목이 뻣뻣해진다. 그리고 머리를 좌우, 위아래로 움직이는 것조차 힘들고 통증이 생긴다. 다른 증상은 잠을 자거나 의자에서 쉴 때 어깨나 팔, 손이 저리는 것이다. 이것은 몸통 윗부분이 당겨지면서 정렬 상태에서 벗어나고 있기 때문이다. 몸통이 정렬 상태를 벗어나면 혈액 순환이 고르지 못하고, 다른 문제가 생긴다.

머리 위치는 가슴 반대편 등 근육에 생긴 문제를 일러준다. 50대인 테일러는 앞에 놓인 뭔가를 보기 위해 수년 동안 머리를 들어올렸다. 그의 시선은 3m 가량 떨어진 아래를 향해 있었다. 그는 지평선을 보기 위해 몸을 뒤로 젖혀야 했다. 가슴 반대편 등이 굽혀지면서 머리와 어깨가 앞으로 심하게 밀려나왔다. 그래서 드러눕지 않으면 하늘을 쳐다볼 수 없었다. 나는 운전하면서 테일러와 같은 증상을 보이는 사람들을 많이 본다. 그들은 가슴 반대편 등의 제약 때문에 자동차 두 대 이상 떨어진 거리에 있는 것에 반응하지 못한다. 게다가 사람들은 사이드 미러를 보기 위해 고개를 돌리는 것조차 어렵게 느낀다.

만일 고속도로 순찰대가 운전자를 세워 그들의 움직임 범위를 테스트 해보면 그 결과가 썩 좋지 않을 것이다. 사람들은 흔히 가슴 반대편 등의 기능장애를 목이나 어깨, 회전근개의 문제로 여긴다. 그러나 이런 상태는 그저 증상이고, 그것을 치료하는 것은 일시적으로 편안하게 만들어주는 것일 뿐이다. 테일러와 같은 증세를 보이는 사람은 수술이나 치료를 받으면 몇 달은 괜찮다고 느낄 것이다. 하지만 조만간 수술이나 치료의 효과는 크게 줄어들고, 터널시야는 돌아올 것이다. 몸의 구조는 강력한 이유 없이 고장 나지 않는다.

나는 굽은 어깨를 보거나 허리 가운데가 뻣뻣하다는 말을 들을 때 그 이유를 멀리서 찾지 않는다. 등 윗부분이 뻣뻣하다고 말하는 환자들은 몸이 좋지 않다는 것을 드러내고 있는 것이다. 그들은 어깨를 으쓱거리며 흔든다. 이것은 뻣뻣해진 어깨를 풀려는 노력이다. 하지만 이런 노력은 소용없다. 대신 똑바로 서서 어깨를 뒤로 밀고, 발가락을 한데 모아 안짱다리로 만들어봐라. 뻣뻣함은 금세 사라진다. 왜일까? 어깨와 발가락은 해부학적 위치를 따져볼 때 같은 구역에 있지 않다. 그래서 이것은 사람들의 직관과 반대인 것처럼 보인다. 하지만 안짱다리를 만들면 골반을 다시 어깨와 일직선상에 놓기 때문에 어깨가 더 이상 뻣뻣하지 않은 것이다. 등 윗부분이 뻣뻣한 것은 어깨가 허공에 매달려 있다는 것과 같다. 이것은 하중 축받이 관절로부터 구조적인 도움을 받지 못하거나 골반대 근육과 상호작용하지 못하기 때문에 나타난다.

여기서 제시하는 여섯 가지 운동은 나누어진 몸의 두 부분을 다시 합치고 정렬시켜준다. 따라서 가슴 반대편 등 통증을 완화시켜줄 것이다.

- 총 시간 : 통증이 심한 경우에는 45분에서 1시간 동안 실시한다. 통증이 약한 경우에는 15분에서 20분 정도면 충분할 것이다.
- 하루에 1번, 아침에 실시
- 기간 : 48시간 동안 통증이 완화될 때까지 매일 이 운동을 하고, 열흘간 같은 메뉴를 지속한다. 그러고 나서 13장의 종합 컨디션 조절 운동을 한다. 조급하게 생각하지 말라. 1시간이나 2시간 동안 통증이 완화된 것만으로도 발전한 것이다. 정체되었다고 느끼면 반복 횟수를 늘려라.

◆ 등 고정하기

5장에 나와 있는 '등 고정하기' 동작설명을 따른다(105쪽).

◆ 바꿔 누르기

그림 8-8

'등 고정하기'에서 다리는 상자에 기대고 무릎을 90°로 구부린다. 같은 자세에서 팔꿈치를 어깨와 일직선이 되게 한 후에 굽힌다. 양손은 가볍게 주먹을 쥐고, 손가락 관절이 천장을 향하도록 한다. 다시 바닥으로 팔꿈치를 똑바로 내리면서 양어깨 죽지를 같이 누른다. 갑자기 세게 당기면 안 된다. 양어깨 죽지가 함께 내려오도록 집중해라. 이런 식으로 앞으로 굽은 어깨에서 벗어날 수 있다. 잠시 자세를 유지하다 힘을 푼다. 이 자세를 15번 반복한다.

◆ 잡아당기기

'등 고정하기' 자세를 유지하면서 양 손을 깍지 낀다. 천장을 향해 양 팔꿈치를 곧게 편다(8-9a). 곧게 뻗은 양팔을 그대로 유지하면서 바닥에 닿을 때까지 머리 뒤쪽으로 넘긴다(8-9b). 최소한 팔이 더 이상 구부러지지 않을 때까지 넘긴다. 그리고 시작 위치로 되돌아온

181

다. 배는 긴장을 풀고, 절대 서두르지 말라. 이 운동을 15번 반복한다. 이 운동은 관절이 오로지 경첩 같은 작용만을 하는 게 아니라 볼-소켓 기능도 한다는 것을 기억하게 한다.

그림 8-9a

그림 8-9b

◆ 바닥에 놓인 상자

이 운동은 세 위치에서 하고, 팔과 어깨 관절을 충분히 움직여서 볼과 소켓 기능을 하도록 해준다.

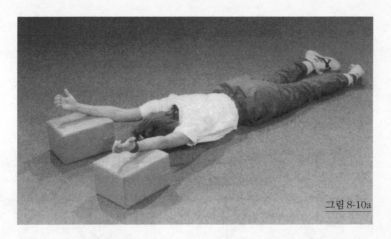

그림 8-10a

자세 1 얼굴이 바닥을 향하도록 엎드린다. 팔은 팔꿈치를 곧게 펴서 머리 위로 올린다. 발은 안으로 모아서 안짱다리처럼 만든다 (8-10a). 팔(손목위치)은 15㎝ 높이의 상자 위에 올려놓고 가볍게 주먹을 쥔다(너무 꽉 쥐지 말라). 엄지손가락은 천장을 향하게 한다. 팔을 팔꿈치가 아닌 어깨를 사용해서 돌려라. 이마는 바닥에 댄다. 목과 어깨, 엉덩이, 배는 힘을 빼라. 이 자세를 1분간 유지해라.

그림 8-10b

자세 2 그림 (8-10b)와 같이 몸을 바닥에 붙이고 엎드린다. 팔을

183

45° 정도 내린다. 상자도 같이 내린다. 목과 어깨, 엉덩이, 배는 힘을 빼고 그대로 유지해라. **자세 1**에서처럼, 팔은 천장을 향한 엄지손가락이 원을 그리도록 어깨를 사용해서 팔을 돌려라. 이 자세를 1분간 유지해라.

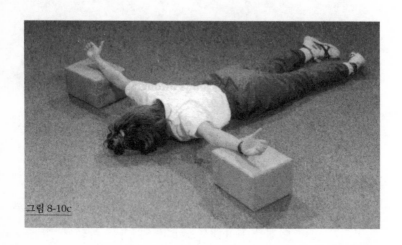

그림 8-10c

자세 3 그림 (8-10c)와 같이 엎드린다. 팔(상자와 같이)을 90°정도 내린다. 목과 어깨, 엉덩이, 배는 힘을 빼고 그대로 유지해라. 이것을 잊지 말라. 어깨를 사용해서 팔을 돌린다. 이 자세를 1분간 유지해라.

◆ **늘이고 고정하기**

4장에 나와 있는 '늘이고 고정하기' 동작설명을 따른다(86쪽). 이 운동은 머리에서 엉덩이까지의 연결을 다시 단단히 해준다.

◆ 쪼그려 앉기

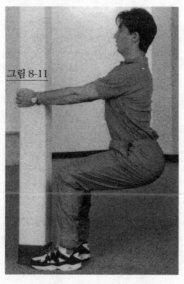

그림 8-11

기둥이나 문고리를 잡고 몸을 지탱한다. 무릎은 구부리고 허리를 아치로 만든다. 몸통은 반듯이 펴야 한다. 무릎과 엉덩이가 평행을 이룰 때까지 몸을 내린다. 팔은 곧게 펴고, 무릎은 엉덩이, 발과 정렬을 이루게 한다. 이 자세를 1분에서 2분간 유지해라. 이 운동은 상체가 적절한 수직 하중을 받고 있는 동안 적절한 하체 근육과 구조를 사용해서 움직이도록 해준다.

목 곡선은 어떤가? 이미 설명했듯이 뒷목 기능장애의 증상은 목에서 나타난다. 사실 목 곡선은 그냥 목이다. 곡선을 이루고 있는 7개의 척추뼈는 두개골이 시작되는 지점부터 어깨까지 뻗어 있다. 여기에 대해서는 11장에서 자세히 설명하겠다.

통증이
구조 문제는 아니다

앞에서 나는 다음과 같이 단호하게 결론을 내렸다. '통증이 구조
문제는 아니다.' 이에 혹자는 이렇게 물을 것이다. "척추관협착증
(spinal stenosis)이나 척추분리증(spondylolysis), 척추전반전위증
(spondylolisthesis), 척주측만증(scoliosis)은 어떤가요?" 대답은 그런
상태 역시 근육과 관련되었다는 것이다.

위의 네 가지 단어(척추관협착증, 척추분리증, 척추전반전위증, 척주
측만증)는 쓸데없이 우리를 위압한다. 척추관협착증은 주로 몸에 칼
슘이 쌓여서 생기는 것인데, 근골격계 정렬이 제대로 되지 않아서 생
긴 마찰이 원인이다. 몸은 항상 마찰에 반응한다. 그렇지 않으면 중
요한 구성요소는 닳아 없어질 것이다. 뼈가 마찰에 대항하는 방법은
여분의 칼슘 층이나 덩어리를 형성하는 것이다. 하지만 이런 방법은
이상적이지 않다. 칼슘이 척추뼈의 움직임을 방해하기 때문이다. 마
찰이나 칼슘이 몸에 너무 많이 생기고, 그 과정은 신경충돌을 만든
다. 외과에서 행하는 일반적인 수술 치료는 관(管) 안으로 들어가서
척추뼈의 판(lamina, 기본적으로, 척추 뒤쪽을 따라 아치나 능선을 이루는
경사면)을 제거하고 칼슘을 긁어내는 것이다.

하지만 이런 수술이 필요한 척추관협착증의 경우를 본 적이 거
의 없다. 물론 척주관(spinal canal)에 칼슘이 있고 신경충돌이 있다.
하지만 허리와 가슴, 목 부위에 있는 척추 곡선이 제대로 기능한다면
척수(spinal cord)와 가지 내는 신경뿌리(nerve root)는 방해받지 않으
면서 기능할 수 있는 충분한 공간을 가질 것이다.

척추분리증, 척추전반전위증, 척주측만증 역시 마찬가지다. 척추분리증은 척추뼈가 나누어지는 부분이 퇴화하거나 융합하는데, 이것은 척추의 기능장애를 다룬다. 척추전반전위증의 경우, 척추뼈의 변화가 척주관을 좁게 만들었다. 이런 모든 상태는 근육의 기능장애 때문에 생긴다. 보상근이 척추 구조를 대체하고 손상을 입힌 것이다.

척주측만증은 약간 다르게 나타난다. 하지만 이것 역시 구조가 아니라 근육 때문에 일어난다는 점에선 똑같다. 이 증상은 주로 갑자기 크는 청소년이 겪는다. 사춘기에 근육과 근육의 기능은 골격 구조가 자라나는 속도를 따라잡기 힘들 수도 있다. 특히 아이들이 기존의 행동 양식을 바꾸는 경우엔 더욱 그렇다. 척주측만증은 남자아이보다 여자아이에게 더 큰 영향을 끼친다. 여자아이의 신체적 특징이 남자보다 더 갑작스럽게 변하기 때문이다. 다음 두 가지 경우가 극단적으로 나타날 수 있는 예다. '말괄량이'였던 소녀가 훌륭한 '어린 숙녀'로 변한다거나, 스포츠에 전혀 관심이 없었던 우악스런 여자아이가 갑자기 체육에 소질이 있다는 것을 발견하는 것이다. 이 예에서 갑작스런 성장이 가진 공통점은 바로 근골격계에 대해 몸이 요구하는 게 극적으로 변한다는 것이다.

10대 청소년은 책을 읽다가 갑자기 농구를 하고, 정글짐에서 놀다가 마스카라를 칠하기도 한다. 이런 변화는 갑자기 찾아온다. 그 결과 몸이 양측성을 띤다는 사실을 잊어버린다. 청소년기의 남자아이에 대해 덧붙여 말하면, 물론 모두 그렇진 않지만, 일반적으로 사춘기 전부터 단계적인 변화를 겪는다. 따라서 그 아이들의 몸은 양측성을 이루는 기능을 다소 그대로 유지한다. 여자아이(남자아이일 수도 있다)가 척주측만증이라고 진단을 받았다면, 그 아이의 척추는 극심한 압박을 받고 있을 것이다. 다양한 기능(어떤 기능은 새롭게 강해지고, 다른 기능은 사용하지 않아서 약해짐)을 수행하기 위해 척추를 얼마만큼 잡아당긴다(혹은 부적절한 반대 저항력을 제공). 그러면 척추는 옆으로 굽어지기 시작한다.

오른손잡이와 왼손잡이

오른손잡이든 왼손잡이든, 그 효과는 주로 사용하지 않는 부위의 기능이 덜 발달한다는 데 있다. 움직임이 많은 환경에 있다면, 문제될 것은 없다. 양쪽에 충분한 자극이 주어지기 때문이다. 오늘날 사람들은 움직임이 없는 환경에서 살고 있기 때문에 오른손이 제 기능을 하도록 운동할 때 반드시 왼손도 똑같이 해주어야 한다. 반대의 경우 역시 마찬가지다.

척주측만증은 균형을 맞춰 자극하는 프로그램으로 치료할 수 있다. 우리 클리닉에선 몸이 양측성을 유지해야 한다고 다시 일러준다. 오른편에서 일어난 일은 왼편에서도 일어나야 한다는 것이다. 몸이 처한 모든 환경을 고려해보면, 건축에서 사용하는 예전 표어가 정확하게 맞아 떨어진다. '모양은 기능을 따라간다.' 몸 구조에 맞는 적절한 기능을 다시 일깨워보자. 그러면 모양(몸의 구조)은 문제가 아니다. 등 통증이나 다른 여러 이름을 가진 만성통증은 몸이 제 기능을 상실했고, 이 때문에 구조가 고장 났다는 것을 알려주는 증상인 것이다. 이런 상황은 호르몬이나 우연히 발생한 일(이직이나 일상생활에서의 움직임 변화, 질병 등) 때문에 나타날 수도 있다. 그러나 원인이 무

엇이든 몸의 기능과 관련해서 통증을 치료하면 외형은 신경 쓸 필요
가 없을 것이다.

9.

어깨:

보이지 않는 상자 안에서

벗어나라

지갑의 무게가 1t 트럭처럼 무겁게 느껴지거나 농구할 때 슛 거리가 예전 같지 않다면, 그것은 어깨가 예전과 다르기 때문이다. 이 장에서는 인간의 정의를 바꿀 정도로 심각한, 해부학적으로 소멸되어가는 활동에 대해 다루고자 한다.

다윈의 법칙을
거꾸로 보자

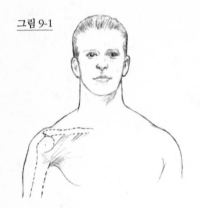

그림 9-1

가장 심각하게 퇴화하고 있는 근골격계 구성요소를 말하라면, 나는 어깨라고 할 것이다. 오늘날 사람들은 어깨를 거의 사용하지 않는다. 우리 어깨는 마치 보이지 않는 가로 90cm, 세로 120cm짜리 상자 안에 들어가 있는 것과 같다. 그것은 우리 위에 매달려 있고, 그 크기는 허벅지 중간부터 겨드랑이 정도까지를 덮을 수 있을 만하다. 우리는 그 안에서 움직이면서 전화를 받고, 텔레비전 채널을 돌리고, 차 문을 닫는다. 상자 밖으로 나가 움직이는 경우는 거의 없다. 우리는 어딜 가든지 이 상자를 가지고 다닌다.

이 보이지 않는 상자에 맞춰 움직이면서 우리는 어깨의 기능 중 50% 이상을 잊은 채 살아간다. 결과적으로 원래 어깨가 해야 하는 일이 상자 밖에서 일어나고, 통증을 느끼기 시작한다. 집에 페인트를 칠하고, 비행기에서 선반 안에 가방을 올려놓고, 사과나무 가지를 다듬고, 낙엽을 쓸고, 테니스를 치고. 이런 일은 결코 큰 일이 아니다. 우리는 근육과 관절, 뼈를 가지고 있기 때문에 이런 일을 쉽고 안전하게 할 수 있다. 부족한 것은 몸을 움직일 수 있는 범위다. 원래 어깨는 충분히 크게 움직일 수 있다. 우리는 태어날 때 이미 그런 기능을 가졌고, 어려서 발달시켰으면서도 점차 잃어버린다. 나이를 먹어서 그런 게 아니다. 우리가 움직임의 범위를 보이지 않는 상자 안으로 제한하고, 그렇게 몇 년 동안 지내왔기 때문이다. 우리는 어깨 기능을 밖에 내버렸다. 앞뜰에 자전거나 롤러스케이트, 스카이콩콩을 내놓아 녹슬게 만드는 것과 같다. 어깨 통증은 우리가 어깨 기능을 무시한 대가인 셈이다.

시간의 흐름을 따라 사진을 찍어보면, 머리가 앞으로 나오고 어깨가 앞으로 구부러지며 척추가 C자 모양을 하면서 보이지 않는 상자의 크기가 점점 작아진다는 것을 알 수 있다. 결국 어떤 근육은 아무 기능도 하지 못하는가 하면, 어떤 근육은 마찰과 생체역학적 제약 때문에 관절을 움직이지 못하기도 한다. 이런 상태에서 일시적인 어깨 통증이 생겼다면, 그것은 경고다. '상자를 넘어서지 마, 상자 안에서만 움직여!' 그리고 만성적인 어깨 통증은 꾸준히 줄어든 상자가 너무 작아서 일상적인 움직임조차 수용하지 못한다는 것을 말해주는 것이다. "조심했어야 했는데…"는 의사나 물리치료사가 매일 듣는 말이다. 이 말 앞에는 다음과 같은 말이 채워진다. "여행가면서 배낭과 노트북을 전부 가져가지 말고" 혹은 "지난 토요일에 골프 칠 때 36홀을 전부 돌지 말고" 등이다. 그 다음에 오는 말은 항상 똑같다. "어깨가 아파서 죽겠어요." 근골격계 기능장애 탓에 나타나는 다양한 통증 중에 특히 어깨 통증이 있으면 사람들은 가장 놀라는 것 같다. 그들은 마치 등이나 엉덩이, 무릎에 가끔 통증이 있을 것을 예상하는 것 같다. 그런데 어깨는 아니다. 그들이 놀라는 이유는 두 가지다. 첫째, 움직임이 급격히 줄어들어도 현대의 정교한 기술을 이용해서 어깨를 통증 없이 효과적으로 움직일 수 있기 때문이다. 둘째, 어깨 통증이 생존을 직접적으로 위협한다고 생각하기 때문이다. 이런

태도는 대부분의 사람들이 현재 처해 있는 위치와 현재까지 어떻게
살아왔는지에 기인한다.

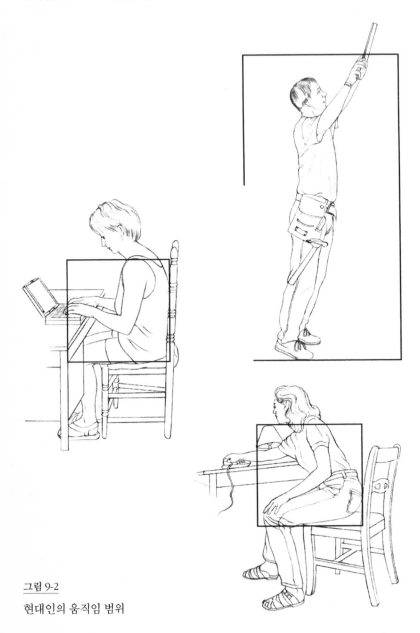

그림 9-2

현대인의 움직임 범위

원시인은 사냥을 하거나 먹을 것을 구하면서 발과 다리에 의존했다. 그들에게 발과 다리는 튼튼한 턱과 날카로운 이로 먹을 것을 가져다 줄 수 있는 운송수단이었다. 점심식사는 오로지 음식을 구할 수 있는 사람만의 몫이었다. 그러나 농부나 군인, 장인이라는 직업이 등장하기 시작하면서부터 그들은 복잡한 일을 수행하기 위해 손을 사용했다. 발로 먹을 것을 구하다가 손을 이용해 먹게 되면서 어깨의 기능이 중요해졌다. 팔과 어깨는 발과 다리와 동등한 비중을 가진 파트너가 된 것이다.

그 후 어깨 기능은 계속 정밀해졌고, 들고 가기(아이와 물건), 던지기(무기), 조작하기(도구) 등 다양해졌다. 어깨가 제 기능을 못하면 이런 일들을 도저히 할 수 없다.

어깨가 뻣뻣하고 아픈 것이 페인트 붓이나 골프채, 배낭을 다룰 일이 있기 전에 몇 달 혹은 몇 년 동안 보이지 않는 상자 안에서만 어깨를 움직였다는 사실과 관련이 있을 거라고는 아무도 생각하지 못한다. 그래서 머리 위로 팔을 올리지 않았고, 잡아당기거나 밀지 않았고, 흔들거나 구부리거나 완전히 뻗지 않았다.

하지만 사람들은 일단 병원에 가면 이렇게 묻는다. "제 어깨가 어떻게 잘못된 거죠?" 환자들이 흔히 듣는 대답은 힘줄염(tendinitis)이다. 요즘 단어 끝에 'itis'를 붙일 수 있는 병이 흔하다. 원칙적으로 'itis'는 유사성을 의미하고, 어느 명사에나 다 붙일 수 있는 접미사다. 'catitis'를 예로 들어보자. '고양이 같은'이란 뜻이다. 그런데 언젠가부터 'itis'가 염증을 나타내는 접미사로 사용되기 시작했고, 이것이 현재 사람들이 접하는 의미다. 원래 뜻하고자 하는 의미보다 완곡하게 표현하는 보기 좋은 접미사다. 힘줄염이 있다고 말했다면, 의사는 진단을 내린 게 아니라 단순히 막연하게 관찰을 했을 뿐이다.
즉 어깨 힘줄이 부어서 통증이 있다는 것이다.

입에서 손으로

인간의 사회적 특징이 발달하기 시작한 때는 음식을 입으로 가져가
서 먹었을 때라고 인류학자들은 말한다. 입을 음식으로 가져가지 않
고 말이다.

　　힘줄염이라고 부르는 것을 아무렇지 않게 생각하는 사람들도 있
을 것이다. 하지만 나는 어깨나 관절에 생긴 통증을 질병처럼 말하는
것에 반대한다. 그런 통증은 독감이나 결핵과 같은 병이라고 말할 수
없고, 유전적으로나 우연히 생겼다고 볼 수도 없다. 어깨 통증이나 염
증은 근골격계의 정렬이 불량해서 생긴 증상이고, 상자에 갇혀 살기
때문에 나타나는 증상일 뿐이다. 얼마나 상자 안에 갇혀 지내는지 한
번 스스로 살펴봐라. 일상적인 활동을 열거해보자. 운전, 독서, 타이
핑 등. 상자 안에서 하는 일과 상자 밖에서 하는 일을 적어봐라. 상자
안에서 하는 일이 절대적으로 많을 것이다. 일부러 상자 밖으로 나와
행동해보자. 그리고 얼마나 견딜 수 있는지 봐라. 시간을 재봐라. 가
장 '생산적인' 활동은 상자 안에서 이루어진다. 상자를 벗어나서 하는
행동은 춤추고 그림자놀이를 하고 실없이 움직이는 일 등이다. 일반
적으로 '어린 아이 같다'고 말하는 것들이다.

다음 행동을 마지막으로 한 게 언제입니까?

방바닥에 앉기

손으로 매달리기

손과 무릎으로 기기

어깨 위로 공 던지기

어깨 아래로 공 던지기

나무 오르기

머리 위로 무게 견디기

뒤쪽으로 손 뻗기

어깨를 사용해서 팔 돌리기

담벼락 올라타기

담벼락 내려가기

발끝 펴기

낙엽 쓸기나 풀 베기

무거운 물체 누르기

무거운 물체 잡아당기기

양손으로 방망이 휘두르기

한 손으로 막대기나 라켓 휘두르기

양손에 5kg이상 들고 운반하기

10kg이상 나가는 물체 양손으로 들어올리기

팔과 손으로 강하게 치기

양팔을 들어 양쪽으로 뻗기

양손을 머리 위로 올리기

한 발로 균형 잡기

그루터기나 의자 혹은 벤치 위에서 한발로 균형 잡기

계단 오르기

한번에 계단 하나 이상 올라가거나 내려가기

춤추기

앞에서 열거한 것과 각 질문에 대한 답변('많이 지났다'가 아니라 정확한 시간)을 훑어보면 아마 적잖은 충격을 받을 것이다. 그중에는 몇 년간 하지 않은 일도 있을 것이다. 일 년에 두 번 이상 머리 위로 팔을 뻗지 않은 사람이 대부분이다. 그렇게 무게를 견디는 것은 말할 것도 없다. 그러나 우리는 그런 일을 하는 메커니즘을 가지고 있다. 우리가 그것을 사용하지 않을 때 메커니즘에게 어떤 일이 일어날까? 기능이 사라지고 만다. 별거 아닌 것처럼 보일지 모른다. 머리 위로 팔을 뻗을 일이 없다면 그런 기능을 가질 필요도 없을 테니 말이다. 그렇지 않은가?

 잊혀진 관절

일상적인 활동에선 어깨의 역할이 크게 줄었다. 오늘날 몸의 움직임 은 상당히 제한되고 반복적인 패턴에 지나치게 의존하기 때문이다. 사람들은 어깨가 괜찮다고 생각한다. 어깨가 거의 일을 하지 않기 때 문이다. 하지만 우리가 단순한 일이라도 시키면 어깨는 제대로 해내 지 못하고, 대신 통증이 생긴다.

일하고 노는 것, 상자 안에서만 움직이는 것, 어깨를 으쓱대는 것, 골프를 치는 것은 우리가 하늘로 팔을 뻗을 때 사용하는 근육을 유지하기에 충분치 않다. 근육에 기능장애가 생기면 어깨를 뒤로 당기고, 머리를 들어주고, 척추를 S자로 유지시키는 기능을 하는 자세근이 제 기능을 못하게 된다. 움직이지 않는 것은 어깨 근육과 자세근을 모두 무능하게 만든다. 전체가 고장 나버리는 것이다. 공을 적절히 던지고, 팔을 양쪽으로 뻗고, 무거운 물체를 누르는 일을 하는 데 필요한 근육들은 한 팀의 구성원이다. 만일 구성원 중 하나의 근육이라도 나타나지 않으면, 나머지는 결국 지는 경기를 하는 것이다.

이 목록은 훌륭한 진단 도구다. 어떤 사람은 할 수 있고, 어떤 사람은 할 수 없는 일이 아니기 때문이다. 누구나 여기서 제시한 일을 할 수 있다. 우리 몸은 이런 일을 할 수 있게 해주는 장비를 가지고 있다. 하지만 우리는 이런 일을 거의 하지 않는다. 그러면서 품위가 없다거나 그럴 기분이 아니라는 핑계를 댄다. 만일 바닥에 앉지 못하거나 한쪽 다리로 서서 균형을 잡지 못하거나 담벼락을 올라가지 못한다면, 그것은 건강이 나빠진 게 아닌지 검사할 필요가 있다는 뜻이다. 근골격계를 규칙적으로 사용하지 않으면 끝내 사용할 수 없게 된다. 결과는 참혹할 만큼 분명하다. 할 수 있는 사람은 하고, 할 수 없는 사람은 하지 않는다. 이 일을 할 수 있느냐 하는 것은 근육의 조화로운 응용이나 운동기술, 체력 같은 걸 요구하는 게 아니다. 근육이 제 기능을 할 수 있기만 하면 된다. 우리는 결국 상자를 벗어나면 아프기 때문에 상자 안에 갇혀 사는 것이다.

근육 이상의 것

운동감각은 근육에만 한정되지 않고, 몸의 다른 조직과 하위 조직을 연관시킨다. 예를 들어 림프계는 제 기능을 하는 경우와 기능장애를 보이는 경우에 즉각적으로 반응한다. 임파선(lymph gland)은 근육 섬유(muscle fiber) 사이를 포함, 몸에 고루 흩어져 있다. 근육은 임파선을 펌프질해서 임파 흐름이 일어나는 것을 돕고 있다. 따라서 활동하지 않는 근육의 림프계 기능에 영향을 끼친다.

어깨 기능을 재발견해서
통증을 이겨라

어깨 통증을 이기거나 피하는 방법은 어깨 기능을 재발견하는 것이다. 내가 '재발견'이라고 말한 이유는, 몸의 기능이 결코 사라지지 않기 때문이다. 그것이 반평생 혹은 그 이상 동안 잘못 놓여져 있었을 뿐이다. 비록 제 자리를 찾는 과정이 힘들긴 하지만, 분명히 기능을 다시 찾을 수 있다. 케이시는 계단을 내려가지 않은 게 족히 30년은 됐다고 했다. 그는 어깨 통증과 다른 몸 상태가 좋지 않아 몸을 똑바로 세울 수 없었고 간신히 걸을 수 있었다. 쉽진 않았지만, 그는 처음 와서 치료를 받고 강해졌다. 그리고 기분이 매우 좋다고 했다. 이런 기본적인(잃어버린) 기능에 대해 놀라운 점은 이것들이 없으면 우리가 아이였을 때 겪었던 기쁨을 빼앗긴다는 것이다. 아이들은 손과 무릎으로 기어 다니고, 나무에 오르면서 순수한 즐거움을 느낀다.

케이시가 즐겁다고 느낀 것은 어린 시절로 돌아갔기 때문이다. 시간을 돌려 예전으로 돌아간 것이다. 그는 운동감각이 움직이기 시작하는 것을 느꼈고, 그것은 몇 년 만에 처음 있는 일이었다. 그 동안 그는 마라톤은커녕 1m 안에서만 왔다 갔다 했다.

통증이 생길 때마다 몇몇 근육과 관절은 '특정한' 신호를 보낸다. 그러나 어깨는 그런 신호가 없다. 지속적이거나 간헐적이고, 날카롭거나 무디고, 간지럽거나 타는 듯한 것처럼 그 특징이 다양하다. 통증 대신 뻣뻣하게 느끼는 경우도 빈번하다. 사고 난 경우를 제외하면, 어깨 문제는 대부분 적절한 위치에서 벗어났기 때문에 생긴다. 왜 벗어나는가? 너무 뻔하다. 근육이 어깨를 움직인 것이다.

어깨 통증을 치료하기 전에 어깨 관절과 다른 하중 축받이 관절 간의 관계에 대해 생각해볼 필요가 있다. 대부분 깨닫지 못하지만, 어깨 관절 역시 하중 축받이 관절이다. 어깨 관절은 엉덩이, 무릎, 발목 관절과 함께 몸무게를 지탱한다. 예를 들어 뒤로 미끄러져 나간 불안정한 엉덩이에 맞춰 어깨는 앞으로 움직여서 균형을 잡는다. 어깨와 짝을 이루는 것들은 어깨를 따라 앞으로 움직이거나 반대 방향으로 움직인다. 아니면 그 자리에 머문다. 만일 이런 상황을 무시하고 어깨만을 치료한다면 문제는 계속 나타날 것이다.

맨 먼저 해야 할 일은 '등 고정하기' 자세를 몇 분간 유지하는 것이다(그렇다고 중력이 등을 평평하게 만들 정도로 오래 동안 같은 자세를 유지하진 말라). 이렇게 하면 어떤 근육이 뼈와 함께 움직이는지 볼 수 있다. 허리에 아치가 있는지 본다. 손을 허리 아치 안으로 집어넣을 수 있는가? 그 다음엔 어깨를 본다. 머리 뒷부분과 어깨 죽지에 몸무게를 실으면 어깨가 위로 움츠러들면서 바닥에서 떨어지는가? 만일 그렇다면 다음 운동을 하도록 해라.

- 총 시간 : 이 운동은 어느 정도 시간이 걸린다. 반듯이 누워 천천히 사타구니를 스트레칭 하기 때문이다. 통증이 심한 경우에는 45분에서 1시간 정도 실시한다. 통증이 약한 경우에는 15분에서 20분 정도면 충분할 것이다.
- 하루에 1번, 아침에 실시
- 기간 : 24시간 동안 통증이 완화될 때까지 매일 이 운동을 한다. 통증이 완전히 사라지고 나서도 일주일간 같은 운동을 반복하다가 13장의 종합 컨디션 조절 운동으로 넘어간다. 단순히 자세가 나쁜 것처럼 통증이 없는 증상의 경우, 이 운동을 3주간 한 다음에 종합 컨디션 조절 운동으로 바꾼다.

◆ 등 고정하기

5장에 나와 있는 '등 고정하기' 동작설명을 따른다(105쪽). 최소한 이 자세를 20분간 유지하면 중력이 등과 엉덩이를 평평하게 만들어줄 것이다.

◆ 천천히 사타구니 스트레칭 하기

6장에 나와 있는 '천천히 사타구니 스트레칭 하기' 동작설명을 따른다(134쪽). 스스로 속이지 말라. 반드시 양쪽을 다 해야 한다! 이 운동은 사타구니 근육을 강하게 만들어서 엉덩이 통증이 없어지게 한다. 운동을 하면서 양쪽 어깨가 얼마나 다르게 반응하는지 주의해서 살펴봐라.

◆ 공중에 앉기

4장에 나와 있는 '공중에 앉기' 동작설명을 따른다(87쪽). 양쪽 어깨를 모두 벽에 붙이고, 양쪽 엉덩이를 모두 벽을 향해 민다. 이 자세를 2분간 유지하고, 3번 반복한다. 이 운동은 자세를 유지하는 주

요 관절들을 정렬시키면서 수직 하중이 일
어나게 한다.

어깨 관절의 두 가지 기능 테스트

스스로 해보자. 앉아서 어깨를 앞뒤로 움직여보고, 어깨 근육에 힘을
주면서 팔을 머리 위로 들어보자. 팔을 많이 올리지 못하는가? 팔을
옆으로 뻗어보자. 여전히 힘이 드는가? 팔꿈치는 아무 영향도 받지
않는 것처럼 보일 수 있지만, 실제로는 영향을 받는다. 하지만 이것
은 지금 분명히 나타나지 않는다. 사람들은 팔을 움직이기 위해 어깨
에서 팔꿈치로 기능을 전환한다. 이 단계에서 어깨의 회전근개가 너
무 오랫동안 일을 해서 기능장애를 일으키고 통증을 느끼는 것이다!
회전근개는 위팔뼈와 어깨뼈를 동시에 회전하려고 하기 때문이다. ✒

　　회전근개가 찢어지지 않았다면, 이런 운동을 시행하자마자 금세
통증이 없어질 것이다. 회전근개는 볼－소켓 관절을 통해 어깨를 회
전시키는 역할을 한다. 볼－소켓 관절은 위팔뼈의 중심을 유지한다.
앞서 말한 보이지 않는 상자에서 팔을 꺼내 억지로 움직이려고 할

때, 만일 어깨가 너무 앞으로 굽어서 회전하는 기능을 제한한다면 근육은 손상을 입는다. 도끼로 장작을 패거나 테니스에서 서브를 넣거나 낚싯바늘을 던지는 일은 이런 회전을 필요로 한다. 어깨는 이런 움직임을 수월하게 할 수 있도록 만들어졌다. 하지만 앞으로 굽어 있기 때문에 그렇게 하지 못하는 것이다. 어깨는 경첩이나 바퀴처럼 움직이지만, 보이지 않는 상자 안으로 움직임을 제한하면서 경첩처럼 움직이는 게 지배적인 기능이 되었다. 팔을 회전해야 할 경우가 생기면, 우리는 결국 아래팔을 굽혔다 펴는 것으로 팔꿈치를 사용하기 때문이다.

이 앞에서 소개한 세 가지 운동은 장애물을 제거하기 때문에 회전근개의 통증을 없애줄 것이다. 하지만 회전근개가 찢어졌다면 조직이 손상됐을 것이고, 치료 시간이 더 걸릴 것이다. 조직이 나을 때까지는 어깨 죽지의 한쪽 또는 양쪽이 불편할 것이다. 그럼에도 불구하고 장애물을 제거하기 전까지는 회전근개를 적절히 치료할 다른 방법이 없다. 이런 원칙을 무시하고 수술로만 치료하려는 것은 결국 실패할 것이다. 에고스큐 운동법은 어깨 구조를 재정렬하고 근육 기능을 다시 활성화시킨다. 이 운동을 통증이 완전히 사라질 때까지 계속해라. 그리고 나서 13장의 종합 컨디션 조절 운동으로 바꿔라. 이 운동은 나아진 몸 상태를 유지시켜준다.

에고스큐 운동법의 다음 단계는 '등 고정하기' 동작을 할 때 등이 바닥에 평평하게 붙어서 아치를 만들지 못하고, 어깨가 위로 굽어서 바닥에서 떨어져 있는 사람들을 위한 것이다. 이런 사람들은 어깨가 해야 하는 일(몸을 굽히는 기능)을 등과 엉덩이가 대신 한다.

- 총 시간 : 이 운동은 수건을 깔고 반듯이 누워 사타구니를 스트레칭 하기 때문에 시간이 꽤 걸린다. 통증이 심각한 경우에는 45분에서 1시간 정도 해준다. 통증이 약한 경우라면 15분에서 20분이면 충분할 것이다.
- 하루에 1번, 아침에 실시
- 기간 : 24시간 동안 통증이 없을 때까지 운동을 계속한다. 통증이 완전히 사라지고 나서도 일주일간 같은 운동을 반복하다가 13장의 종합 컨디션 조절 운동으로 넘어간다. 단순히 자세가 나쁜 것처럼 통증이 없는 증상의 경우, 이 운동을 3주간 한 다음에 13장의 종합 컨디션 조절 운동으로 바꾼다.

◆ 무릎 사이에 베개 끼고 앉기

6장에 나와 있는 '무릎 사이에 베개 끼고 앉기' 동작설명을 따른다(133쪽). 두 발을 곧게 유지하고, 머리와 어깨가 앞으로 나가지 않도록 주의한다. 20번씩 세 차례 한다. 이 운동은 모음근과 벌림근이 엉덩이를 회전시키는 것 외에 다른 일을 할 수 있도록

◆앉아서 어깨뼈 조이기

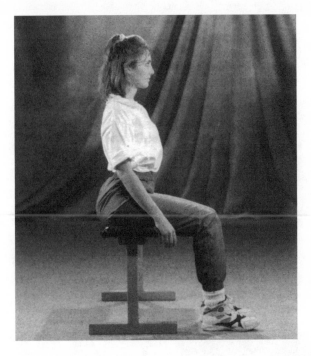

그림 9-3

엉덩이를 넓게 펴고 벤치나 의자 끝에 앉는다. 그러니까 등을 앞으로 당겨 아치를 만들고, 머리와 어깨는 뒤로 민다. 양어깨 죽지에 천천히, 고르게 힘을 주면서 함께 수축시켰다가 힘을 푼다. 20번씩 세 차례 한다. 어깨뼈가 굳어 있으면 엉덩이의 굽힘과 폄 작용을 방해한다. 이 운동을 통해 이런 문제를 해결할 수 있다.

◆ 바닥에 앉기

6장에 나와 있는 '바닥에 앉기' 동작설명을 따른다(134쪽). 우리 몸에 양측성이 있다는 것에 집중한다. 한쪽만 운동해선 안 된다. 이 자세를 5분간 유지한다. 이 운동은 무릎과 발목의 힘을 어느 정도 뺀 수직상태에서 간단한 기능을 할 수 있게 해준다.

◆ 수건 위에 반듯이 누워 사타구니 스트레칭 하기

6장에 나와 있는 '수건 위에 반듯이 누워 사타구니 스트레칭 하기' 동작설명을 따른다(131쪽). 양쪽 엉덩이가 수평을 이루도록 수건을 사용한다. 사타구니 근육을 관리하지 않으면 계속해서 엉덩이를 회전시키고, 더 나아가 몸 전체를 회전시킬 것이다. 이 자세를 한쪽 다리마다 10분에서 15분간 유지한다.

엉덩이 : 코끼리 귀와 기댈 수 있는 안락의자

골반에는 초승달 모양의 엉덩이뼈 2개가 있다. 그것은 엉치뼈(sacrum)에 붙어 있고, 오른쪽과 왼쪽에 각각 하나씩 있다. 엉치뼈는 삼각형 모양이고, 척추가 기대는 기반 부분이다. 이런 골반 구조 내 뼈는 살을 제외하고 앞에서 봤을 때, 마치 코끼리 머리처럼 보인다. 양쪽 엉덩이는 코끼리 귀에 해당하고, 엉치뼈는 코끼리 이마와 얼굴, 코의 윤곽과 비슷하다. 코끼리 귀를 닮은 양쪽 엉덩이들은 서로 독립적으로 움직일 수 있다. 오른쪽 엉덩이가 앞으로 나갈 때, 왼쪽 엉덩이는 제자리에 머물거나 뒤로 갈 수 있다. 그리고 엉덩이 윗부분도 독립적으로 위로 올리거나 아래로 내릴 수 있다. 이것은 엉치뼈에 있는 관절이 어느 정도의 움직임을 허용하기 때문에 가능하다. 엉치뼈 역시 스스로 앞과 뒤, 왼쪽과 오른쪽으로 움직이고, 이런 움직임은 엉덩이의 위치를 바꿀 수 있다(이것은 코끼리가 머리를 흔드는 것과 같은 이치다).

마지막으로 엉덩이는 등을 기댈 수 있는 한 쌍의 안락의자와 같은 기능을 한다. 엉덩이 아래 끝부분은 바깥쪽과 위쪽으로 회전한다. 이런 움직임은 안락의자의 발판과 같다. 안락의자의 머리받침에 해당하는 부분은 뒤로 움직인다. 양쪽 엉덩이는 각자 다른 방향으로 갈 수 있다. 그리고 상대가 어느 위치에 있는지에 상관없이 갈 수 있다. 한쪽 엉덩이는 앞으로 갈 수 있고, 다른 쪽 엉덩이는 뒤로 갈 수 있다. 아니면, 둘 모두 앞으로 가거나 뒤로 동시에 갈 수도 있다. 혼란스러워 보일지 모르지만, 몸의 구조를 떠올리면 완벽하게 이해할 수 있다. 엉덩이는 서로 다른 많은 요구대로 일하기 때문에 다양한 자세를 가정해야 한다. 엉덩이가 이리저리 자유롭게 움직이지 못하고 위나 아래, 앞이나 뒤에 고정되기 시작할 때가 바로 문제가 시작되는 순간이다.

　　이 운동의 마지막 세트는 엉덩이가 올라가서 만성적인 어깨 통증에 시달리는 사람들을 위한 것이다. 한쪽 엉덩이가 다른 쪽보다 올라간 경우는 이제 점점 일반적인 현상이 되고 있다.

　　한쪽 엉덩이가 올라갔는지 확인하려면, 최근에 기장을 바꾼 바지를 살펴봐라. 만일 한쪽 바짓단이 다른 쪽보다 길다면 엉덩이 위치가 다른 것을 조정한 것이다. 여자들의 경우, 전신 거울을 볼 때 치마 길이가 고르지 못한 경우가 있다. 만일 이런 일이 자주 일어난다면, 한쪽 엉덩이가 다른 쪽보다 더 높이 올라갔다는 것을 보여주는 또 다른 표시가 될 것이다. 만일 옷이 말해주지 않으면 있는 모습 그대로가 말해줄 것이다. 옷을 벗고 거울 앞에 서서 엄지손가락을 양쪽 엉덩이뼈에 대봐라. 그리고 오랫동안 거울을 봐라. 여전히 의심스러운가? 다른 사람에게 엉덩이뼈에서 바닥까지의 길이를 각각 재달라고 부탁할 수도 있다.

　　한쪽이 올라간 엉덩이와 만성적인 어깨 통증은 인과관계에 놓여 있다. 일단 엉덩이가 위나 아래 위치로 쑤셔 넣어지면, 어깨는 이에 반응해서 위나 아래(혹은 앞이나 뒤)로 움직인다. 무게를 견디는 엉덩이 관절의 안정성이 사라지면 어깨 역시 불안정하게 된다.

　　엉덩이가 어느 쪽으로 올라갔든 이 운동으로 해결할 수 있다.

> • 총 시간 : 이 운동은 반듯이 누워 사타구니를 스트레칭 하기 때문에 시간이 꽤 걸린다. 통증이 심한 경우에는 45분에서 1시간 정도 해준다. 통증이 약하다면 15분에서 20분만 해도 충분할 것이다.

- 하루에 1번, 아침에 실시
- 기간 : 24시간 동안 통증이 완화될 때까지 매일 이 운동을 한다. 통증이 완전히 사라지고 나서도 일주일간 같은 운동을 반복하다가 13장의 종합 컨디션 조절 운동으로 넘어간다. 단순히 자세가 나쁜 것처럼 통증이 없는 중상의 경우, 이 운동을 3주간 한 다음에 종합 컨디션 조절 운동으로 바꾼다.

◆ 서서 엉덩이 근육 조이기

6장에 나와 있는 '서서 엉덩이 근육 조이기' 동작설명을 따른다 (129쪽). 이 운동을 할 때, 넓적다리나 배 근육이 아니라 엉덩이 근육을 사용하도록 주의를 기울인다. 두 발을 평행하게 놓은 상태로 15번씩 세 차례 반복한다. 마찬가지로 발을 바깥쪽으로 뒤집은 상태로 15번씩 세 차례 반복한다. 이 운동은 엉덩이 근육을 움직임에 다시 참여하게 만들어준다.

◆ 엎드려서 발목 사이에 베개 끼고 누르기

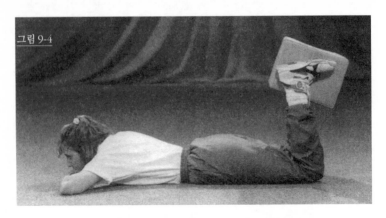

그림 9-4

엎드려서 턱을 손에 갖다 대고 무릎을 90°로 구부린다. 양무릎은 엉덩이보다 약간 더 넓게 벌린다. 발목 사이에 베개를 끼고 누른다. 이때 엉덩이 근육에 고른 힘을 주고 잡아당긴다. 이 자세를 15분씩 세 차례 반복한다. 이 운동은 몸의 앞뒤 근육을 일렬로 만들어준다.

그림 9-5

◆ 중력 이용하기

미끄러지는 것을 막기 위해 바닥이 고무로 된 신발을 신고, 계단이나 발판 위로 올라가는 것처럼 선다. 두 발은 평행을 이룬 채로 어깨 너비로 벌린다. 한손으로 난간이나 버틸 수 있는 물체를 잡고, 뒤꿈치가 발판에서 벗어나 공중에 뜰 때까지 뒤로 물러난다. 등을 편하게 유지하면서 발이 반절 이상 발판에서 벗어나게 한다. 두 발은 평행 상태로 유지하면서 앞으로 곧게 뻗어 있어야 하고, 어깨 너비로 벌어져 있어야 할 것을 잊지 말라. 뒤꿈치에 몸무게를 실어 다리 뒤쪽 근육이 땅기게 한다. 무릎을 구부리면 안 된다. 이 자세를 3분간 유지한다. 이 운동은 뒤꿈치와 어깨까지 곧바로 이르는 관절 사이의 관계를 재설정해준다.

◆ 수건 위에 반듯이 누워 사타구니 스트레칭 하기

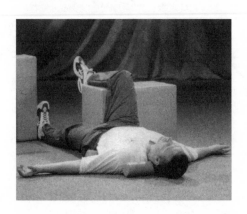

6장에 나와 있는 '수건 위에 반듯이 누워 사타구니 스트레칭 하기' 동작설명을 따른다(131쪽). 한쪽 다리마다 10분에서 15분 정도 실시한다. 처음엔 사타구니 근육을 느끼고, 시간이 지날수록 넓적다리 안쪽 근육도 느낄 수 있을 것이다.

일반적으로 올라간 엉덩이 쪽 어깨에 통증이 있지만, 항상 그런 것은 아니다. 몸은 다양한 방식을 이용해 엉덩이와 어깨의 불안정을 보완하고자 한다. 예를 들어 왼쪽 어깨와 엉덩이가 올라간 경우, 이것을 보완하기 위해 오른쪽 어깨를 앞으로 회전시키면서 회전근개를 조인다. 이때 통증이 생긴다. 이럴 때, 오른쪽 엉덩이는 올라가기 위해 부적절한 장소에 있을 것이다. 하지만 어느 쪽이 올라갔든 이 운동 치료 방법은 항상 같다.

평범한 기하학
또는 고통의 기하학

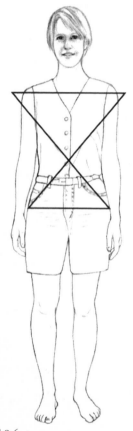

그림 9-6

삼각형은 근골격계의 기본 단위다.

우리 몸이 서로 꼭짓점을 맞대고 있는 2개의 입체 삼각형으로 구성되어 있다고 상상해봐라. 첫 번째 삼각형의 기준선은 엉덩이를, 다른 삼각형의 기준선은 어깨를 형성한다(그림 9-6). 이런 모양을 살펴보면 왜 관절의 상호교류가 중요한지 알 수 있다. 두 삼각형을 잇고 서로 연결하는 강한 근육은 끊임없이 골격 구조에 영향을 끼치고, 반대로 영향을 받기도 한다. 따로 떨어져 있으면 아무 일도 일어나지 않는다. 앉아서 생활하는 시간이 많아지면서 엉덩이 위치는 결국 의자의 모양을 따를 수밖에 없다. 엉덩이를 의자 뒤쪽으로 움직이게 하면서 몸 아래에 있는 삼각형의 기준선 역시 뒤로 잡아당겨지기 때문이다. 어깨는 이런 엉덩이의 움직임에 반응하는 것 외에 다른 선택권이 없다. 그리고 그것이 통증이라는 결과를 가져온다.

어깨가 제약을 받는지 빠르게 확인하는 방법

어깨가 제대로 정렬되었는지, 양측성을 가지고 있는지 확인하고 싶으면 다음 운동을 시도해보자. 오리처럼 발이 바깥으로 향하게 서서 어깨를 앞으로 구부린다. 오른쪽 팔을 머리 위로 들고 10초간 유지한다. 팔을 바꾸어 같은 방식으로 올렸다 내린다. 서로 다르다면(한쪽 팔이 더 무겁거나 뻣뻣하다면) 한쪽 어깨만 제약을 받는 것이다. 하지만 양쪽 팔 모두 똑같이 느꼈다고 해도 기분이 좋지 않을 수 있다. 방금 전처럼 다시 팔을 올려보자. 단, 이번에는 안짱다리로 서서 어깨를 뒤로 젖혀보자. 이게 방금 것보다 더욱 편하게 느껴질 것이다. 두 번째 경우는 엉덩이가 원래 위치보다 확장된 상태다. 아래쪽에 위치한 삼각형의 기준선이 앞으로 나오게 하는 동작이다.

    이 운동을 하는 데 회의적인 사람은 이렇게 말할 수 있다. "아무리 어깨 통증이 심하다고 하지만, 계속 안짱다리를 하고 다닐 수는 없어요." 물론 그럴 필요는 없다. 서 있는 자세는 근육이 엉덩이에 자연적으로 했어야 하는 것들을 흉내 낸 것일 뿐이다. 이런 근육은 움직임에 참여하고 기능을 회복해야 한다. 그러면 통증이 없어지고 보이지 않는 상자에서 벗어날 수 있다.

10.

팔꿈치, 손목, 손 :

귀족처럼

다뤄라

우리 몸의 관절은 모두 평등하다. 그러나 몇 개 관절(팔꿈치, 손목, 손)은 정말 귀족적이다. 그것들은 시를 쓰고, 망막을 다시 붙이고, 우주선을 조종한다. 그럼에도 소중하거나 약하진 않다. 엄지손가락과 집게손가락은 이론과 경험이 모이는 곳이다. 팔꿈치, 손목, 손의 관절을 이용해서 가볍게 만지거나 세게 치거나 기도하거나 주먹으로 때리는 행동을 할 수 있다. 그것들은 우리의 향상된 능력을 요약해서 보여주고, 그것들에 통증이 생기면 우리는 집중한다.

통증의 원인과
통증이 일어난 자리는 다르다

사회사업가인 캐시는 오른쪽 손목을 주목하고 있었다. 몇 년 전에는 손목이 안 좋아서 병원에 가기까지 했다. 그는 손목 통증 때문에 회사에 병가를 내야 했다.

캐시는 진료를 시작하고 1시간이 지나서야 허리 통증도 있다는 걸 은근슬쩍 말했다. 그러나 그가 가장 염려하는 것은 손목 통증이었다. 그는 다음과 같이 말했다. "다른 통증은 손목 통증에 비하면 별로 중요하지 않아요." 어깨 통증처럼, 사람들은 팔꿈치나 손목이나 손에 통증이 생기면 특히 불안해한다. 불편하거니와 이 통증 때문에 직장을 잃거나 생활방식이 크게 바뀌고, 무엇보다 무기력해질 수 있기 때문이다. 그는 하루라도 빨리 직장에 나가고 싶어 했다. 그에게 허리 통증은 그리 중요하지 않았다. 그것은 충분히 참을 수 있거나 나중에 처리해야 할 문제였다.

캐시는 손목과 허리 통증의 원인이 같다는 것을 몰랐다. 그러니까 문제는 그가 수직 하중을 버티는 능력을 잃어버린 것이다. 다른 사람들처럼 그 역시 통증이 생긴 부위가 통증의 원인이라고 생각했다. 그가 생각을 바꿀 수 있도록 나는 설명하기 시작했다.

"발가락이 안으로 향하게 해서 여기 서 보세요." 그는 발을 조금 움직였다.

"조금 더, 무릎을 돌려서 안쪽을 향하게 해보세요."

그의 어깨는 구부정해졌고, 허리는 앞으로 숙여졌다.

"발 모양은 좋아요. 하지만 머리와 어깨는 뒤로 가야죠. 이렇게."

"오른쪽으로 넘어질 것 같아요." 그가 말했다.

"걱정 말아요. 넘어지지 않을 테니까. 그렇게 느낀 이유는 몸무게의 대부분을 몸의 왼쪽이 담당하고 있기 때문이에요. 지금 이 자세는 몸무게를 양쪽으로 골고루 다시 분배해주는 거죠. 오른쪽은 일을 이렇게 공평하게 나누어 하는 데, 그게 익숙지 않아 불편하게 느끼죠."

그는 주저하면서 고개를 끄덕였고, 이상하게 느꼈던 그 자세에 익숙해지기 시작했다.

"허리는 어때요?"

"좋은 것 같아요."

"통증이 있나요?"

"이제 괜찮은데요."

"평소에 서 있을 때 아팠죠?"

그는 잠시 머뭇거렸다. "네, 계속 아팠어요."

"그런데 지금은 안 아프다고요?"

"네."

그가 스스로 생각할 시간을 주었다. "손목은 어때요?"

그는 팔을 올려 쳐다보았다. 손은 평평했고, 손바닥은 아래를 향하고 있었고, 손가락은 곧게 뻗어 있었다.

"안 아파요." 그가 대답했다.

"주먹을 쥐어 보세요."

그는 손가락을 굽혀 주먹을 쥐었다 펴보았다. 그러고 나서 손을 편 상태로 허리 부분까지 아래로 내렸다. 그리고 천천히, 매우 천천히 팔을 위로 굽혀 보았다. 손바닥이 밖으로 향하게 해서 30초간 같은 자세를 유지했다. 그리고 아무 말도 하지 않은 채 팔을 빠르게 사

219

방으로 흔들었다.

마침내 내가 물었다.

"괜찮아요?"

"놀라운데요!"

캐시의 문제는 손목이나 팔꿈치, 어깨가 아니었다. 마우스 패드와 인체공학적 키보드는 아무 도움도 되지 못했을 것이다. 문제는 엉덩이였다. 내가 이상한 자세로 그를 세웠을 때, 그가 오른쪽으로 넘어질 것 같다고 말한 게 매우 중요한 단서가 되었다. 몸의 불균형은 항상 특정한 메시지를 준다. 그는 오른쪽 엉덩이가 불안정했다. 오른쪽 발이 밭장다리인 것은 오른쪽 엉덩이가 불안정하다는 것과 굽혀져서 뒤쪽으로 움직여갔다는 증거다. 중력의 중심에 맞추고 똑바로 걷기 위해, 그는 무의식적으로 오른쪽 어깨를 앞으로, 그리고 안쪽으로 회전시켰다. 하중 축받이 관절의 지지를 받지 못했기 때문에 결국 어깨가 구부러지고 볼ー소켓 기능이 손상됐던 것이다.

강조구조적 힘과 복원력

만성적인 손목 통증은 대부분 어깨를 엉덩이, 무릎, 발목과 정렬을 이루도록 하면 쉽게 치료할 수 있다. 뼈가 골절되었거나 외상성 관절 탈구(traumatic joint dislocation)가 아니라면 구조적인 손상은 거의 없다.

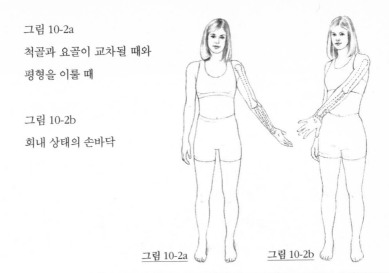

그림 10-2a
척골과 요골이 교차될 때와
평형을 이룰 때

그림 10-2b
회내 상태의 손바닥

그림 10-2a   그림 10-2b

생체역학은 솔직하다. 앞에서 지적했듯이, 어깨는 경첩처럼 움직이며 회전하도록 만들어졌다. 어깨의 회전 기능이 제한되면 팔꿈치가 그 기능을 대신한다. 무슨 일이 일어나는지는 다음을 통해 확인해보자. 오른손을 어깨 높이로 뻗어 손바닥이 아래를 향하게 돌려보자. 곧게 뻗은 상태를 유지하면서 손바닥이 위로 향하도록 손을 돌려보자. 만일 어깨 기능이 완전히 망가지지 않았으면 팔 전체가 움직일 것이다. 그리고 움직일 때 어깨가 주도적인 역할을 하기 때문에 어깨 근육 역시 움직이는 것을 확인할 수 있을 것이다. 오른팔을 돌리면서 왼손으로 오른팔의 손목에서 어깨까지 이르는 부위를 위아래로 부드럽게 눌러보자. 많은 근골격계 메커니즘이 일하는 것을 느낄 수 있을 것이다. 팔꿈치는 반원을 그리며 돌아간다는 점에 주목한다. 이제 팔꿈치를 90° 구부려서 옆구리에 놓아보자. 손바닥을 아래 방향으로 돌렸다가 같은 방법으로 되돌린다. 위팔의 다른 근육이 그러하듯이, 어깨 역시 움직임에 관여하지 않는다. 척골과 요골을 축으로 해서 크

221

랭크 모양으로 구부려지면 움직이지 않는 팔꿈치는 과도하게 일을 하게 된다. 아래팔에 있는 척골과 요골은 평행을 이루고 있다가 서로 위아래가 바뀌도록 설계되었다(그림 10-2a, 10-2b).

다른 움직임을 시도해보자. 손바닥을 아래로 향하게 하고 손을 뻗어보자. 그리고 가운데손가락을 집게손가락 윗부분에 겹쳐보자. 이것은 아래팔과 손목을 회전할 때, 척골에 관한 요골의 움직임과 같다. 이처럼 강력한 생체역학적 파드되(pad de deux, 발레에서 두 사람이 추는 춤)는 정해진 회전 범위 내에서 손과 손목이 움직일 때마다 일어난다. 그리고 회전 범위는 손목으로 갈수록 좁아지기 때문에 아래팔의 근골격계를 이루고 있는 요소들은 서로 밀집해 있을 수밖에 없다. 팔꿈치와 뼈, 근육, 힘줄, 인대, 신경 등은 회전할 만한 충분한 공간이 없기 때문에 서로의 자리를 침범한다. 여전히 회전이 일어나지만 마찰 역시 증가한다. 마찰은 이상한 것이다. 가끔 2개의 막대기를 문질러보면 아무 일도 일어나지 않는다. 그런데 계속해서 문지르면 불이 난다. 팔꿈치에 대해 묻자 캐시는 종종 타는 듯한 느낌이 있었다고 대답했다.

여기서 모든 책임은
내가 진다

무릎과 마찬가지로 팔꿈치는 동시성을 가진 메커니즘(synchro-nizing mechanism)이다. 무릎이 엉덩이, 발목과 함께 일하는 것처럼,

팔꿈치는 어깨와 손목이 조화롭게 움직이도록 조정하는 역할을 한다. 그리고 무릎처럼 감속기어 역할을 한다. 어깨에서 일어나는 강력한 움직임을 손목과 손이 정밀한 일을 하는 데 사용할 수 있도록 형태를 바꿔주는 것이다. 그러나 만일 어깨의 정렬불량 때문에 팔꿈치와의 연결이 끊어졌다면, 팔꿈치는 잃어버린 어깨의 힘을 대신 보상해주거나 문제를 손목으로 떠넘겨야 한다. 팔꿈치는 이 두 가지 방법을 모두 사용한다.

팔은 몸통의 근골격계로부터 힘을 이끌어낸다. 근육이 조화를 이루는 것은 매우 복잡해서 교향악단의 상호 작용이 오히려 간단해 보일 정도다. 하지만 사람들은 대부분 팔의 절반(아래팔)만 사용한다. 팔꿈치에서 몸통까지 30㎝에 해당하는 생체역학적 빈틈을 만들고 있다는 말이다. 이곳을 통해 혈액이 흐르고, 신경계 신호가 지나간다(비록 이런 기능도 제대로 작동하지 않지만 말이다). 하지만 근육 방어물과 생체역학적 활동은 급격히 줄어든다. 이런 상태에서 손목과 팔꿈치 통증은 피할 수 없다.

힘의 이동

앞에서 말했듯이 사람들은 대부분 가로 90㎝, 세로 120㎝의 상자에 몸을 가둬 놓고 있다. 7세기와 8세기 초반에 죄를 지은 사람에게 벌을 주기 위해 사용했던 틀처럼, 우리는 손과 손목과 팔과 어깨를 이 상자 안에 넣고 평생 움직임을 제한하며 살고 있다. 팔꿈치가 얼마나 몸통 쪽에 가까이 붙어 있는지에 주목해보자. 15분에서 20분

동안 팔꿈치는 겨우 어깨 근처로 올라간다. 그것도 가끔씩 말이다. 우리는 일을 하거나 놀 때 상자 중앙에서 움직이려고 애썼다. 키보드와 운전대를 조작하는 것에서부터 텔레비전 리모콘이나 산악자전거를 이용하는 것까지 이런 노력은 계속되었다. 이 때문에 팔꿈치나 손목, 손이 해야 할 일을 상체가 모조리 맡아서 하는 것이다. 근골격계 구조가 적절히 일할 때에는 손목을 앞으로 구부리는 것만으로도 몸통의 굽히고 펴는 능력이 팔이 미치는 범위를 거의 두 배에 이르게 한다. 하지만 그렇지 않으면(손목과 팔꿈치 통증이 이것을 말해준다면) 그 능력은 몸통의 측면 운동과 회전 운동을 따라 팔꿈치와 손목, 팔로 옮겨간다.

몸통과 엉덩이는 제자리에 있고, 수많은 평상시의 움직임을 수행하기 위해 팔꿈치가 자세를 바꾼다. 팔을 밀고 당기고 뻗고 드는 것을 도와주도록 만들어진 어깨는 앞으로, 안쪽으로 굽어 있다. 무게를 옮기는 일은 팔꿈치와 손목이 대신한다. 제대로 기능하는 몸이라면 이렇게 대신하는 게 문제가 되지 않을 것이다. 사람들은 강력한 이두근과 삼두근을 가지고 있기 때문이다. 하지만 몸이 보이지 않는 상자 안에 갇혀 있으면서 어깨가 제 기능을 하지 못하고 통증을 겪는다면, 충분한 움직임의 범위(165°를 그리면서 아래팔을 올렸다가 내리라는 지시에 대해)에 참여할 수 있는 팔 근육이 이러한 움직임에 참여할 수 있는 능력은 원래 능력의 1/3에서 절반으로 줄어들었다. 커피 잔을 들어 입술로 가져갔다가 내려놓는 것조차 매우 힘들 것이다.

올리고 밀고 잡아당기는 능력만이 줄어든 것은 아니다. 아래팔의 회내 작용과 회외 운동에 어깨가 참여해야 한다. 어깨가 참여하지 않으면, 이 두 가지 움직임은 대부분 팔꿈치와 손목에서만 일어난다.

CHAPTER 10

손의 모양은 우리가 하는 일을 결정하고, 궁극적으로는 그가 어떤 사람인지를 결정한다. 예를 들어 상류사회를 다룬 코미디나 걸작 시대극의 한 장면을 생각해보자. 한 시골뜨기가 부잣집에 초대받아 멋진 응접실에 앉아 차를 마신다. 정교한 본차이나 컵을 입술로 가져가는데 팔꿈치를 귀 높이까지 든다. 여주인은 불만스러워 눈을 깜빡이고, 집주인은 비웃을 것이다. 이 우아한 부부는 점잔을 빼면서 팔꿈치를 안으로 향하게 하고, 아래로 내린 채 컵을 든다. 섭정기(the Regency) 동안 노동자의 어깨는 제 기능을 했지만, 영주의 어깨는 그렇지 못했다. 노동자는 어깨와 팔꿈치, 손목과 함께 손의 회내 작용을 수행한 반면, 영주는 손목만을 사용했기 때문이다.

우리는 기능장애를 보이는 움직임이 멋있고 스타일 있다고 여긴다. 나는 패션시즌마다 모델의 모습에 놀라곤 한다. 그들의 어깨는 굽었고 머리는 늘어졌으며 몸통은 앞으로 기울었다. 파리나 뉴욕, 런던의 패션쇼장에서 그들은 구부정하게 걷는다. 발은 뒤집어졌고, 엉덩이는 뒤로 밀려나 있다.

다음에 패션쇼를 볼 때 모델의 손이 앞으로 곧게 뻗어 있는지 확인해봐라. 그것은 제대로 연결되지 않았다는 것을 나타낸다. 어깨 죽지와 위팔뼈 안에서 어깨가 구조에 따라 적절하게 움직이지 않으면 아래팔과 손목은 안쪽으로 돌아간다. 아래팔의 회내근은 굽힘 상태에 놓이고, 그것은 척골, 요골과 함께 교차하는 움직임에 관여한다. 이는 손목과 아래팔, 팔꿈치가 가장 제한적이고 혼잡한 상황에서 움직인다는 것을 의미한다. 골근육계 구조는 결코 중립적인 자세로 돌아가지 못한다. 특별한 마찰도 계속해서 일어난다. 연소(통증)가 생기는 것은 당연하다.

회내와 회외

발/발목과 아래팔 모두 중요한 기능으로 이 용어들을 사용한다. 각각 '엎어진(prone)'과 '반듯이 누운(supine)'의 뜻을 가진 단어에 기반을 두고 있다. 배를 깔고 누워 있으면 엎드린 것이고, 등을 기대서 누워 있으면 반듯이 누운 것이다. 팔꿈치가 90°를 이루는 경우, 아래팔이 엎어지면 손바닥이 아래를 향한다. 혹은 팔이 몸 측면에 있는 경우, 손바닥이 뒤를 향한다.

병원을
잘 골라야 한다

몸은 마찰 때문에 생긴 불을 여러 가지 방법으로 끄려고 한다. 그중 하나가 비밀의 체액을 사용하는 것이다. 이 체액은 쿠션과 제동 메커니즘 역할을 해서 마찰을 제한한다. 이런 분비는 팔꿈치에 있는 윤활 관절(synovial joint)에서 일어난다. 윤활액 주머니는 팔꿈치 뒤에서 형성되어 관절을 구부리거나 돌리는 것을 어렵게 만든다. 어떤 사람들은 팔꿈치의 체액이 다 고갈되어서 더욱 고통스러워한다.

이와 비슷하게 점액 주머니는 전략적으로 마찰지점(뼈와 힘줄이 만나는 지점)에 생기고 체액을 채워서 움직임을 제한한다. 힘줄 덮개가 까져서 염증이 생기거나 때로는 힘줄 자체가 '벗겨지기'도 한다. 이런 상태를 위관절융기염(epicondylitis)이라고 한다. 이때 힘줄이 진짜로 벗겨진 것은 아니다. 오히려 보상근이 힘줄에 상응하는 뼈의 위치를 새로 정하고, 수술은 힘줄을 위해 마찰을 덜 일으킬 수 있는 다른 길을 찾아주는 것이다. 하지만 이런 접근법은 팔꿈치의 기능장애를 증가시킬 뿐이다. 관절은 원 위치에 힘줄을 가지고 있도록 만들어졌기 때문이다.

이 소방서의 주요 무기는 움직일 때 너무 고통스런 관절을 사용하지 않는 것이다. 팔꿈치와 손목이 뻣뻣해지고 제약을 받고 고통스러워지면서 움직임이 서서히 없어진다. 이 방법이 최후의 보루라는 것을 몸이 본능적으로 아는 것이다. 마찰은 곧 줄어든다. 그러나 우리에게 매우 중요한 팔꿈치와 손목이 제대로 기능하지 못하는 것은 재난에 가깝다. 통증을 가라앉히려고 팔꿈치와 손목을 얼마간 사용하지 않다가 다시 사용하면 결국 처음 위치에 마찰이 생긴다. 그 동안 통증은 사라졌지만 점차 다시 생기고, 결국 계속해서 나타난다.

우리의 일반적인 충동은 '통증을 가진 채 사용하는 것'이다. 이런 태도의 대표적인 예가 몇 년 전에 나를 찾아온 핸드볼 선수 길버트였다. 그는 팔꿈치가 심하게 아파서 여기저기 다니다가 마지막 구원처로 우리 클리닉을 선택했다. 그는 선수생활을 유지하기 위해 규칙적으로 코르티손 주사를 맞고 있었다. 유능한 의사라면 '규칙적'이라는 말과 '코르티손 주사'라는 말을 한 문장에 함께 써선 안 된다고 말해줄 것이다. 코르티손은 진통 효과가 있지만 반복해서 사용하면 심각한 부작용이 일어난다. 그는 의사들을 쇼핑하듯 찾아다녔다. 그들은 별 질문 없이 주사를 놔주었다. 만일 의사가 더 이상 놔줄 수 없다고 하면 그는 다른 의사를 찾아 나섰다. 결과적으로 코르티손을 과도하게 사용해서 그는 몸을 망가뜨렸다. 통증이 있음에도 그는 절박하게 주요 토너먼트 경기에 참여하고자 했다. 그는 코르티손 주사를 많

227

이 맞았다고 인정했다. 그리고 더 이상 어떤 의사도 코르티손 주사를 놔주지 않으려 하기 때문에 내게 왔다고 했다.

"왜요?" 내가 물었다.

"제 팔꿈치를 만져보세요."

길버트의 오른쪽 팔꿈치를 부드럽게 눌러보았다. 원래 팔꿈치는 3개의 관절로 이루어져 있고, 그것들은 연골과 인대와 뼈 돌기와 힘줄로 싸여 있다. 그런데 내 엄지손가락이 그의 관절 속으로 들어갔다. 마치 장갑을 끼듯이 말이다. 그의 팔꿈치 관절 메커니즘은 코르티손 주사 때문에 완전히 붕괴되었다. 이 진통제 덕분에 그는 몇 년간 핸드볼 경기를 할 수 있었지만, 그것은 뼈와 다른 조직을 엉망으로 만들었다. 안타깝지만 내가 그에게 해줄 수 있는 것이 아무것도 없었다. 팔꿈치 관절이 남아 있지 않은 상태에서 통증을 치료하는 것은 불가능하기 때문이다.

팔꿈치 통증 치료

여기서 제시할 다섯 가지 운동은 팔꿈치와 어깨, 몸통, 엉덩이 사이의 관계를 회복시키기 위해 만들어졌다. 각 장의 운동처럼 이것 역시 제시한 순서대로 실행해야 한다.

- 총 시간 : 이 운동은 반듯이 누워 사타구니를 스트레칭 하기 때문에 시간이 꽤 걸린다. 통증이 심한 경우에는 45분에서 1시간 정도 해준다. 통증이 약하다면 15분에서 20분만 해도 충분할 것이다.

- 하루에 1번, 아침에 실시
- 기간 : 24시간 동안 통증이 완화될 때까지 매일 이 운동을 한다. 통증이 완전히 사라지고 나서도 일주일간 같은 운동을 반복하다가 13장의 종합 컨디션 조절 운동으로 넘어간다.

◆ 중력 이용하기

9장에 나와 있는 '중력 이용하기' 동작설명을 따른다(212쪽). 두 발은 평행을 유지해야 하고 앞을 향해 있어야 한다. 두 발은 아마 바깥쪽으로 돌아가려고 할 것이다. 몸의 양쪽에 몸무게를 균등하게 배분하는 데 집중한다. 그러고 나서 뒤꿈치를 누른다. 뒤꿈치와 머리가 보이지 않는 벽에 기대어 서 있다고 상상해봐라. 이 운동은 몸통과 어깨, 머리를 뒤로 당겨 엉덩이와 정렬시켜준다.

◆ 늘이고 고정하기

4장에 나와 있는 '늘이고 고정하기' 동작설명을 따른다(86쪽). 어깨 죽지가 함께 오도록 유의한다. 그리고 머리는 아래를 향하게 하는 게 중요하다. 목과 등

위 근육은 힘을 빼고 있어야 한다. 이 자세를 1분간 유지하고, 2분으로 늘리도록 한다. 이 운동은 척추를 C자에서 벗어나게 해준다. 그리고 어깨 관절이 경첩처럼 앞뒤로 움직일 수 있게 한다.

◆ 원 그리기

그림 10-3

　　낮은 벤치가 필요하다. 벤치 옆에 서서 한쪽 다리는 곧게 펴고, 다른 쪽 다리는 90° 굽혀 벤치 위에 놓는다. 허리를 구부리고, 굽힌 다리 쪽 손바닥을 벤치 위에 놓는다. 반대편 손에는 2kg짜리 바벨을 든다. 바벨을 세워 머리 부분을 잡아라. 바벨을 너무 꽉 쥐거나 팔 근육을 너무 수축시키지 말라. 팔을 뻗어 작은 원을 그려라. 팔을 '풍차'처럼 크게 돌리는 게 아니다. 바닥에 작은 원을 그리듯이 돌려라. 시계방향으로 20번, 반대방향으로 20번 그린 후에 팔을 바꿔라. 각 팔 당 2세트(시계방향, 시계반대방향)를 30번씩 한다. 이 운동은 앞으로 굽은 채 굳은 어깨의 볼—소켓 기능을 회복시켜준다.

◆ 벽시계 모양 만들기

그림 10-4a

이 운동은 세 가지 자세로 이루어졌다. 이것을 할 때 어깨의 AC 과정(위팔뼈가 빗장뼈와 어깨뼈를 만나는 관절 메커니즘)과 어깨 죽지를 느낄 수 있어야 한다. 만일 세 번째 자세가 팔꿈치 통증을 증가시킨 다면 처음에는 그것을 운동순서에서 뺀다. 그리고 하루나 이틀 후에 다시 시도해봐라. 더 이상 통증이 없다면 다시 운동순서에 포함시킨다.

자세1 벽을 바라보고 서서 벽에 발을 딱 붙인 채 안짱다리 모양으로 만든다. 머리 위로 팔을 들어올린다. 이 자세를 1분간 유지한다. 팔꿈치를 곧게 펴고 엄지손가락이 벽에서 떨어지게 하면서 어깨를 회전한다. 이 자세를 1분간 유지한다.

그림 10-4b

자세 2 안짱다리 자세를 유지한다. 머리 위로 팔을 올려 각각 10시와 2시 방향을 가리킨다. 팔꿈치를 곧게 펴고 엄지손가락이 벽에서 떨어지게 하면서 어깨를 회전한다. 이 자세를 1분간 자세를 유지한다.

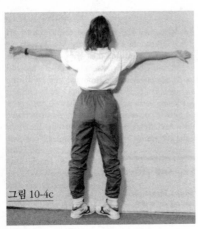

그림 10-4c

자세 3 안짱다리 자세를 유지한다. 머리 위로 팔을 올려 각각 9시와 3시 방향을 가리킨다. 팔꿈치를 곧게 펴고 엄지손가락이 벽에서 떨어지게 하면서 어깨를 회전한다. 이 자세를 1분간 유지한다.

　'벽시계 모양 만들기'는 어깨뼈를 돕는 운동이다. 어깨뼈는 위아래와 앞뒤, 시계방향과 시계반대방향으로 움직이게 되어 있다. 어깨뼈가 몸통과 적극적으로 상호작용을 하지 못하면 어깨의 생체역학적 능력을 반밖에 사용할 수 없게 된다.

◆ 반듯이 누워 사타구니 스트레칭 하기

 5장에 나와 있는 '반듯이 누워 사타구니 스트레칭 하기' 동작설명을 따른다(106쪽). 시간을 충분히 가져라. 이 자세를 한쪽 다리마다 최소한 10분씩 유지해라. 사타구니 근육은 강하기 때문에 활동하게 하는 데 시간이 다소 걸린다.

손목과 손

이 장에서는 손목 굴 증후군(carpal tunnel syndrome, CTS)에 대해 깊이 다룰 것이다. 이 증후군을 가진 사람들에게 통증이 생기는 진짜 이유를 알려주기 위해서다. 이 증후군은 팔꿈치나 손목, 손을 움직여서 생기는 병이 아니다. 오히려 움직이지 않아서 생기는 병이다. 어깨가 움직이지 않고 몸의 무게를 견디는 능력이 방해를 받으면 팔과 손은 통증과 싸워 항상 질 수밖에 없다. 팔과 손은 약간의 근력이나, 건강을 유지하기 위해 필요한 생체역학적 상호작용이 없다. 이런 기능을 대체할 기관 역시 없다. 이것이 사무실을 아무리 인체공학적으로 재설계해도 실패하는 이유다. 키보드 앞에 손목 보호대를 놓거나 사무실 의자를 높이면 과도한 마찰이 팔꿈치나 팔목, 손의 다른 부위로 옮겨갈 뿐이다. 마찰은 곧 다시 '불'을 낼 것이다. 길버트가 맞은 코르티손 주사처럼, 우리는 인체공학적 발명품을 사용하며 일을 하고 살림을 꾸려간다. 하지만 근골격계 구조는 일하면서 받는 기능장애 스트레스 때문에 퇴화하기 시작한다. 인체공학적인 통증 완화제는 진통제를 남용하는 것만큼이나 치명적이다.

극도로 위험하거나 비인간적인 일, 심각한 사고를 제외하고, 직장에서의 일은 불공평하게도 몸을 상하게 하는 이유로 여겨졌다. 사실 근골격계 기능장애 때문에 나타난 증상일 뿐인데 말이다. 이런 상태는 우리가 몸에 '움직임'이라는 영양분을 주면 쉽게 벗어날 수 있다.

환경이 통증을 주는 건 아니다. 무자비한 사장 때문이 아니라 놀라울 만큼 풍부한 삶 때문에 통증이 생긴다. 건강을 지키기 위해 더 이상 충분히 움직이지 않기 때문이다.

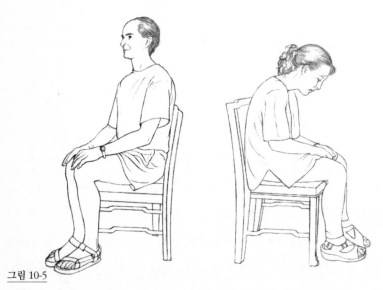

그림 10-5

골근육계가 정상 기능을 하는 사람(좌)과 손목 굴 증후군을 가진 사람(우)

움직임에 대해 책임을 지라는 게 근육을 크게 키우거나 힘든 운동을 하라는 것은 아니다. 그림 10-5를 보면 손목 굴 증후군이 어떤 것인지 알 수 있다. 왼쪽 그림의 남자는 정상적이다. 몸무게를 양쪽에 고루 분배하면서 양측성을 잘 유지한다. 하중 축받이 관절들은 수직으로 정렬되어 있고, 수평선은 이런 관절과 평행을 이루고 있다. 오늘날 사람들에게 제 기능을 하는 이런 몸 상태는 더 이상 자연스러운 게 아니다. 노력해야 가능한 것이다. 오른쪽 남자는 완전히 다른 모습을 하고 있다. 이 그림을 본 내 친구는 이런 비교가 너무 심하다고 했다. 그 녀석은 아무도 그렇게 심하게 보이진 않는다고 말했다. 나는 그 녀석과 클리닉 가까이에 있는 공원에 산책하러 갔고, '그 정도로 심하게' 보이는 수십 명의 사람을 보았다. 내가 만일 그런 사람 아무나 붙잡고 몇 가지 질문을 해보면 다음과 같은 대답을 들었을 것이다. "네, 최근에 손목이 뻣뻣했어요." 혹은 "아래팔이 아파요." 이 그림에서, 그리고 실제 생활에서 머리와 어깨, 팔의 자세는 손목 굴 증후군이 생기는 이유를 설명해준다.

굽은 척추부터 시작하자. 책상이나 테이블 가까이 몸을 당겨 보자. 어깨와 등을 구부리고, 손은 손바닥을 아래로 향하게 해서 책상 위에 놓는다. 팔꿈치는 90°로 굽혀서 몸통 가까이에 둔다. 손목은 책상 위에 평평하게 놓는다. 척추는 천천히 곧게 펴서 아치를 만들고, 머리는 뒤로 민다(어깨는 그대로 둔다). 아래팔이 어떻게 올라가서 책상에서 손목이 떨어지게 하는지 주목한다. 즉, 등 자세가 손목 자세에 영향을 끼친다는 것이다. 척추만 아치형으로 만들어도 손목 마찰이 줄어들고, 손목 자세를 잡아줘 부드럽게 펴지도록 한다. 이것은 손가락을 구부릴 때보다 더 부드럽다. 이제 어깨를 살펴보자. 어깨가 구부러지면, 팔은 팔꿈치를 매개로 영구적으로 회내한다. 오직 손목은 영구적으로 회내할 수 없을 것이다. 손이 무언가를 잡기 위해선 어깨가 바깥쪽으로 돌아가야 하기 때문이다. 회내는 마찰을 일으키고, 회내에 맞서기 위해 회외는 마찰을 더 크게 한다. 회내근과 회외근 사이에서 이리저리 손을 흔드는 동작은 더욱 손목에 무리를 준다. 컴퓨터 키보드에 손을 올려놓자. 손이 키보드에 평평하게 올려 있기 보다는 바깥쪽으로 들리려고 할 것이다. 어깨가 제대로 움직인다면 손의 회내를 도울 것이다. 어깨가 움직이지 않으면 팔꿈치와 손목이 어깨 기능을 대신 수행해야 하기 때문에 마찰이 더 생기는 결과만 낳을 것이다.

다른 실험을 해보자. 팔을 책상 가까이로 가져가서 팔꿈치를 90°로 굽힌다. 손바닥과 손목을 책상 위에 올려놓는다. 어깨와 등을 앞쪽으로 굽혀보자. 손목을 그대로 유지하면서 책상 위에서 손을 떼어 뒤로 굽혀보자. 이 동작을 4번에서 5번 정도 반복한다. 아마 이 움직임은 손목 아래에서 주도할 것이고, 그곳에는 이렇게 움직일 만한 공간이 거의 없어서 힘줄이 아플 것이다. 만일 등을 아치로 만들고 어깨를 뒤로 당겨 사각형 모양으로 만들고 나서 방금과 같이 움직인다면, 그것은 아래팔 위쪽 끝에서 일어날 것이다. 그리고 원래 그 부분에서 이런 움직임을 담당해야 한다.

실험을 하나 더 해보자. 팔을 책상 위에 평평하게 펴고 책상바닥 가까이까지 머리를 숙여보자. 오른쪽 손목 아래에 있는 아치를 볼 수 있을 것이다. 아치가 보이지 않으면, 오른쪽 어깨를 위아래로 약간만 흔들어보자. 손목 아래 공간이 열리면서 손바닥이 시작되는 부분이 보일 것이다. 어깨를 아래로 내리고 손등을 향해 안으로 굽히면, 손목 아래에 있는 아치는 책상에 평평하게 붙을 것이다. 이런 자세는 어깨가 앞쪽으로 돌아갔거나 타이핑을 치거나 피아노를 연주할 때 나타난다. 키보드나 피아노는 가볍게 눌러도 되기 때문에 어깨나 팔은 아무 역할도 하지 않는다. 결국 그 일은 전적으로 손가락 근육이 하는 것이다. 손가락 근육은 아래팔의 볼록한 부분에 있고, 손의 부피를 줄여주면서 유연성을 유지해준다. 손목의 아치가 무너져 평평해지면 힘줄이 손목뼈를 통과해서 손가락까지 가는 길을 방해한다. 그래서 손가락을 잡아당길 때마다 뼈를 가로지르는 힘줄을 망가뜨리는 것이다.

손목 굴 증후군의 주요 원인은 손목, 팔꿈치 통증의 원인과 같다. 통증의 원인이 아니라 증상을 가리켜 너무 멋들어진 이름을 지어준 것 같다. 건강해지고 건강을 유지하기 위해서는 만성통증이 있는 관절이나 부위에만 집중하지 말아야 한다.

정말로
관절염인가?

관절염에 대해선 이미 앞에서 언급했지만, 여기에서 다시 한 번 언급하는 게 좋을 것 같다. 관절염은 팔꿈치나 손목, 손에 많은 영향을 끼치기 때문이다. 관절염에 대해 반드시 알아야 하는 게 한 가지 있다. 일단 관절에 염증이 생기거나 그 조직이 악화되면 주로 그 영향이 계속된다는 것이다. 그러니까 관절염(통증이나 뻣뻣함, 부종 등을 일으키는 모든 것)은 생겼다가 다시 사라지지 않는다는 말이다. 그냥 늘 그곳에 있다. 그렇다면 관절염 통증은 왜 생겼다 사라지는 것일까? 대부분 그것은 관절염 통증이 아니라 근육 통증이기 때문이다. 우리 클리닉에 관절염에 걸린 환자가 많이 온다. 내가 그들을 치료하면서 발견한 것은, 그들이 관절염 통증이라고 믿었던 것이 근골격계 구조의 배열을 바꿔주면 없어진다는 것이다. 특별한 운동을 15분에서 20분간하라고 시켰다(이번 장 뒤에서 설명함). 관절염을 치료할 수 없다면 근골격계 구조를 바꾸는 것이 통증으로 고생하면서 살거나 약이나 수술부작용을 겪으면서 사는 것보다 훨씬 나을 것이다.

몇 년 전, 뉴욕에서 회의할 때였다. 쉬는 시간에 한 젊은 여자를 보았다. 그녀는 통증을 감추려고 애쓰고 있었다. "손이 아프죠?" 내가 물었다. 그녀는 고개를 끄덕이며 양 손가락을 천천히 움켜쥐었다. "진찰은 받아보았나요?"

그녀는 미소를 지어보였다. "수없이 많은 의사에게 가보았죠. 어려서부터 관절염을 앓았거든요."

"손가락 관절에 통증이 심하죠?"

"네. 지금 그것 때문에 죽을 지경이에요."

"통증이 사라지면 좋겠죠?"

바로 그때, 회의에 참석한 사람들이 주위에 모여들었고, 그녀는 무척 당황했다. 그리고 어깨를 으쓱할 뿐 아무 대답을 하지 않았다.

"손을 이리 줘보세요." 내가 말했다.

여자는 손을 내밀었다. 나는 집게손가락을 부드럽게 당겼다.

"아파요?"

그녀가 고개를 끄덕였다. 옆에 있는 손가락을 당겼다.

"아파요?"

그녀가 다시 고개를 끄덕였다. 그리고 내가 나머지 손가락을 모두 잡아당기고 물었을 때마다 아프다고 대답했다. 나는 그녀에게 안짱다리를 하고 서라고 했다. 그 다음 어깨를 뒤로 밀어서 등을 아치 모양으로 만들라고 했다. 다시 집게손가락을 잡아당겼다.

"아파요?" / "아니요."

그 다음 손가락을 당겼다.

"아파요?"

여자는 머뭇거리다가 대답했다.

"아니요."

다시 물었다. "아파요?"

"아니요. 전혀 아프지 않아요."

내가 확인을 끝냈을 때, 그녀의 눈엔 눈물이 맺혀 있었다. 물론 통증 때문이 아니었다.

"지금 이게 당신 통증에 대해 무엇을 말해줄까요?"

그녀는 손을 내려다보았다. "관절염 때문이 아니었네요."

정확하게 대답한 것이다. 그녀는 분명 관절염이 있었지만, 대부분의 통증은 보상근이 대신 움직이면서 근골격계가 제 기능을 하지 못했기 때문에 나타난 것이었다. 그녀의 어깨는 아무 일도 하지 않아서 손과 손목에 아무 도움을 주지 못하고 있었다. 관절염을 가진 사람들은 무의식적으로 움직임을 제한하고 관리한다. 그것은 시간이 지나면서 근육통이라는 결과로 나타난다. 근육통은 우리가 관절염이라고 부르는 신비한 병보다 치료 가능성이 훨씬 높다. 약을 적게 사용하고 근골격계 기능을 활성화하는 운동을 하면 관절염으로 고생하는 수많은 환자들은 몸 기능을 회복할 것이다.

이것을 한층 더 확실히 확인하기 위해 18개월간 진행되었던 미국 국립 노화 연구소(National Institute on Aging)의 연구 내용을 살펴보자. 퇴행성 골관절염 환자들에게 적당한 운동을 하루에 1시간씩 일주일에 3번 실시한 결과, 통증이 줄어들고 무기력감이 감소하면서 신체 기능이 개선되었다. 만일 거기에 근골격계 기능장애를 치료해주는 운동이 들어갔다면 훨씬 극적인 결과를 얻을 수 있었을 것이다. 우리 클리닉에서는 어렵지 않게 볼 수 있는 결과이기 때문이다. 제대로 기능하는 근골격계는 관절을 관리할 수 있는 놀라운 능력을 가지고 있다. 비록 장애물이 많지만 말이다. 이런 원칙에 관절염을 예외로 둬선 안 될 것이다.

손목과 손 통증의
치료법

다음의 세 가지 운동은 손목과 손 통증을 치료하기 위한 것이다. 이 운동은 손과 손목과 팔꿈치와 어깨의 연결고리를 재정립해주고, 엉덩이의 자세를 만들어주며, 엉덩이와 어깨와 머리가 정렬하도록 해준다. 그리고 손목 골 증후군, 관절염, 만성적인 손목과 손 통증 때문에 고생하는 사람들을 도와줄 것이다.

• 총 시간 : 이 운동은 반듯이 누워 사타구니를 스트레칭 하기 때문에 시간이 꽤 걸린다. 통증이 심한 경우에는 45분에서 1시간 정도 해준다. 통증이 약하면 15분에서 20분만 해도 충분할 것이다.

- 하루에 1번, 아침에 실시
- 기간 : 24시간 동안 통증이 완화될 때까지 매일 이 운동을 한다. 통증이 완전히 사라지고 나서도 일주일간 같은 운동을 반복하다가 13장의 종합 컨디션 조절 운동으로 넘어간다.

◆ 벽시계 모양 만들기

10장에 나와 있는 '벽시계 모양 만들기' 동작설명을 따른다(231쪽). 각 자세마다 1분간 유지한다. 이 운동을 충실히 따르면 어깨부터 발목까지의 모든 하중 축받이 관절 사이의 관계를 명확하게 느낄 수 있을 것이다.

◆ 수건 위에 반듯이 누워 사타구니 스트레칭 하기

6장에 나와 있는 '수건 위에 반듯이 누워 사타구니 스트레칭 하기' 동

241

작설명을 따른다(131쪽). 한쪽 다리 당 3분씩 유지한다. 이 운동은 시간이 걸리고 수동적으로 보이지만, 도움이 정말 많이 된다. 강력한 엉덩이 회내근과 회외근을 길들이고 자세를 조정해주기 때문이다.

◆ 공중에 앉기

4장에 나와 있는 '공중에 앉기' 동작설명을 따른다(87쪽). 이 동작을 1분간 유지하면서 점점 2분으로 시간을 늘린다. 이 동작이 쉽게 느껴지면 큰 발전을 이루었으니 스스로 축하해라. 예전에는 굽힘근보다 약했던 엉덩이 폄근이 강해졌다는 뜻이기 때문이다. 동시에 발목과 무릎과 어깨가 수평을 이루었다는 의미이기도 하다.

유행(epidemic)에 대해
반응하기

마지막으로 '반복성 움직임 손상(repetitive motion injury)'으로 알려진 상태에 대해 말하겠다(손목 굴 증후군 역시 여기에 속한다). 노동부에 따르면, 이런 손상은 직장에서 '유행성'이 있다. 우리 몸의 관절은 반복적으로 움직이도록 만들어졌다. 그것이 움직임에 대해 한정적이라는 과학적 증거는 어디에도 없다. '반복성 움직임 손상'은 연속해서 너무 한꺼번에 관절을 이용해서 통증이 생기는 거라고 사람들은 말한다. 하지만 이것은 불가능하다. 건강한 관절 메커니즘이 손상되기 전에 단순한 근육은 피곤해지기 때문이다. 사실 '반복성 움직임 손상'은 불안정한 관절이 너무 많이 움직여서 생기는 통증이다. 관절이 움직임의 관련성을 잃어버렸을 때, 우리는 불안정하다고 한다. 이런 상태에선 반복적인 움직임은 물론이고 단순한 움직임도 몸을 손상시킬 것이다. 얼마나 빨리 근골격계 조직이 망가지느냐 하는 문제일 뿐이다. '사고'는 일어날 것이다. 단, 사람들이 이것을 '반복성 움직임 손상'이라고 부를 뿐이다. 이것을 치료하는 방법은 관절을 안정시키는 것이다. 물론 진정제를 사용하거나 수술을 통해 모양을 다시 만들어서는 안 된다. 반복적인 움직임 때문에 통증이 심해진다고 생각한다면, 이 장에서 제시한 특정한 관절을 위한 운동이 관절을 안정시키도록 도와줄 것이다.

손과 팔목과 팔꿈치는 상자에서 벗어나게 해줄 관절이다. 이것들이 캐시에게 메시지를 보낸 것처럼 당신에게도 보내고 있다면 당신은 분명 주의를 기울여야 한다. 몸의 관절 중에서도 이것들은 정말로 세밀하기 때문이다. 인간은 두 발로 선 존재로 진화했고, 이어서 경험과 상상력을 넓혀주는 손을 사용하는 존재로 진화했다. 따라서 손 기능이 치명적으로 손상되도록 놔두지는 않을 것이다. 이런 희망을 가지고 나는 손과 팔목과 팔꿈치를 '귀족적인' 관절이라고 부른다.

11.

목과 머리 :

수평을

유지해라

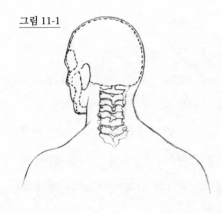

그림 11-1

몇 년 전만 해도 대도시의 백화점에서는 엘리베이터 문이 열릴 때마다 도우미가 각 층의 주요 상품을 안내했다. 엘리베이터 문이 스르륵 소리를 내며 열리면 마치 무거운 커튼이 올라가며 새로운 마법의 세계가 눈앞에 펼쳐진다는 듯, 도우미들은 "가정용 침구류, 잡화, 향수, 여성용 속옷"이라고 또박또박한 목소리로 안내하는 것이었다. 그런데 우리 몸의 맨 꼭대기로 올라가면 이런 안내가 어울릴 것 같다. "뒷목 당김, 뻣뻣함, 현기증, 어지럼증, 두통, 턱관절 통증…." 이건 별로 내키지 않는 초청 아닌가? 열린 엘리베이터 문 너머의 호화로운 백화점 매장을 바라보는 대신 우리는 아래쪽을 뚫어져라 응시하고 있다. 내가 9장에서 말했던 바로 그 악명 높은 상자 속을 말이다. 팔과 손목, 팔꿈치, 어깨와 마찬가지로, 드디어 우리 목과 머리의 움직임도 1㎡도 안 되는 범위 내로 좁혀지는 현실과 맞닥뜨리게 된 것이다. 해부학적 서열에서 가장 높은 위치를 점하고 있는데도 불구하고, 또한 큰 두뇌와 아름다운 얼굴에 대한 우리 집착에도 불구하고 목과 머리는 리더라기보다는 오히려 수행원에 가깝다. 목과 머리는 점점 정상에서 장애로, 통증이 없는 상태에서 통증이 있는 상태로, 머리를 곧게 펴는 쪽에서 쭈그리는 쪽으로 향하고 있다.

목과 머리에선 지금
무슨 일이 일어나고 있는가?
왜?

흉배부 위로 올라갈수록 하중을 견디는 근골격계의 능력은 근육과 관절, 뼈의 안정된 토대에 점점 더 의존하게 된다. 어깨 윗부분부터는 엉덩이와 몸통을 이루는 주요 근골계의 직접적인 도움 없이 복잡한 작용이 이루어진다. 이런 배열은 충분히 이해할 만하다. 척추가 수직으로 서기 위해서는 중력에 반해야 한다는 가정을 토대로, 목에 있는 제한된 근육조직은 앞뒤나 양옆으로 움직이는 비교적 약소한 역할을 담당하도록 구성되었기 때문이다. 무거운 것을 들어 올리거나 양옆을 지탱하는 것은 원래 목이 하는 일이 아니다. 그러나 최소한의 움직임만으로 이루어지는 오늘날 사람들의 생활패턴 때문에 척추가 앞으로 구부러지면서 S곡선도 C 모양으로 뒤틀려버렸고, 목은 머리가 굴러 떨어지지 않도록 막기 위해 더 힘든 업무를 맡을 수밖에 없게 되었다. 머리가 앞으로 기울면 중력의 법칙에 의해 코가 아래로 쏠리게 된다. 결과적으로 목 부분의 척추(어깨와 두개골 사이에 있는 경부 척추)가 근골격계가 하는 일의 일부를 수행할 수밖에 없다. 아주 최소한의 근육만 가지고 말이다.

그래서 어떻게 되냐고? 앞에서 비유했던 엘리베이터 도우미의 입을 빌려보자. 해부학적 엘리베이터 도우미는 "뒷목 당김, 뻣뻣함, 현기증, 어지럼증, 두통, 턱관절 통증 등등"이라고 안내할 것이다. 목과 머리의 자세는 약간 신경 쓰이는 정도에서 즉시 생명을 위협할 정도에 이르기까지 광범위한 상태를 야기하는 주요 원인이다. 그런데도 우리는 목과 머리의 자세를 끊임없이 간과하거나 무시한다. 이제는 단순히 머리를 바라보기만 하는 것을 끝내고, 진짜로 들여다보고 무엇을 말하려는지 이해하기 시작할 때다.

클리닉에서 나와 치료사는 새로운 환자가 오면 일단 진료카드를 읽지 않고 옆에 치워둔 채 우리 자신을 시험해보곤 한다. 우리 중 한 명이 환자에게 묻는다. "최근에 심하게 넘어진 적이 있나요?"

그러면 환자는 "예, 사실은 얼마 전에…"라고 대답한다.

혹은 우리가 "두통이 있나요?"라고 물어보면, 환자가 "예. 2주에 1번씩은 꼭 편두통이 생겨요"라고 대답하곤 한다.

우리가 이런 질문을 던지는 까닭은 환자의 머리와 목의 자세가 중력을 이기지 못하고 제자리에서 벗어나 있는 것을 관찰했기 때문이다.

가전제품을 거꾸로 혹은 비스듬히 놓아두고 사용할 생각을 해본 적이 한 번도 없는, 지극히 현실적인 성향의 사람이라면, 자기 목과 머리를 5°에서 45°로 기울인 채 움직여야겠다는 생각 따위는 하지 않을 것이다. 우리 몸이 놀라운 점은 원래 구조가 파괴되는 조건 하에서도 일할 수 있다는 것이다. 우리는 다락방을 청소하거나 자동차의 엔진오일을 교환하거나 크리스마스트리 전구를 설치할 때 이상한 자세를 취하면서도 그것이 관절을 지나치게 잡아당기거나 삐게 할 위험이 있다는 것에 대해서는 별로 깊이 생각하지 않는다. 이것은 습관적인 행동으로, 근골격계적인 의미에서 말하면 몸이 프로그램화되어 있기 때문이다. 우리는 환경의 지속적인 요구에 반응하기 위해 근육 메모리를 가지고 있다. 인간은 수백만 년 동안 다양한 요구에 성공적으로 부응해왔다. 단순한 것에서 복잡한 것, 관습적인 것에서 관습으로부터 벗어난 것에 이르기까지 광범위한 요구들에 말이다. 인간의 기본적인 근골격계 구조가 아무 변화 없이 제 기능을 다해왔기 때문이다. 그런데 오늘날은 이런 본질적인 조건이 위태로워졌다. 목과 머리의 자세가 이 나쁜 소식을 다시금 확인해준다.

중립자세(neutrality)

제대로 기능하고 있는 관절은 모두 중립적인 시작점으로 되돌아간다. 반면 기능장애가 있는 관절은 수축·팽창한 상태 혹은 비틀린 상태에 그대로 머문다. 이러한 중립자세로 돌아가는 기능의 장애는 생체역학적인 문제와 통증의 원인이 된다.

기계 밸브를 정확히 조이기 위해 목을 앞이나 아래로 쑥 내미는 것은 어려운 일이 아니다. 이런 동작은 신체의 능력이 충분히 허용하는 범위다.

그러나 이런 자세를 몇 주, 혹은 몇 달, 몇 년 동안 유지한다면 문제가 달라진다. 정형에서 벗어난 자세로 어떤 일을 해야 할 때, 몸은 일상생활에서 정상적으로 활용되지 않는 메커니즘을 발동한다. 정형화된 동작이 아닐수록 몸은 더욱 즉흥적으로 움직여야 한다. 당신이 조이고자 하는 밸브에 아주 조그맣고 미세한 눈금측정기가 달려 있다고 가정해보자. 손을 안정적으로 하기 위해서는 팔과 어깨를 앞으로 쑥 뻗어 어깨뼈를 닫아야 손목을 고정시킬 수 있다. 그동안 머리는 앞으로 나와 작업이 이루어지는 과정을 두 눈으로 면밀히 살필 수 있게 한다. 등을 구부리면 폐 아래 횡격막 근육이 팽창할 수 있는 영역이 줄어든다. 그러면 호흡이 얕아져 여분의 떨림(움직임)이 약해진다. 이런 일련의 과정을 거쳐 할 일을 모두 마쳤다. 그런데 만일 몸이 새로운 메커니즘을 풀고 원래의 중립적인 위치로 돌아가지 못하면, 근골격계 구조는 특수한 배열상태에서 멈추고 만다. 무거운 가방을 들어 올리거나 높은 선반 위에 있는 복숭아 통조림에 손을 뻗거나 컴

249

퓨터 자판을 두드리는 행위로 돌아간다는 말은 곧 잘못된 '도구'를 사용한다는 뜻이다. 일을 제대로 하고 있는지 보기 위해 앞으로 기울어진 목과 머리는 큰 손상을 입는다.

정밀한 일을 지나치게 많이 하는 것, 아니 어떤 일이라도 과도하게 하는 것 자체가 문제는 아니다. 기계 밸브를 잠그려 하기 훨씬 전부터 척추와 몸통의 다른 메커니즘이 앞으로 구부러져 있으면, 당신의 목과 머리 역시 기울어진 채로 있게 된다. 일을 하든 놀든 당신의 목과 머리는 하지 않아도 될 일을 하게 되고, 당신은 엄청난 고통을 당할 것이다. 이런 기능장애 때문에 몸은 즉흥성을 발휘하는 독특한 능력을 제대로 발휘하지 못한다. 특수한 일을 할 때와 일상적인 생활을 할 때 모두 그렇다.

밸브를 조작하는 동작을 할 때 머리는 아주 큰 역할을 담당한다. 이 점이 바로 핵심이다. 머리 무게는 대략 4.5kg 정도다. '뭐 그 정도쯤이야' 하는 생각이 든다면 4.5kg짜리 물건을 머리 위에 한번 올려놓아봐라. 그것을 머리 위에 단단히 고정하고 팔을 쭉 뻗어봐라. 팔을 수직으로 뻗을수록 그 무게를 지탱하기 더 쉽다는 것을 알 수 있을 것이다. 이제 고개를 조금만 앞으로 숙여봐라. 목이 얼마나 긴장하고 뻣뻣해지는지 느껴봐라. 고개를 숙이면 숙일수록 목이 견뎌야 하는 긴장은 더욱 늘어난다. 우리가 머리를 앞으로 숙이거나 아래로 쑥 내밀 때, 바로 이런 일이 목에서 일어난다.

애비가 클리닉에 찾아왔을 때, 그녀의 목과 머리는 너무나 앞으로 쑥 밀려나와 있었다. 그래서 머리를 옆으로 돌릴 수 없었다. 게다가 머리를 들어 위를 바라보는 것조차 불가능했다. 이렇게 되기까지는 많은 시간이 걸렸다. 도시 근교의 중산층 동네에서 살던 애비는 내가 앞에서 말한 그 상자 안에 갇혀 있었다. 자기도 모르게 그녀는 서서히 목과 머리의 주요 기능을 잃어가기 시작했다. 처음엔 고개를 돌릴 때 약간 뻣뻣한 느낌이 들었는데 곧 목에 사소한 경련이 일기 시작했다. 몇 년이 지나자 결국 그 자리에 그대로 굳어버렸다.

우리는 애비에게 에고스큐 운동법 중 '등 고정하기'를 권했다. 이 운동을 할 때는 수건을 주먹 두께로 돌돌 말아 허리와 목 아래에 대고 버팀목으로 사용할 수도 있다. 놀랍게도 클리닉에 있는 가장 두툼한 고무쿠션 2개로도 그녀의 머리를 지탱할 수 없었다. 그녀의 목과 머리가 앞으로 너무 많이 기울어져 있었기 때문이다. 족히 10㎝는 돼 보였다. 그래서 또 다른 고무쿠션을 사용해야 했는데, 그것은 마치 접사다리처럼 생긴 것이었다. 이 특수 고무쿠션으로 일단 애비의 머리와 목을 편안하게 할 수 있었다. 등 고정운동을 실시한 지 약 30분이 지난 후 애비의 목이 풀렸다. 그러나 새로운 자세가 너무나 낯선 나머지 그녀는 심한 경련을 일으키기 시작했다. 그녀의 엉덩이와 등 근육이 정상적인 자세에서 자기들이 해야 할 일을 잊어버렸던 것이다. 경련은 결코 즐거운 경험이 아니었지만, 이 때문에 그녀는 작년에 왜 회전근개 수술을 받았어야 했는지 알았다. 그리고 그동안 왜 무릎과 등의 만성통증으로 고통을 겪어야 했는지 이해할 수 있었다. 이제 통증은 사라졌다. 그리고 정기검진을 받으러 올 때, 그녀는 이제 접사다리 모양의 고무쿠션 대신 수건을 사용한다. 그보다 더 좋은 것은, 애비가 이제 머리를 좌우로, 위아래로 자유롭게 움직일 수 있게 됐다는 것이다.

인체공학적 의자

이 의자는 근육을 대체하기 위해 설계되었다. 이 의자에 앉으면 척추가 S곡선 형태로 고정된다. 원래 척추를 S곡선으로 유지하는 일은 근육의 몫인데, 근육이 그 일을 제대로 수행하지 못하는 사람을 위해 인체공학적 의자가 나왔다. 이 의자는 근육강화와 아무 상관이 없다. 의자에서 일어서면 몸은 금세 다시 부적절한 자세로 돌아간다. 게다가 너무 불편하다는 이유로 사람들은 이 의자를 사용하지 않거나 애초의 디자인을 바꿔버리려고 한다.

목뼈의 기본 구조는 허리뼈나 등뼈의 구조와 대동소이하다. 등뼈가 첩첩이 쌓여 척추를 이루는데, 각각의 뼈는 디스크라는 조직으로 분리되어 있다. 디스크는 충격을 완화시키는 질긴 판 모양의 조직이다. 척추 내의 좁은 관을 통해 척수가 흐른다. 그러나 목뼈에서 두 개골 바로 아래에 근접할수록 이 관은 눈에 띌 정도로 좁아진다. 즉, 척수가 흐를 공간을 확보하고 있는 아래쪽에 비해 더 좁다는 말이다. 이 관에는 수많은 미세한 틈이 있어서 중추신경계로부터 뻗어 나온 가지가 몸 구석구석, 말단에 이르기까지 아낌없이 퍼져나간다. 목뼈는 허리뼈나 등뼈만큼 유연하게 팽창할 수 없다. 그만한 공간이나 근육이 없기 때문이다.

그다지 유연하지 않기 때문에, 목은 엉덩이의 움직임을 따르는 것 외에 별다른 방법이 없다. 몸이 앞으로 굽는 현상은 주로 엉덩이에서 시작된다. 우리가 주로 앉아서 생활하기 때문이다. 이때 목뼈 곡선은 볼록한 상태에서 오목하게 형태가 변하고, 이 때문에 머리의 위치가 수직 배열에서 벗어나게 된다. 수직으로 선 머리는 어깨와 엉덩이, 무릎, 발목의 지지를 받으며 역동적으로 연결되어 있어야 한다. 그러나 머리가 원래 위치에서 벗어나면서 척추는 견고한 기둥에서 유연한 낚싯대로 바뀌어버린다. 말하자면 4.5kg의 물고기와 사투를 벌이며 잔뜩 휘어 있는 낚싯대 모양이 된다는 것이다. 충격을 완화하는 디스크 위에 올라탄 척추 뼈들은 한계점을 지나버리고 잔뜩 휘어진 채 그 자리에 머문다. 그러는 동안 디스크는 무리한 압박을 받는다. 목과 등 위쪽 근육은 머리 무게를 지탱하느라 잔뜩 긴장한 채 단단하게 뭉쳐버린다. 결국 목을 옆이나 위아래로 부드럽게 돌리지 못하거나 아예 움직일 수 없게 되기도 한다. 즉, 목이 뻣뻣해지고 통증이 생기며 목뼈 디스크가 손상을 입는 것이다.

기능장애 아동 :
미래에 닥쳐올 충격

어찌 보면 목에 문제가 빈번하게 생기는 것은 당연하다. 목의 단순함과 효율성, 특수화된 기능을 생각해볼 때 그렇다. 목은 즉흥적으로 기능하거나 보상작용 할 만한 능력이 거의 없다. 몸이 완전히 정상적으로 기능할 때 목은 자연스럽게 그리고 쉽게 구부러지고 늘어난다. 하중 축받이 관절과 기타 근골격계가 중립 자세에 있거나 중립 자세에서 벗어난 채 움직일 때도 말이다. 그러나 기능장애를 가진 사람이 목을 중립 자세로 두려면 힘겨운 싸움을 해야 한다. 목을 늘여서 똑바로 세우기 위해서는 무거운 머리를 끌어당기고 산을 오르듯

253

이 억지로 힘을 써야 하는 것이다. 마치 그리스 신화의 시지프스가 끊임없이 돌을 굴리며 높은 산을 올라야 했던 것처럼, 목을 돌리기만 하면 머리는 아래로 툭 떨어지고 목은 이 머리를 다시 들어 올려야 하는 과정이 반복된다. 어깨는 앞으로 구부정하고 엉덩이는 뒤로 빠진 상태로 살아야 한다면, 목은 편한 길을 택할 것이다. 굳이 머리를 들어 올리려고 애쓰지 않고 그냥 구부러진 상태에 머무는 것이다.

그런데 이제 이런 과정이 일어나는 연령층이 점점 낮아지고 있다. 사람은 유아기 때 무거운 머리를 들어올리고 움직이는 것을 배움으로써 목 곡선을 만들어간다. 척추에 곡선이 생기는 것은 오직 이런 이유 때문이다. 바로 머리를 수직으로 곧게 유지하면서 자유자재로 움직일 수 있게 하는 것이다. 허리 곡선 역시 마찬가지다. 어린 시절 굴러다니고 몸을 흔들고 곧게 펴고 기어 다니고 앉았다 서는 동작들을 익히는 동안 우리 허리뼈는 완만한 곡선을 가진다. 그 덕분에 우리는 두 발로 서고 걷고 뛸 수 있는 것이다. 이 2개의 척추 곡선은 80대, 90대, 100세가 넘어서까지, 아무튼 평생 유지된다. 그러나 오늘날은 목 곡선과 허리 곡선이 이른 청소년기에 사라지고 있다! 곡선이 완전히 형성되기도 전에 말이다. 나는 이런 현실이 정말 두렵다.

불과 몇 십 년 전만 해도 머리가 앞으로 나오고 어깨가 구부정한 꼴사나운 10대는 성장이 너무 빨라 그런 것으로, 시간이 지나면 자세근이 비뚤어진 자세를 바로잡아줄 거라고 여겼다. 오늘날 10대 역시 빠르게 성장하는 것은 사실이다. 하지만 이들은 예전에 비해 움직임이 훨씬 적은 상태에서 빠르게 성장한다는 게 문제다. 이런 환경은 10대 아이들이 근골격계를 지탱하는 기능을 깨우고 강화하는 데 필요한 자극을 주지 못한다. 이런 상태에서 자세근의 기능은 절대로 10

대들의 성장을 따라잡을 수 없을 것이다. 그래서 60세가 아닌 16세에 머리 위치가 앞으로 나오게 되는 것이다.

이제는 오히려 머리가 제 위치를 벗어나 있는 모습이 더 자연스러워 보일 정도다. 청소년들이 많이 모이는 곳에 가서 그들을 관찰해봐라. 키가 작은 아이, 큰 아이, 뚱뚱한 아이, 마른 아이…. 체형은 다양해도 대부분 주요 근골격계 기능장애의 징후를 보일 것이다. 요즘 유행하는 힙합 패션인 헐렁한 옷으로 몸을 가린 아이들도 있겠지만 (그리고 내 생각엔 그 아이들도 자기 몸의 취약점을 위장하기 위한 방편으로 그런 옷을 입는 것 같다), 후드가 달린 상의를 입는다 한들 머리를 가릴 수는 없을 것이다. 하나같이 머리가 앞으로 튀어나왔고, 그 얼굴에서 통증과 우울증, 분노, 질병, 지루함, 불안감, 공포 등을 볼 수 있을 것이다. 즉, 우리 미래가 보일 것이다.

 건강 체크하는 법

아이를 벽에 기대어 세워봐라. 당신 스스로 벽에 기대서도 좋다. 어깨선을 벽에 닿게 하면 머리도 벽에 닿는가? 어깨선이 벽에 닿은 상태에서 머리를 뒤로 끌어당겨야 벽에 닿을 수 있다면, 경고신호라고 생각해도 좋다. 당신의 머리는 앞으로 쏠려 있고, 발목과 엉덩이, 어깨로 이어지는 수직선에서 벗어나버린 셈이다. 이것은 건강에 대해 많은 것을 설명해주는 중요한 정보다. 왜 아무리 뒤척여도 편안히 잠을 잘 수 없었는지, 왜 차를 후진할 때마다 고통스러웠는지, 왜 골프채를 휘두르기가 힘들었는지, 왜 책상 앞에 오래 앉아 있기 힘들었는지를 알 수 있다. 아니면 왜 자녀의 자세가 영 어색하고 어벙해 보이는지, 왜 그 아이가 밧줄타기보다 컴퓨터 게임을 좋아하는지를 알 수 있다. 일상적인 신체활동이 원활하게 이루어지려면 머리가 정상 위치에서 기능해야 한다. 그게 이전만큼 쉽지 않다면, 벽에 기대서보는 게 문제를 설명하는 데 도움이 될 것이다.

아프고 뻐근한 목을
치료해라

목이 아프거나 뻐근할 때 이를 치료하려면 구부러진 채로 굳어버린 목을 풀어줘야 한다. 다음 순서대로 운동을 따라하면 하중 축받이 관절과 자세근의 위치를 바로잡아 목을 풀어줄 수 있다.

- 총 20분
- 하루에 1번, 아침에 실시
- 기간 : 48시간 동안 통증이 완화될 때까지 매일 이 운동을 하고, 통증이 완전히 사라지면 13장의 종합 컨디션 조절 운동으로 넘어간다.

◆ 등 고정하기

5장에 나와 있는 '등 고정하기' 동작설명을 따른다(105쪽). 이 자세를 5분간 유지한다. 평평

한 바닥을 기준으로 해서 목과 머리를 비롯한 근골격계가 일직선을
이루도록 한다.

◆ 중력 이용하기

9장에 나와 있는 '중력 이용하기' 동
작설명을 따른다(212쪽). 이 자세를 3분
간 유지한다. 이 운동은 고정된 힘이 가
해지는 동안 하중 축받이 관절의 수직배
열을 유지해준다.

◆ 벽에 기대기

5장에 나와 있는 '벽에 기
대기' 동작설명을 따른다
(105쪽). 이 자세를 3~5
분간 유지한다. 어깨가
제 위치에서 벗어나면 엉덩이와 무릎과 발목까지 비틀어지기 마련이
다. 이 운동은 엉덩이, 무릎, 발목이 비틀리지 않고 기능할 수 있도록
해준다.

◆ 바닥에 앉기

6장에 나와 있는 '바닥에 앉기' 동
작설명을 따른다(134쪽). 이 자세를 3
~5분간 유지한다. 엉덩이와 어깨에
몸무게를 실어 무릎과 발목이 정상적
으로 기능할 수 있도록 한다.

◆ 개구리

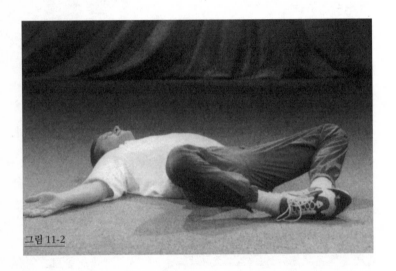

그림 11-2

바닥에 등을 대고 누워 발바닥을 모은 채 발을 몸통 쪽으로 끌어
당긴다. 양 무릎은 바깥쪽을 향하고 두 발은 몸의 중앙에 위치해야
한다. 등이 바닥에 완전히 닿을 필요는 없지만 등에 통증이 느껴져선
안 된다. 무릎을 바닥에 닿게 하려고 애쓰지 말고 편하게 둔다. 이 운
동은 허벅지 안쪽과 사타구니 부위가 살짝 당기는 느낌이 들 것이다.

무리하지 말고 편안한 자세로 1분간 정지한다. 이 운동은 허벅지와 사타구니 근육을 단련시키면서 골반이 정상적인 위치를 잡아 유연하게 움직일 수 있도록 한다.

채찍질 손상

채찍질 손상(whiplash injury, 교통사고 등의 급정거나 충돌에 의해 목이 심하게 앞뒤로 흔들려 생기는 목 주위 손상의 총칭)이나 목뼈 골절이 점점 더 빈번하게 나타나고 있다. 오늘날 사람들의 머리가 너무 앞으로 밀려나와서 목의 충격흡수력과 유연성이 사라졌기 때문이다. 뒤통수를 세게 후려치면 머리가 아래로 툭 떨어진다. 그러나 오늘날 사람들의 머리는 이미 한계에 이를 만큼 굽어 있기 때문에 더 이상 아래로 나아갈 수 없고, 마찬가지로 반대 방향으로 원활히 돌아갈 수도 없다. 이런 상태의 머리는 근육에서 오는 움직임을 멈추지 못한 채 격렬하게 흔들리는 진동추처럼 움직인다. 결국 그 충격으로 목의 메커니즘은 영구적인 손상을 입는다.

자동차의 안전성을 측정하는 데 사용되는 인체모형은 머리가 앞으로 뻗어나갈 수 있는 한계지점에 이르렀다가 갑자기 뒤로 젖혀질 때 채찍질 손상이 발생한다는 거짓 인상을 준다. 인체모형에게 일어나는 그런 일은 오늘날 사람들에게 일어나지 않는다. 오늘날 사람들의 머리는 이미 앞으로 굽을 수 있을 만큼 굽어졌기 때문에 아래로 떨어지는 것 말고는 달리 갈 곳이 없다. 어깨 죽지와 목뼈, 근육조직이 모두 같은 방향으로 쏠리면서 머리 역시 따라간다. 다만 머리가 자동차 유리에 심하게 부딪치면, 그 반동 때문에 더 이상 쏠리진 않을 것이다.

채찍질 손상을 효과적으로 치료하려면 이런 상황을 제대로 인식해야 한다. 그리고 사고 후에도 머리는 여전히 앞으로 기울어져 있기 때문에 목의 메커니즘이 통증을 끊임없이 유발하는 위치에 있다는 것을 깨달아야 한다. 치료의 목적은 머리에서 발끝까지 일직선을 회복하고, 보이지 않는 상자 밖으로 몸을 끄집어내는 것이다.

 ## 척수의 손상

요즘은 미식축구처럼 격렬하게 부딪치는 운동 선수에게 척수 손상이 많아지고 있다. 이들 역시 대부분 머리가 제자리에서 벗어나 앞으로 기운 상태에서 게임을 하기 때문이다. 웨이트 트레이닝이 인기를 더해가면서 이런 상황이 더욱 악화되고 있다. 무거운 것을 들어올리다 보면 머리와 어깨가 앞쪽과 아래쪽으로 움직이기 때문이다. 특정 근육을 단련하기 위한 동작을 반복할 때, 다른 근육에는 균형을 잡을 만한 자극이 없다. 이렇게 강화된 근육은 웨이트 트레이닝을 하는 사람의 머리를 앞으로 혹은 아래로 쏠린 자세로 고정시킨다. 이 상태로 뒤에서 강타를 당하면 굉장히 아프다.

두통은
우리에게
무엇을 말해주는가?

당신이 자동차를 운전하고 있다고 가정해보자. 당신은 급하게 좌회전을 하고, 차로 나무를 타고 오르며, 웅덩이를 뛰어넘고, 공중제비를 돈다. 그러면 어떤 일이 벌어질까? 당신은 이블 크니블(Evel Knievel, 1970년대에 매우 유명했던 모터사이클 스턴트맨)이 아니므로, 괴롭고 혹독한 대가를 치러야 할 것이다. 그런데 우리는 우리 몸이 어떤 동작이든 해낼 수 있을 거라고 믿는다. 상상을 초월하는 몸의 대담함 때문에 우리는 몸이 반드시 표준 작동원리를 따르는 게 아니라고 생각하는 것 같다. 음식을 먹고 물을 마시고 휴식을 취하지만 절벽 아래로 뛰어내리지는 않는다는, 너무도 명백한 것들을 제외하고는 말이다. 그런 생각은 어떤 점에선 맞다. 몸이 놀랄 만한 인내력을 가지고 있는 건 사실이다. 그러나 문제는, 그 인내력이 무한하지 않다는 것이다. 불행히도 우리는 통증이 필요하다. 우리 몸이 인내할 수 있는 한계를 넘어섰다는 신호로서 말이다. 그런데 통증이 보내는 메시지는 왜곡되기 쉽다. 예를 들어 두통이 정말로 의미하는 것은 무엇일까? 과로? 배고픔? 스트레스? 뇌종양?

나는 가장 명백한 가능성에서 시작해서 가장 불확실한 가능성으로 옮겨가는 방법을 선호한다. 이것은 대부분 현대의학의 공식과 반대다. 현대의학은 가장 불확실한 가능성에서 시작한다. 아주 기본적인 단위에서 시작해서 거꾸로 거슬러 올라간다. 이렇게 해서 명백한 가능성에 도달하기란 불가능하다. 우리 몸이 그렇게 단순한 수준에서 작동하지 않기 때문이다. 두통이나 자세 어지럼증 때문에 우리 클리닉을 찾은 환자들은 대부분 뇌 스캔 같은 아무 효력 없는 광범위한 검사를 받은 적이 있다.

메리 베스는 지독한 편두통으로 몇 년째 고생하고 있었다. 별의별 검사를 다 해봤지만 아무 증상도 나타나지 않았다. 의사는 결국 그녀가 꾀병을 부리거나 상상에 의한 것이라고 결론지었다. 그 후에도 끊임없이 두통에 시달리던 메리는 견디다 못해 우리를 찾아왔다.

우리가 메리에게서 발견한 첫 번째 문제는 그녀의 눈이 약간 돌출돼 있다는 것이었다. 그것을 절대 상상했을 리 없다. 그녀의 머리 위치 역시 상상할 수 있는 게 아니었다. 그녀의 머리는 하중 축받이 관절이 있어야 하는 수직선에서 10㎝는 앞으로 나와 있었다. 우리에게 그 위치는 '가장 명백한' 출발점이 된다.

우리는 머리 위치를 바로잡아주는 운동(이 장에 나와 있음)을 메리에게 시켰다. 이 운동을 시작한 지 90분이 지나고 그녀는 3년 만에 처음으로 두통에서 벗어날 수 있었다. 배에 통증이 약간 있다고 했지만, 그것은 금방 없어졌다. 오랫동안 통증을 겪은 사람들은 그것이 완화되면 흔히 구토나 현기증, 심한 불안감 같은 혼란을 겪는다. 통증에서 벗어났다는 사실에 익숙해지려면 약간의 시간이 걸린다.

메리의 두통에는 또 다른 전형적인 원인이 있었다. 바로 산소 결핍이다. 몸을 관통하는 수직선은 걷고 구부리고 뻗고 팔을 움직이는 것 같은 역학적 기능뿐만 아니라 호흡과 순환에도 중요한 역할을 한다. 흉배부가 앞으로 쏠리면서 굽혀지면, 폐 아래의 횡격막이 팽창할 수 있는 공간이 줄어든다. 횡격막이 제대로 기능하지 못하면 폐 역시 제대로 기능할 수 없다. 더욱이 메리처럼 어깨가 구부정하게 처지면,

폐를 담고 있는 흉부 강(腔)이 좁아진다. 이 두 가지 상황은 몸이 산소 흡수하는 걸 심각하게 저해한다.

대부분의 사람들처럼, 메리 역시 자세가 뇌기능과 직접적으로 연관되었을 거라고 생각해보지 않았다. 정상적인 위치에서 벗어난 불안정한 근골격계는 산소를 펌프질하는 고유의 기능을 효과적으로 수행할 수 없다. 이런 기능장애는 횡격막과 폐의 기능에도 영향을 미친다. 머리가 앞으로 쏠려 있으면, 목과 머리를 통해 흐르는 동맥에 접해 있는 근육이 산소가 풍부한 혈액을 뇌로 올려 보내는 작용을 완벽하게 도울 수 없다. 보통 근육의 수축과 팽창으로 혈액이 순환계를 통해 흐를 수 있다. 수축상태에 머물러 있는 근육이나, 사용하지 않아 흐물흐물하게 이완된 근육은 이 일을 할 수 없다. 나는 편두통 환자 치고 머리와 목, 어깨가 앞으로 구부러지지 않은 사람을 본 적이 없다.

눈이 초점을 맞추고 망막에 도달하는 빛의 양을 조절하는 것도 근육이다. 이 근육 역시 제 기능을 하려면 반드시 적절한 양의 산소가 필요하다. 눈의 기능에 관여하는 근육은 미세한 조정능력을 발휘해야 하는데, 산소가 부족하면 그 기능을 상실한다. 즉 수정체나 동공, 홍채를 조절하는 데 문제가 생기고, 빛의 수준이나 초점의 변화에 빠르고 유연하게 대처할 수 없게 되는 것이다. 눈이 너무 부시거나 너무 침침하면 두통은 더욱 악화된다. 두통은 정말이지 끔찍한 것이다.

따라서 두통을 치료하기 위해서는 명백한 증상에서 출발해야 한다. 바로 산소의 흐름을 회복하는 것이다. 다음의 네 가지 운동은 산소의 흐름을 회복하기 위한 것이다.

산소 펌프

뇌는 산소흐름의 미세한 변동에도 지극히 민감하다. 어느 순간 어느 정도의 산소가 뇌에 도달하느냐에 따라 기분이 변하고, 느낌(편안함, 불안함, 공포 등)이 달라진다. 우리는 산소에 둘러싸여 살고 있지만, 그것이 우리 폐 속에 들어와 온 몸에 퍼지기까지는 복잡한 과정을 거쳐야 한다. 일단 몸속에 들어온 산소는 생체역학적 작용과 근골격계의 움직임에 의해 몸 전체에 골고루 퍼지게 된다.

- 총 10분
- 하루에 1번, 아침에 실시
- 기간 : 48시간 동안 통증이 완화될 때까지 매일 이 운동을 하고, 통증이 완전히 사라진 후에는 13장의 종합 컨디션 조절 운동을 한다.

◆ 늘이고 고정하기

4장에 나와 있는 '늘이고 고정하기' 동작설명을 따른다(86쪽). 이 자세를 1분간 유지하고, 2번 반복한다. 이 운동은 앞으로 구부정하게 고정된 어깨선과

어깨 관절을 풀어주어 목이 뒤로 이동하며 늘어날 수 있게 해준다.

◆ 등 고정하기

5장에 나와 있는 '등 고정하기' 동작설명을 따른다(105쪽). 이 자세를 5분간 유지한다. 횡격막을 움직여 호흡해라. 흉배부가 구부러지면 횡격막이 움직일 공간이 좁아진다. 이 운동은 호흡을 위한 공간을 마련하기 위한 것이다.

◆ 공중에 앉기

4장에 나와 있는 '공중에 앉기' 동작설명을 따른다(87쪽). 이 자세를 1분간 유지하고, 2번 반복한다. 이 운동은 발목과 무릎의 힘을 이용해서 머리와 목과 어깨와 엉덩이가 수직으로 정렬된 채로 기능할 수 있도록 만들어준다.

◆ 쪼그려 앉기

8장에 나와 있는 '쪼그려 앉기' 동작설명을 따른다(185쪽). 이 자세를 1분간 유지한다. 이 운동은 머리와 목과 어깨와 엉덩이가 일직선상에 놓인 상태에서 그것들이 몸무게를 동등하게 지탱하고 근육을 적절하게 사용할 수 있게 해준다. 자세가 바로잡히면 유연하게 움직일 수 있다.

균형이 흐트러지고
땅이 흔들리는 것
같을 때

두통과 마찬가지로, 균형이 흐트러지고 어지럼증이나 현기증이 생겼을 때 이를 치료하는 것 역시 명백한 가능성에서 시작하는 게 효과적이다. 다시 한 번 강조하지만, 머리 자세는 건강한지에 대한 중요한 정보를 제공한다. 머리가 앞이나 아래, 옆으로 기울었을 때 분명히 일어날 만한 일은 무엇일까? 바로 눈과 코와 귀의 위치가 바뀌는 것이다. 우리의 공간 지각력(spatial sense, 공간 속에서 사물의 위치를 파악하는 능력)에는 대부분 눈과 내이(inner ear)의 작동이 결정적인 역할을 한다. 우리 눈은 방향을 파악하기 위해 지평선이나 그 비슷한 것을 찾아 기준점으로 삼는다. 건물이나 언덕 때문에 들쑥날쑥한 지형선보다는 지평선이 더 유용하기 때문이다. 자기가 서 있는 위치를 바꿔도 지평선은 변함없이 남아 있다. 그래서 뇌가 적절한 근육에 신호를 보내서 몸을 곧게 세우고 움직이게 할 수 있는 것이다.

우리는 지평선을 기준으로 위와 아래, 오른쪽과 왼쪽, 앞과 뒤가 어디인지를 파악한다. 이때 내이에 위치한 3개의 반고리관 (semicircular canals)이 마치 목수의 작업대처럼 서로 직각을 이루며 위치해서 함께 기능하며 기준점(지평선)을 고정적으로 인식할 수 있게 한다. 반고리관은 평형모래막(otolithic membrane)이라 불리는 젤라틴 물질에 있는 미세한 털 모양의 감각세포를 사용해서 위치와 공간을 지각한다. 그러니까 우리가 이동하거나 머리를 움직일 때마다 서로 직각을 이룬 반고리관 안의 털감각세포가 미세한 압력의 차이를 통해 삼차원의 동작을 감지하는 것이다.

그러나 자세에 문제가 있거나 머리가 수평을 유지할 수 없을 때에는 내이의 반고리관이 제대로 기능할 수 없다. 만일 머리가 앞으로 쑥 나와 있다면, 반고리관은 몸이 아래로 내려가고 있다고 가정해버린다. 털감각세포가 느끼는 압력이 그렇다고 알려주기 때문이다. 마찬가지로 몸이 몸무게를 양쪽에 고르게 분배하는 능력을 잃어버리면, 반고리관은 몸이 끊임없이 좌우로 기울고 있다고 판단한다.

그런데 눈은 실제로 보는 게 있기 때문에 지평선을 확인한 후 내이가 뇌로 보내는 신호를 무시해버린다. 이 경우 눈이 최고 결정권자가 되고 내이의 기능을 떠맡는다. 평평한 바닥 위에 직선으로 그어진 선을 따라 걸으면서 머리를 왼쪽으로 기울여보라. 생각보다 쉽지 않을 것이다. '지금 왼쪽으로 기울어진 가파른 비탈길을 가로지르는 중'이라는 신호를 내이가 뇌에게 보내기 때문이다. 하지만 이렇게 걸는 게 아주 불가능한 것은 아니다. 쉽진 않지만 할 순 있다. 눈이 내이와의 싸움에서 이기기 때문이다.

 ## 머리 위치 체크하기

똑바로 선 채 눈을 감는다. 몸이 흔들리는 느낌이 올 때까지 그 상태를 유지한다. 몸이 흔들리기까지 얼마나 걸리는가? 10~20초 만에 눈을 뜨는 사람도 있다. 눈을 뜨지 않으면 넘어지고 말 것이다. 눈을 뜨는 순간, 눈이 내이의 균형기능을 덮고 통제권을 발휘한다. 머리가 제 위치에 없고 눈을 감은 상태에서는 내이가 균형의 통제권을 넘겨받기 때문에 몸이 휘청거릴 것이다.

현기증을 느끼거나 자꾸 넘어진다면, 젊건 늙건 상관없이 건강이 좋지 않다는 신호라고 생각하면 된다. 길이 미끄럽거나 장애물에 걸려서 넘어진 것은 어쩔 수 없다 하더라도, 종종 당황해서 비틀거리는 것은 실상 똑바로 서 있는 능력에 문제가 생겼기 때문일 경우가 많다. 균형을 잡으려면 눈과 내이가 협동을 해서 정보를 원활하게 교환하고 뇌에 정확한 신호를 보내야 한다. 뇌로 보내는 눈과 내이의 신호가 서로 다르다면, 우리의 공간 지각력은 현저히 떨어지고 이것은 또 다시 통증의 원인이 된다.

그중에서도 최악의 증상은 바로 현기증이다. 눈의 힘이 강하다고 해서 전능하다고까지 볼 순 없다. 비록 눈이 그 메시지를 무시하더라도 내이는 끊임없이 머리의 자세에 관한 정보를 뇌로 보낸다. 눈이 계속 자기 메시지를 무시하면, 내이는 위기가 닥쳤다고 판단해서 점점 더 강한 신호를 보내 뇌의 주의를 끌려고 한다. 그러다 어느 지점에 이르면 뇌는 더 이상 내이의 긴급 메시지를 무시하면 안 되겠다고 판단하고, 심하게 다치기 전에 몸을 고정한다. 우리가 일어나려고 할 때 뜻과는 달리 휘청 하고 넘어지는 것이다. 이때 내이는 '아무데도 가면 안 돼!'라는 메시지를 보낸다.

앉아 있다가 갑자기 일어설 때 현기증을 느꼈다고 해서 질병에 걸렸다는 의미는 아니다. 정상기능을 갖춘 사람이라면 내이의 반고리관 안에 있는 털감각세포가 머리의 움직임을 정확히 읽어낼 수 있다. 그러나 머리가 제자리에서 벗어난 상태로 고정되면, 털감각세포는 머리가 계속 수평을 유지하지 못하는 상태에 있다고 판단하고 가장 강한 경고성 신호를 뇌에 보내는 것이다.

며칠 전, 미국 사람이라면 누구나 아는 저명한 경영인 중 한 명이 우리 클리닉에 찾아왔다. 그는 현기증이 너무 심해서 자기가 뇌종양에 걸렸다고 확신하고 있었다. 클리닉에 오기 전 몇 주 동안 병원에서 심리검사나 치아 관련 검사 등을 모두 거쳤지만 아무런 징후를 찾을 수 없었다고 했다.

그는 나를 보자마자 이렇게 물었다. "얼마나 걸릴까요?"

뇌종양에 걸렸든 그렇지 않든 그는 여전히 바빴던 것이다.

"글쎄요, 1시간 정도?"

그는 깜짝 놀란 표정으로 되물었다. "1시간이라고요? 지금껏 이것 때문에 치료 받은 시간만 합해도 족히 수백 시간은 될 텐데요?"

"1시간입니다."

결국 내가 틀리기는 했다. 진료하는 데는 총 1시간 반이 걸렸다. 그 시간 동안 우리는 그의 머리가 제자리에 오도록 자세를 바로잡아주었고, 그의 현기증은 말끔하게 없어졌다.

물론 현기증이 아주 심하면 뇌종양이나 중이염을 의심해볼 만 하다. 하지만 우리는 대부분 증상에 대한 진단을 질병으로 몰아가는 경향이 있기 때문에 분명하고도 가장 치료가 쉬운 상태를 너무 자주 놓친다.

다음에 소개하는 네 가지 운동은 자세와 관련한 현기증을 완화하는 데 효과적이다. 다만 반드시 명심해야 할 것은, 이 운동이 응급치료를 위한 수단에 불과하다는 것이다. 13장의 종합 컨디션 조절 프로그램으로 전체적인 근골격계 기능을 회복하는 게 무엇보다 중요하다.

- 총 20분
- 하루에 1번, 아침에 실시
- 기간 : 48시간 동안 통증이 완화될 때까지 매일 이 운동을 하고, 통증이 완전히 사라진 후에는 13장의 종합 컨디션 조절 운동을 한다.

◆ 중력 이용하기

9장에 나와 있는 '중력 이용하기' 동작설명을 따른다(212쪽). 이 자세를 3분간 유지한다. 하중 축받이 관절이 수직으로 배열되는 것을 느낄 수 있을 것이다.

◆ 벽에 기대기

5장에 나와 있는 '벽에 기대기' 동작설명을 따른다(105쪽). 이 자세를 3~5분간 유지한다. 이 운동은 엉덩이를 중립자세에 놓고, 허리를 높이고 낮추면서 몸이 잊고 있던 기능을 다시 사용하도록 일깨운다.

◆ 바닥에 앉기

6장에 나와 있는 '바닥에 앉기' 동작설명을 따른다(134쪽). 이 자세를 3~5분간 유지한다. 이 운동은 엉덩이와 어깨에 몸무게를 실어 제 위치에서 기능할 수 있게 한다.

◆ 등 고정하기

5장에 나와 있는 '등 고정하기' 동작설명을 따른다(105쪽). 이 자세를 5분간 유지한다. 이 운동은 머리와 목과

271

어깨가 엉덩이 위치와 상관없이 중립 위치에 올 수 있게 한다.

클리닉을 찾는 환자들은 주로 특정한 한 가지 증상 때문에 겪는 고통을 호소하지만, 치료하는 과정에서 그동안 몰랐던 다른 문제들을 알게 되기도 한다. 예를 들어 두통 때문에 온 환자는 평소에 자주 미끄러지거나 넘어지곤 했는데, 그것을 단지 부주의 때문이라고 여겼다. 그런데 두통이 완화되자 버스에 오르다 미끄러지고, 발이 꼬여 허둥대는 일도 함께 사라졌다.

이명(귀울림)은 두통이나 자주 넘어지는 것, 자세에서 비롯한 현기증을 수반하기 쉽다. 이명 역시 머리 위치를 바로잡는 것으로 해결할 수 있다. 현기증과 마찬가지로, 소리가 울리는 것은 내이가 머리 위치가 이상하다고 끊임없이 뇌에 경고신호를 보내기 때문이다. 이명 때문에 고통스럽다면, 바로 앞에서 소개한 운동(자세가 잘못돼서 생긴 현기증을 치료)을 해봐라.

턱에
통증이 있을 때

이번 장에서 마지막으로 논의할 것은 턱관절 통증(TMJ : tem-poromandibular joint dysfunction)이다. 턱관절 통증이 심한 사람은 말을 하거나 음식물을 씹을 때조차 엄청난 통증을 느낀다. 최악의 경우, 아예 입을 벌리지 못하는 사람도 있다. 턱관절 통증 초기증상은 입을 벌릴 때 관절이 튀거나 흔들리는 것처럼 느끼는 것이다.

여기서도 머리 위치가 핵심요소다. 머리가 앞으로 쏠린 채로 고정되었기 때문에, 상체 윗부분과 목은 머리를 지탱하기 위해 주로 턱을 열고 닫는 근육으로 보충한다. 턱관절 통증은 육식동물의 턱 근육이 턱뼈를 못 쓰게 만들기 때문에 생긴다는 설이 있다. 그러나 우리 턱 근육은 물어뜯거나 부수는 기능을 이미 오래 전에 잃어버렸고, 대신 턱, 특히 턱 끝부분은 말하는 데 적합하게 되었다. 그런데 그 근육이 머리가 아래로 떨어지는 것을 막기 위해 쓰이게 되면 잔뜩 굽혀진 채로 머무르고, 원래 기능이었던 턱을 유연하게 움직이는 일을 제대로 할 수 없다. 당연히 입을 벌리는 게 점점 더 어려워진다. 팽팽하게 당겨지고 지나치게 강해 보이는 턱 근육은 사실 약한데다 기능장애까지 가졌다고 볼 수 있다. 이런 근육이 할 수 있는 일이라곤 아래턱을 벌리거나 머리를 앞으로 기울게 하는 것뿐이다.

다음은 턱관절 통증을 완화하기 위한 여덟 가지 운동으로, 다른 것보다 다소 길고 더 많은 근육을 다룬다. 순서대로 따라해봐라.

- 총 15분
- 하루에 1번, 아침에 실시
- 기간 : 48시간 동안 통증이 완화될 때까지 매일 이 운동을 하고, 통증이 완전히 사라진 후에는 13장의 종합 컨디션 조절 운동을 한다.

◆ 무릎 사이에 베개 끼고 앉기

6장에 나와 있는 '무릎 사이에 베개 끼고 앉기' 동작설명을 따른다(133쪽). 20번씩 3회 반복하는데, 1회 끝날 때마다 잠시 멈춘다. 이 운동은 엉덩이의 모음근과 벌림근을 강화해준다.

◆ 앉아서 뒤꿈치 들어올리기

6장에 나와 있는 '앉아서 뒤꿈치 들어올리기' 동작설명을 따른다(129쪽). 15번씩 3회 반복한다. 이 운동은 다리의 폄근을 사용하도록 한다.

◆ 서서 엉덩이 근육 조이기

6장에 나와 있는 '서서 엉덩이 근육 수축하기' 동작설명을 따른다(129쪽). 15번씩 3회 반복한다. 이 운동은 엉덩이 근

육이 다리를 유연하게 한다는 것을 일깨운다.

◆ 늘이고 고정하기

4장에 나와 있는 '늘이고 고정
하기' 동작설명을 따른다(86
쪽). 이 자세를 1분간 유지하
고, 2번 반복한다. 이 운동은
딱딱하게 굳은 어깨와 목을 풀어준다.

◆ 수건 대고 벽에 기대기

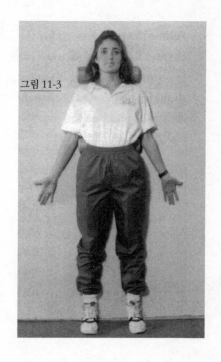

그림 11-3

수건 두 장을 각각 7~8
㎝ 두께가 되도록 접고 한 장
은 목 뒤에, 나머지 한 장은
등 뒤에 댄다. 발을 어깨너비
로 벌리고, 수건을 댄 채로 벽
에 등을 대고 선다. 이 자세를
3분간 유지한다. 이때 수건은
잘못된 머리 자세 때문에 없
어진 수직 버팀대의 역할을
대신해준다.

◆ 무릎 사이에 베개 끼고 앉기

이 메뉴의 맨 처음 동작을 반복해서
슬슬 부적절한 위치로 돌아가기 시작하
는 모음근과 벌림근을 다시 강화한다.
이 운동을 20번 반복한다.

◆ 앉아서 어깨뼈 조이기

9장에 나와 있는 '앉아서 어깨뼈 조
이기' 동작설명을 따른다(207쪽). 10번
반복한다. 이 운동은 어깨 죽지를 풀어주
고 어깨 근육의 기능을 회복시켜준다.

◆ 공중에 앉기

4장에 나와 있는 '공중에 앉기' 동
작설명을 따른다(87쪽). 이 자세를 2분
간 유지하고, 3번 반복한다. 이 운동은
등 쪽에 위치한 퍼즐조각을 한데 모으는
역할을 한다.

우리 몸 엘리베이터의 맨 꼭대기 층 안내를 마치기 전, 한 가지 당부하고 싶다. 발끝에서 머리끝까지 올라가면서 당신이 어디에 서 있는지, 그리고 어떻게 서 있는지 정확하게 봐라.

12.

스포츠 부상과 성과 :

부상 무서워서

운동 못하랴

올바르지 못한 자세로 운동을 하면 고통의 대가를 치러야 하지만, 그 럴 만한 가치는 있다. 통증을 참으면서까지 운동하라는 것은 아니다. 하지만 좋아하는 운동이나 신체활동을 꾸준히 하면서 통증을 일으키 는 원인을 고치려고 하는 게 아예 자기를 방치하는 것보다 훨씬 낫다 는 말이다. 이번 장의 목적은 통증 없이 운동을 즐길 수 있도록 돕는 것이다.

프로든 아마추어든, 아니면 기껏해야 주말에만 근처에 있는 공원에서 운동을 하든 동네를 산책하든, 운동을 하면서 어떤 통증을 느끼면 '좀 쉬엄쉬엄 살살' 하라는 신호로 받아들이기 쉽다. 이것은 마치 사막에서 길을 잃고 심한 갈증으로 죽어가는 사람에게 물을 덜 마시라고 충고하는 것과 같다. 안 그래도 운동이 부족한데 '절제'하라고 하면, 몸의 움직임은 거의 제로에 가깝게 줄어들 거라는 말이다. 건강을 유지하기 위해 근골격계를 움직여야 하는 양의 30%도 채 안 움직이는 사람들에게 추가로 운동을 5~10% 정도 줄이라는 것은 사형선고나 다름없다.

2~3세대 전에 비해 우리 세대는 65~70% 정도 덜 움직이는 것 같다. 물론 정확한 수치라고는 장담할 수 없다. 하지만 두 가지 현대 문명의 이기, 자동차와 텔레비전 덕분에 우리 세대 사람들의 움직임이 현저히 줄었다는 것은 의심의 여지가 없을 것이다.

오늘날 생활방식이 움직일 기회를 충분히 제공하지 않는다면, 이런 문제를 해결할 다른 방법을 찾아야 한다. 그래서 등장한 게 운동과 여가활동이다. 사람들은 재미와 건강을 위해 일부러 운동을 하지만, 생각과는 다른 결과가 나오기도 한다.

골프가 우리 몸을
망가뜨린다?

언제부턴가 골프가 대유행이다. 그 이유는, 첫째 육체적 활동이 필요하다는 것을 사람들이 본능적으로 인식하기 때문이고, 둘째 골프가 다른 운동에 비해 덜 힘들기 때문이다. 그런데 이 가운데 타당한 것은 첫 번째뿐이다. 사실 골프는 꽤 힘든 운동이다.

골프에 대한 인식 역시 상당 부분 왜곡돼 있다. 하얀색 신발, 깔끔한 복장, 고급스런 컨트리클럽의 분위기…. 마치 늘 앉아서 생활하는 사람들, 몸에 균형이 잡히지 않은 사람들, 다른 활동으로 부상을 입은 후 회복을 꾀하는 사람들에게 적합한 운동으로 비춰지는 것이다. 그러나 골프를 치기 위해서는 힘과 근육과 균형이 조화를 이루어야 한다. 이런 조건이 제대로 갖춰지지 않은 상태에선 골프를 잘 치기는커녕 부상입기 딱 좋다.

약 30~40년 전에는 아무리 저명한 골프 잡지나 책을 봐도 골프를 칠 때 부상을 피하는 방법 같은 건 가볍게 몇 가지 사례만 언급하고 지나갔다. 그런데 오늘날엔 어떤 매체를 보더라도 부상에 관한 이야기가 빠지지 않는다. 건강에 대한 관심이 늘고, 골프가 대중화되었다는 것으로 그 이유를 설명할 수 있겠지만, 그게 전부는 아니다. 더욱 정확하게는 통증을 겪는 사람들이 예전보다 분명 많아졌고, 그 주범으로 골프를 지목하고 있기 때문이다. 골프를 치면 등을 다친다는 것은 너무 널리 알려져서 그런 고통을 한 번도 당해본 적이 없는 골프광조차 그것을 사실로 믿고 있다. 타이거 우즈가 프로 투어를 시작할 무렵, 나는 수많은 기자들에게서 전화를 받았다. 그들은 하나같이 이 젊은 슈퍼스타가 언제쯤 등을 다칠 것 같은지를 물었다. 그는 언제나 힘차게 클럽을 휘둘렀으니 기자들이 그런 질문을 할 만도 했다. 그래, 어쩌면 타이거 우즈 역시 언젠가는 등이나 어깨에 부상을 입고 은퇴해야 할 날이 올지 모른다. 그러면 그 부상의 원인은 당연히 골프라고들 할 것이다. 정작 골프는 부상을 일으키는 원인이 아니라 부상이 일어나는 그 장면을 제공하는 것뿐인데도 말이다.

타이거 우즈는 골프를 쳐서 건강해진 게 아니라 일상생활을 통해 건강해진 것이다. 다른 운동선수들처럼 말이다. 물론 다른 아이들이 집에서 TV 앞에 앉아 있을 때 그는 골프장에 있긴 했지만, 그렇다고 그가 보통사람들과 아주 다른 삶을 산 것은 아니다. 그 역시 꽤 많은 시간을 TV를 보며 지냈고 자동차로 이동했으며 하루 반나절을 교실에 앉아 있었다. 그리고 또래들과 마찬가지로 일상생활에서는 균형 있고 완전한 움직임이 부족했다. 그가 골프를 치기 시작하고 나서 기초를 다지기 위해 끊임없이 반복했던 동작도 그동안 중립 자세에서 벗어나버린 근골격계 기능을 제 위치로 되돌리지 못했다.

타이거 우즈의 오른쪽 어깨는 왼쪽 어깨에 비해 앞으로 나와 있고 높이도 조금 낮다. 이것은 보완과 임기응변의 증거라고 볼 수 있다. 그는 오른쪽 근육과 관절을 강하게 해서 드라이브샷을 멀리 날릴 수 있게 했지만, 왼쪽은 그렇게 하지 못했다. 이에 대한 즉각적인 결과는 뛰어난 운동성과로 나타난다. 일단 골프코스를 벗어나면 잘 훈련된 근육들은 그가 초록색 마스터 재킷을 벗고, 신발 끈을 묶고, 사인을 하는 등 일상적인 일을 수행하는 것을 돕는다. 그러는 동안에도 몸의 왼쪽 근육과 관절들은 움직임에 참여하지 않는다. 일상생활에서는 왼쪽 근육과 관절들을 자극할 만한 게 없는 것이다. 만일 그가 이런 지속적인 불균형 상태를 보충할 수 있는 적당한 활동이나 움직임을 적극적으로 찾아내지 못한다면, 언젠가 반드시 통증에 시달릴 것이다. 그러나 그렇다고 하더라도 통증의 원인은 골프를 치는 게 아니라 지속적인 불균형 상태다.

슈퍼스타의 앞날에는
무엇이 기다리고 있는가

　　이러한 관점에서 보면 타이거 우즈 역시 주말에만 운동을 즐기는 아마추어와 크게 다를 바 없다. 거의 대부분의 골퍼들이 이런 기능장애를 안은 채 운동하고 있다. 특히 다른 '위험한' 운동을 피하려고 골프를 치는 사람들의 경우엔 더더욱 그렇다. 그들은 특별히 골프를 치지 않았어도 통증을 겪었을 것이다. 많은 경우, 운동은 통증이 나타나는 때를 몇 주, 몇 달, 심지어 몇 년씩 늦춘다. 그런데도 운동은 통증의 원인이라는 누명을 쓰고 있는 게 현실이다.

　　하지만 이처럼 움직임이 거의 없는 환경에서 어떻게든 움직이는 것은 아예 움직이지 않는 것보다 훨씬 낫다. 몸을 움직이면 근골격계가 지속적으로 자극을 받고(그렇지 않을 경우 쇠약해진다), 신진대사와 순환계도 조절되는 등 다양한 이점이 있다. 육체적인 활동을 피하거나 줄이면 결국 점진적으로 신체적 장애에 이르게 되고 만다. 운동선수라 해도 은퇴를 하거나 강도 약한 운동을 하게 되면 운동으로 얻었던 이점들을 매우 빠르게 잃을 것이다.

충격의 중요성

　　관절은 무게를 감당하고 충격을 이겨내도록 설계돼 있다. 잠을 잘 때조차 중력은 근골격계를 짓누른다. 걷거나 뛰면 몸이 감당해야 할 무게도 많아지지만 그것은 그리 큰 문제가 아니다. 몸무게의 몇 배나 나가는 무게를 감당할 수 있을 만큼 우리 발의 관절들은 견고하기 때문이다. 8개의 하중 축받이 관절은 주요 움직임을 담당하는 근육(주동근)과, 움직이는 동안 안전장치 역할을 하는 근육(안정근)을 갖고 있다. 그러나 관절의 배치가 틀어져 불안정해지면 이런 메커니즘도 훼손된다. 그렇다 해도 무게의 부하와 충격이 발생하는 한 관절들은 여전히 그 자리에서 최선을 다한다.

'무게의 부하와 충격이 발생하는 한'이라는 경고는 매우 중요하다. 충격의 정도가 적은 운동만 하다보면 근골격계 기능이 저하되고 결국 전반적으로 약해지기 때문이다. 최근 러닝머신과 자전거, 스키가 결합된 운동기구에 관한 광고를 보았다. 그 기구는 운동하는 사람을 정교한 프레임과 핸들로 지지해서 공중에 떠올려 고정하도록 되어 있었다. 광고는 '발이 땅에 닿지 않아요'라고 떠들어댔는데, 모든 충격을 제거한다는 아이디어에 기초한 것이었다. 이런 선전에 속아선 안 된다. 충격이 없다는 말은 안정근의 움직임을 완전히 배제한다는 것으로, 불안정한 상태의 관절을 운동하게 하는 위험이 있다. 마치 관 속에 누워 있는 것처럼 충격이 거의 없는 환경에서나 적합할 정도로 불안정한 관절상태를 만든 후 실제 세계로 돌려보내 걷고 뛰게 만드는 것이다.

골프나 테니스의 예를 들어보자. 이 두 가지 운동을 보면, 최근에는 선수보다 운동장비가 경기의 승패를 좌우한다. 골프 클럽과 테니스 라켓을 만드는 기술이 좋아진 덕에 선수들은 10년 전보다 더 세고 정확하게 공을 칠 수 있게 되었다. 속도나 거리, 정확도의 개선은 선수의 능력과는 관계가 없다. 그리고 부상과는 더더욱 관계가 없다. 반면 그렇게 훌륭한 장비는 선수들이 힘을 덜 들이고도 더 큰 성과를 올릴 수 있게 해준다. 새로운 클럽이나 라켓이 없다면 통증의 징후는 더욱 빨리 나타날 것이다. 이 두 운동에서 부상이 늘어가는 것은 순전히 모든 사람에게 나타나고 있는 근골격계 기능장애 때문이라고 할 수 있다. 이것은 누구에게나 발생할 수밖에 없는 부상이고, 마찬가지로 골프선수나 테니스 선수에게도 나타나는 것뿐이다.

운동으로 인한 만성통증

그동안 사람들은 개인적인 관심이나 재능에 따라 어떤 운동을 할지 선택했다. 그러나 최근에는 잘못된 자세에서도(본인은 깨닫지 못하지만) 손쉽게 할 수 있는 운동을 선택하는 사람들이 늘고 있다. 그러나 이것은 운동으로 극복하려했던 만성통증을 강화하는 결과만 낳을 뿐이다.

운동은 중요하다

이제 인기 있는 운동 몇 가지를 구체적으로 다뤄보려고 한다. 문제가 되는 부분을 훑어보고, 운동중이나 운동 후에 생기는 통증을 해결하기 위한 에고스큐 운동법을 소개할 것이다. 통증이 느껴지면 운동 전후에 적절한 운동을 해라. 이 운동의 목적은 운동을 하기 전에 관절들을 중립적인 위치로 이동시키고, 운동이 끝난 후에는 제 위치에서 벗어난 관절들을 다시 제자리로 돌려놓는 데 있다.

▌골프

개인적으로 골프장을 찾는 것은 꽤 고통스럽다. 수많은 골퍼들이 딱딱하게 굳은 어깨와 목과 머리에 있는 대로 힘껏 힘을 주면서 티샷을 날리는 걸 보고 있자면 마음이 너무 아프기 때문이다. 그들은 대개 무릎이나 등, 팔꿈치, 어깨 통증을 호소한다. 다음에 이어지는 에고스큐 운동법을 통해 이런 증상들을 완화할 수 있을 것이다.

◆ 팔 돌리기

그림 12-1a

두 발을 어깨너비로 벌리고 똑바로 서서 시선을 정면에 둔다. 손바닥을 편 상태에서 엄지손가락을 제외한 나머지 손가락 마디를 구부려 골프채 쥔 모양을 한다. 양팔을 들어올리되 팔꿈치는 똑바로 펴고 손바닥을 아래로 향해 엄지가 정면을 가리키도록 한다. 팔은 어깨와 수평을 이룬 채 쭉 뻗어야 한다. 한쪽 어깨가 앞으로 나오거나 위로 올라가지 않도록 주의한다.

어깨뼈를 살짝 안쪽으로 당긴다는 느낌으로 앞쪽을 향해 지름이 약 15㎝ 되는 원을 그리며 팔을 돌린다. 이 운동을 25번 반복한다.

그림 12-1b

그 다음엔 손바닥을 위로 향하게 해서 엄지손가락이 뒤쪽을 가리키게 하고 반대 방향으로 원을 25번 그린다. 이 운동은 볼－소켓 운동에 관여하는 등 위쪽의 근육을 강화시켜준다.

◆ 팔꿈치 모으기

손바닥을 펴고 엄지손가락을 제외한 손가락마디를 구부린다('팔 돌리기' 동작에서 손 모양 참조). 손바닥이 정면을 향하도록 해서 둘째 손가락과 셋째손가락 첫 번째 마디와 두 번째 마디 사이의 평평한 부분을 귀 앞쪽 관자놀이에 편안하게 댄다. 엄지는 아래를 향해 뻗어 뺨과 수평을 이루게 한다. 이 자세가 기본이다.

그림 12-2a

그림 12-2b

팔꿈치를 서서히 앞으로 가져와 몸 앞에서 만나도록 한다. 손이 관자놀이에서 떨어지지 않게 한다. 머리를 똑바로 든 상태에서 엄지손가락은 곧게 편다. 이 자세를 유지한다. 머리가 앞으로 숙여지면 벽에 기대어 위치를 고정하고 속도를 늦추며 숨을 깊게 들이마셨다 내쉰다. 이것을 25번 반복한다. 이 운동은 어깨가 경첩기능을 한다는 것을 떠올리게 한다.

◆ 서서 머리 위로 팔 펴기

그림 12-3

발을 어깨너비로 벌리고 똑바로 선다. 양손을 깍지 껴서 손바닥이 천장을 향하도록 머리 위로 쭉 뻗어준다. 시선은 손등에 둔다. 양팔, 어깨, 몸이 일직선상에 놓이도록 유의하면서 1분간 유지한다. 이 동작은 8개의 하중 축받이 관절이 모두 제 위치에 가도록 하며 목 운동 효과도 있다.

◆ 바닥에서 상부 척추 비틀기

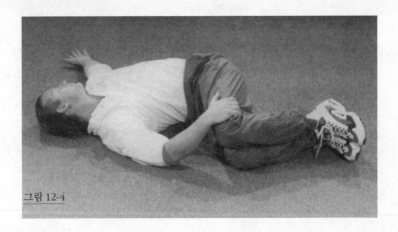

그림 12-4

상체와 직각을 이루도록 무릎을 굽힌 상태에서 옆으로 눕는다. 굽힌 무릎과 수평을 이루도록 양팔을 포개어 앞으로 쭉 뻗는다. 위에 위치한 팔을 천천히 들어올려 반대편(누운 상태에서 뒤쪽)으로 보내어 그대로 손바닥이 천장을 향하도록 바닥에 내려놓는다. 시선은 천장을 향한다.

필요한 경우, 긴장을 풀고 숨을 깊게 쉬면서 뒤로 보낸 팔의 위치를 조절하여 어깨가 편안하게 놓일 수 있게 한다. 어깨부터 손가락에 이르기까지 팔 전체가 중력에 의해 바닥에 완전히 닿아야 한다.

도중에 무릎이 바닥에서 떨어지지 않도록 주의한다. 사진 속 모델처럼 다른 손을 이용해서 다리를 지탱해도 된다. 양 어깨의 균형이 맞았다고 느껴진다면(적어도 몇 분이 걸릴 것이고, 여러 번 시도해봐야 완벽한 자세가 나올 수 있다) 숨을 내쉬면서 뻗었던 팔을 처음의 자세로 거둬들인다. 반대 방향으로 눕고 이 운동을 반복한다. 이 운동은 양 어깨와 팔의 균형을 맞춰준다.

◆ 고양이와 개

그림 12-5a

손과 무릎으로 바닥을 짚고 엎드린다. 무릎과 엉덩이, 손목과 어깨가 같은 수직선상에 위치했는지 확인한다. 무릎에서 발에 이르는 부분 역시 양쪽이 서로 평행해야 한다. 몸무게가 골고루 분산되도록 하기 위해서다.

부드럽게 등을 위로 들어올리고, 고개는 아래쪽을 향해 엉덩이에서 목에 이르는 선이 자연스럽게 둥근 곡선을 그리게 한다. 마치 고양이가 등을 활처럼 구부린 형태와 같다.

그림 12-5b

다시 머리를 천천히 들어올리면서 등 부분을 아래쪽으로 휘어준다. 이것은 마치 활기찬 개의 자세와 같다. 이 두 운동을 연결하여 10번 반복한다. 이 운동은 엉덩이, 척추, 어깨, 목이 조화롭게 늘어났다 줄었다 할 수 있게 해준다.

▮테 니 스 , 라 켓 볼 , 핸 드 볼

테니스, 라켓볼, 핸드볼은 주로 손목과 팔꿈치, 어깨에 무리가 가는 운동이라고 알려져 있지만 실제로는 그렇지 않다. 이런 운동을 할 때 힘이 더 드는 것은 다만 이미 기능장애를 가진 사람이 언제 어디서든 점진적으로 겪을 통증을 더 확실히 느끼는 것뿐이다. 여기서 소개하는 운동을 통해 손목, 팔꿈치, 어깨 통증의 원인을 찾아보도록 하자.

◆ 개구리

11장에 나와 있는 '개구리' 동작설명을 따른다(258쪽). 이 자세를 1분 동안 유지한다. 엉덩이가 중립 자세에서 균형을 맞추도록 할 수 있다.

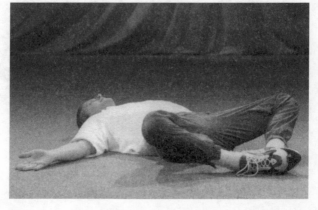

◆ 발 회전 발끝 굽히기

4장에 나와 있는 '발 회전 발끝 굽히기' 동작설명을 따른다(84쪽). 우선 '발 회전'을 각 발에 대해 20번씩, 총 40번을 반복하고 나서 '발끝 굽히기'를 각각 10번씩, 총 20번을 반복한다. 이 운동은 발과 발목과 종아리 근육을 자극해서 뒤꿈치에서 발바닥, 발가락으로 이어지는 걸음걸이를 잘 수행하게 해준다.

◆ 바닥에서 상부 척추 비틀기

이번 장 골프 부분에서 소개한 동작설명을 따른다(289쪽).

◆ 고양이와 개

이번 장 골프 부분에서 소개한 동작설명을 따른다(290쪽).

◆ 구부린 개

그림 12-6a

'고양이와 개' 자세를 취한다.

그림 12-6b

발가락을 구부리고 무릎을 땅에서 떨어뜨리면서 몸통 전체를 들어올려 손과 발로 몸무게를 지탱한다. 엉덩이가 어깨보다 높아지도록 계속 다리를 밀어서 몸과 바닥이 전체적으로 단단하고 안정적인 삼각형이 되도록 한다. 무릎은 곧게 펴고 종아리와 허벅지는 팽팽하게 유지되어야 한다. 등도 휘지 않고 평평하게 유지되도록 해서 엉덩이가 뒤꿈치로 힘을 보내도록 한다. 발이 바깥쪽을 향하지 않게 한다. 양발과 양손 모두 똑바로 앞쪽을 향하고 평행을 유지하며 움직이지 않도록 해라. 만일 뒤꿈치가 바닥에 평평하게 닿지 않으면, 무릎을 굽히지 않고 그대로 유지하면서 가능한 한 뒤꿈치와 바닥 사이의 공간을 줄이도록 노력한다. 단, 절대 무리해선 안 된다. 자세가 잡혔으면 그대로 1분간 버틴다. 뒤꿈치가 평평하게 바닥에 닿으려면 며칠 혹은 몇 주가 걸릴 수 있다. 이 운동은 손목에서 발에 이르는 연결을 회복시켜준다.

▌스 케 이 트 , 인 라 인 스 케 이 트

스포츠를 할 때는 대부분 몸의 균형이 아주 중요하다. 스케이트
역시 예외는 아니다. 스케이트를 탈 때는 한쪽 엉덩이에서 다른 쪽
엉덩이로 몸무게가 부드럽게 이동할 수 있어야 하는데, 움직임에 익
숙지 않은 요즘 사람들은 이런 기능을 원활하게 하지 못한다. 스케이
트를 타는 사람들은 보통 발목이나 무릎, 등, 어깨에 부상을 입기 쉬
운데, 이에 대해선 다음과 같은 운동을 추천한다.

◆ 서서 엉덩이 근육 조이기

6장에 나와 있는 '서서 엉덩이 근육 조이기' 동작설명을 따른다
(129쪽).

◆ 3중 발가락 들기

그림 12-7a

다리를 엉덩이너비로 벌리고 기둥 앞에 서서 양발에 몸무게가 고루 가게 한다. 그 상태에서 발끝을 각각 바깥쪽으로 45° 돌린다. 발가락으로 바닥을 딛고 천천히 몸 전체를 올렸다 내리기를 10번 반복한다. 이때 주의해야 할 사항은, 양발에 몸무게가 고루 가야 하고, 동작을 반복할 때 몸이 앞이나 옆으로 기울지 않아야 한다는 것이다. 몸이 기울지 않게 하기 위해 기둥의 수직선과 몸의 그림자가 평행을 이루는지 확인해라.

바깥쪽으로 돌렸던 발끝을 다시 똑바로 정면을 향하게 하여 평행으로 만든다. 처음 동작과 마찬가지로 양발에 몸무게가 고루 가고, 몸이 기울지 않도록 주의하며 발가락으로 바닥을 딛고 몸을 올렸다 내리기를 10번 반복한다.

이번에는 발끝을 안쪽으로 20° 돌린다. 양발에 몸무게가 고루 가고, 몸이 기울지 않도록 주의하며 발가락으로 바닥을 딛고 몸을 올렸다 내리기를 10번 반복한다.

그림 12-7b

그림 12-7c

그림 12-8

◆ 서서 넙다리네갈래근 펴기

똑바로 선 채 한쪽 다리를 뒤로
굽혀 발끝을 의자나 상자 위에 올
린다. 다리를 올리는 높이에 따라
넙다리네갈래근(quadri-ceps, 넓적
다리 앞쪽에 있는 강하고 큰 근육)을
펴는 정도가 달라진다. 엉덩이 양
끝점과 양 어깨 끝점을 이으면 평
행사변형이 되도록 자세를 잡는
다. 양 무릎도 같은 높이에 위치

한 상태에서 엉덩이를 아래로 밀면서 넙다리네갈래근이 팽팽하게 펴
지는 것을 느낀다. 균형을 잡는 데 필요하다면 뭔가를 손으로 잡아도
좋다. 이 자세를 1분간 유지한 다음 다리를 바꾸어 실시한다. 엉덩이
가 틀어지면 넙다리네갈래근의 기능이 저하되는데, 이 동작은 넙다리
네갈래근을 다시 자극하는 효과가 있다.

◆ 구부린 개

이번 장 테니스 부분의 '구부린 개' 동작설명을 따른다(293쪽).

인라인스케이트는 최근 각광 받는 운동이다. 현재 인라인스케이트를 타는 사람들 상당수가 예전에는 달리기나 자전거를 타던 사람들이었을 것이다. 인라인스케이트는 달리기보다 그 충격이 훨씬 약하고, 발목과 무릎과 엉덩이를 덜 움직이면서 더 많은 공간을 활용할 수 있다. 인라인스케이트를 타면 발목이 바깥쪽으로 꺾이기 쉽다. 마치 스케이트 날과 같은 모양을 발이 재현하듯 말이다. 이렇게 되면 균형을 잡기 위해 머리와 어깨가 앞으로 숙여진

다. 인라인스케이트 때문에 부상을 입는 경우가 늘고 있는데, 튀어나와 있어서 잘 부딪히는 손목과 무릎에 주로 발생한다. 일반적으로 인라인스케이트를 타는 사람들은 어깨, 등과 허리 사이, 무릎에 만성통증이 있다. 이런 통증도 방금 소개한 운동을 통해 완화시킬 수 있다.

▌스키, 크로스컨트리, 스노보드

스키 부츠는 스키 타는 사람의 엉덩이와 다리, 무릎, 발목을 편 상태로 유지하면서 한 쌍의 스키를 조정할 수 있게 한다. 문제는 스키 타는 사람들의 근골격계가 제 위치에서 벗어나 구부러져 있다는 것이다. 이런 상태에서 스키를 타면 하체 근육을 억지로 늘이기 때문에 관절에 엄청난 부담을 주고, 결국 만성통증을 불러일으킨다. 만성적인 무릎통증을 완화하기 위해선 다음의 운동을 해라.

◆ 무릎 사이에 베개 끼고 앉기

6장에 나와 있는 '무릎 사이에 베개 끼고 앉기' 동작설명을 따른다 (133쪽).

◆ 늘이고 고정하기

4장에 나와 있는 '늘이고 고정하기' 동작설명을 따르되 (86쪽), 상자 위에서 하지 말고 바닥에서 한다.

◆ 고양이와 개

이번 장의 골프 부분에서 소개한 동작설명을 따른다. (290쪽)

◆ 테이블 이용해서 뻗기

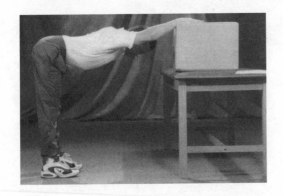

7장에 나와 있는 '테이블 이용해서 뻗기' 동작설명을 따른다(186쪽).

◆ 바닥에 놓인 상자

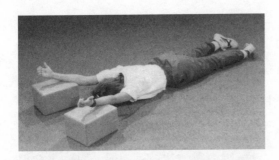

8장에 나와 있는 '바닥에 놓인 상자' 동작설명을 따른다.

(182쪽)

크로스컨트리를 하는 사람들은 앞서 설명한 것처럼 장비의 문제
가 있진 않지만, 많은 경우 엉덩이 위치가 비틀어지고 등이 굽은 채
로 무릎을 번갈아 사용하기 때문에 문제가 생긴다. 스노보드 역시 그
것을 타면서 중력이 추진력을 더해주는 동안 스키를 타고 크로스컨
트리를 할 때와 비슷한 기능장애 징후가 우리 몸에 점차 자라난다.
두 경우 모두 방금 소개한 운동 외에 스케이트를 위한 운동을 같이
하면 효과적이다.

▌조 깅 , 달 리 기 , 걷 기

달리기는 여러 운동 가운데서도 최근에 가장 심하게 비난 받고
있다. 특히 이전에 달리기를 즐기던 사람들이 목청을 높여가며 그 폐
해를 주장한다. 그들이 달리기를 반대하는 가장 큰 이유는 당연히 통
증 때문인데, 그 통증은 달릴 때 하중 축받이 관절에 미치는 충격 때
문에 생긴다. 하중 축받이 관절이 제 위치에 있지 않고 불안정하면,
한 발 한 발 내디딜 때마다 전해지는 충격을 감당할 수 있는 능력도
손상될 것이다. 좋은 신발과 무릎 보호대도 그다지 도움이 안 되고,
달리는 기술을 개선해도 별 소용이 없을 것이다. 다행히 다음에 소개
하는 운동이 통증을 완화시켜줄 것이다. 만일 당신이 달리기를 좋아

하고 앞으로 계속할 생각이라면, 13장의 종합 컨디션 조절 운동을 활
용해서 손상된 기능을 회복시키려고 노력해라.

◆ 구부린 개

이번 장 테니스 부분의 '구부린 개' 동작설명을 따른다(293쪽).

◆ 달리는 사람의 스트레칭

그림 12-9a

한쪽 무릎을 바닥에 대고 다른 쪽 무릎은 세운다. 바닥에 댄 무릎 바로 앞에 세운 다리의 뒤꿈치를 놓는다. 무릎과 뒤꿈치는 살짝 닿기만 하면 된다. 균형을 유지하기 위해 손은 가장 앞으로 나간 발 앞의 바닥을 짚거나 의자, 상자를 잡는다.

그림 12-9b

바닥에 댔던 무릎을 쭉 펴서 엉덩이를 들어올린다. 굽혔다 편 다리와 상체가 직각을 이루게 한다. 양쪽 발바닥이 모두 바닥에 평평히 닿고, 양 무릎이 모두 곧게 펴져야 한다. 몸이 전체적으로 휘지 않고 상체부터 다리까지 일직선으로 뻗도록 유의한다. 앞에 놓인 다리의 뒷부분이 팽팽하게 당겨지는 것을 느낄 것이다. 이 자세를 1분간 유지한다.

다시 처음 자세로 무릎을 꿇고 근육의 긴장을 풀어준 후에 다리를 바꿔서 반복한다. 이 운동을 통해 한쪽 골반이 수축하면 반대쪽은 확장된다는 것을 알 수 있다. 아마 처음에는 한쪽이 다른 쪽보다 더 잘 되는 것처럼 느낄 것이다.

◆ 다리 벌리고 앞으로 굽히기

그림 12-10a

다리를 넓게 벌리고 서서 발이 똑바로 앞을 향하게 한다. 허리를 굽혀 바로 앞바닥을 짚는다. 만일 이게 어렵다면 상자나 책을 쌓아두고 그 위를 짚는다. 허벅지는 팽팽하게 유지하고, 상체는 힘을 뺀다.

이 자세를 1분간 유지한다.

그림 12-10b

상체를 숙인 상태에서 양손을 오른발로 가져간다. 만일 보조도구를 사용하고 있다면 함께 옮겨라. 마찬가지로 허벅지는 팽팽하게 유지하고, 상체는 힘을 뺀다. 이 자세를 1분간 유지한다.

그림 12-10c

여전히 상체를 숙인 상태에서 양손을 가운데로 잠시 옮겼다가 이번에는 왼발로 가져간다. 역시 허벅지는 팽팽하게 유지하고, 상체는 힘을 뺀다. 이 자세를 1분간 유지한다. 이 운동은 엉덩이를 중립의 위치로 오게 해서 주동근이 다른 근육에게 방해 받지 않고 제 역할을 하도록 해준다.

한편 걷기(혹은 수영)는 달리기를 하던 사람들이 마지막으로 찾는 운동이다. 걷기는 효과적이면서 비교적 어렵지 않아 최근에 각광 받고 있다. 그것은 남녀노소 누구에게나 유익하지만, 관절이 제 위치에 있지 않은 사람이라면 (충격은 달리기보다는 덜하지만) 통증이 따를 것이다. 걷기를 가벼운 운동으로 생각하는 사람들에겐 놀라운 일일 테지만 말이다. 만일 당신이 걷기를 좋아하는데 관절에 통증을 느낀다면 달리기를 위한 운동을 활용해라.

▎자 전 거

자전거는 예전에 달리기를 했던 사람들의 피난처 같은 운동이다. 심지어 일부 전문가들은 달리기 대신 자전거를 타서 몸의 관절이 충격에서 회복될 수 있도록 해야 한다고 주장한다. 하지만 이미 관절이 중립 위치에서 벗어난 사람들은 자전거를 타봤자 통증의 발생시기를 늦추는 것 이상의 효과를 기대할 수 없다. 불안정한 관절은 휴식을 취해도 여전히 불안정한 상태에 있다. 자전거를 타는 게 달리기보다 충격이 덜 할 수 있지만, 제 위치에서 벗어난 관절은 수 km에 걸쳐 반복되는 행위 때문에 부담을 느낄 수밖에 없다. 이 경우, 대부분 앉아서 생활하는 사람들에게서 나타나는 근육 수축현상과 엉덩이 위치의 문제를 악화시킨다. 자전거 타기를 좋아하는 사람들은 자전거 안장에 앉아 있을 때 편안함을 느끼는데, 이것은 그들이 깨어 있는 시간 대부분을 앉아서 보내기 때문이다. 심지어 머리가 앞으로 향하고, 어깨가 아래로 처진 자세도 친숙하다. 자전거를 타면서 무릎, 엉덩이, 등, 어깨에 통증을 느낀다면 다음에 소개하는 운동을 해봐라.

◆ 늘이고 고정하기

4장에 나와 있는 '늘이고 고정하기' 동작설명을 따른다(86쪽).

◆ 구부린 개

이번 장 테니스 부분의 '구부린 개' 동작설명을 따른다(293쪽).

◆ 쪼그려 앉기

8장에 나와 있는 '쪼그려 앉기' 동작 설명을 따른다(185쪽).

▌수 영

수영은 충격이 거의 없다는 장점이 있다. 그래서 많은 사람들이 몸에 무리가 가지 않는다고 믿는다. 그러나 기능장애를 지닌 사람들이 수영을 할 경우 통증을 느낄 수 있다. 그런 사람들은 수영이 아니라 어떤 운동을 하든, 심지어 일상생활을 하면서도 통증을 느낄 것이다. 가히 '오늘날 사람들의 자세'라고 할 수 있는, 엉덩이와 상체가 앞으로 굽은 자세는 물속에 있다고 해서 사라지지 않는다. 이 경우 주로 목과 어깨, 등에 통증을 느낄 것이다. 만일 이런 문제로 고통을 겪고 있다면 다음 운동이 도울 것이다.

◆ 고양이와 개

이번 장 골프 부분의 '고양이와 개' 동작설명을 따른다(290쪽).

◆ 구부린 개

이번 장 테니스 부분의 '구부린 개' 동작설명을 따른다(293쪽).

◆ 다리 벌리고 앞으로 굽히기

이번 장 달리기 부분의 '다리 벌리고 앞으로 굽히기' 동작설명을 따른다(305쪽).

◆ 쪼그려 앉기

8장에 나와 있는 '쪼그려 앉기'
동작설명을 따른다(185쪽).

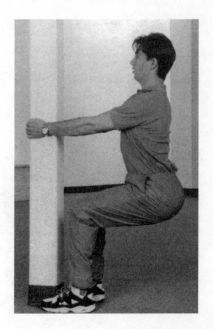

▌웨 이 트 트 레 이 닝

나는 웨이트 트레이닝을 좋아하지만, 헬스클럽에서는 항상 입을 꽉 다물고 있어야 한다는 걸 깨우쳤다. 웨이트 트레이닝을 하는 사람들은 자기 자신과의 싸움에 혼신의 힘을 다한다. 그들은 근골격의 위치를 비틀고 훼손하는 운동을 수백 시간에 걸쳐 열심히 하는 것이다. 그들이 가장 중점을 두고 단련하는 근육은, 첫째 가장 튼튼해서 시작하기 좋고, 둘째 가장 쉽사리 다룰 수 있는 부위일 경우가 대부분이다. 눈에 보이는 근육에는 많은 관심을 기울이지만, 그렇지 않은 근육은 상대적으로 소홀히 한다는 것이다. 하지만 안타깝게도 기능장애는 몸 안쪽에서 바깥쪽으로 진행된다. 즉, 뼈에서 뼈에 붙은 근육으로 문제가 생기고, 그것이 점차 바깥쪽으로 전해져서 마침내 가장 표면에 있는 근육에까지 여파를 미치는 것이다. 표면에 있는 근육은 불안정한 관절을 움직이게 하는 임시변통의 방법을 쓰기 때문에 끝까지 버틴다. 웨이트 트레이닝은 이런 능력을 기르는 것이다. 결과적으로 불안정한 관절이 강한 보상근의 힘을 받는다. 무슨 조치를 취하지 않으면 안 된다! 여기에서는 덤벨이나 역기로 웨이트 트레이닝을 하는 사람들에게 유용한 운동을 소개한다.

◆ 늘이고 고정하기

4장에 나와 있는 '늘이고 고정하기' 동작설명을 따른다(186쪽). 이 자세를 2분간 유지한다.

◆ 고양이와 개

이번 장 골프 부분의 '고양이와 개' 동작설명을 따른다(290쪽).
이 동작을 15번 반복한다.

◆ 구부린 개

이번 장 테니스 부분의 '구부린 개' 동작설명을 따른다(293쪽).
엉덩이를 들어올린 상태로 1분간 버틴다.

◆ 공중에 앉기

4장에 나와 있는 '공중에 앉기' 동작설명
을 따른다(187쪽). 이 자세를 2분간 유지
한다.

▌축 구

축구는 훌륭한 운동이다. 미식축구나 야구, 농구 같은 팀 스포츠
에 비해 체형에 구애받지 않기 때문에 많은 사람들이 축구를 즐긴다.
경기 내내 종횡무진 뛰어다녀야 하는 축구는 오늘날 사람들의 체형
에서 가장 튼튼한 엉덩이와 다리를 적극 활용한다. 반면에 상대적으
로 기능장애가 생기기 쉬운 약한 상체는 잘 사용하지 않는다. 사실
축구는 매우 격렬한 신체접촉이 일어나기 때문에 부상발생의 위험이
꽤 큰 편이다. 그리고 토요일 아침에 축구를 한다고 해서 일주일 동
안 부족했던 움직임이 보상되는 것은 아니다. 오히려 무릎과 등에 통
증이 생기기 십상이다. 축구 때문에 생긴 통증을 완화하기 위한 운동
을 알아보자.

◆ 늘이고 고정하기

4장에 나와 있는 '늘이고 고정하기' 동작설명을 따른다(86쪽).

이 자세를 2분간 유지한다.

◆ 배 근육 강화하기

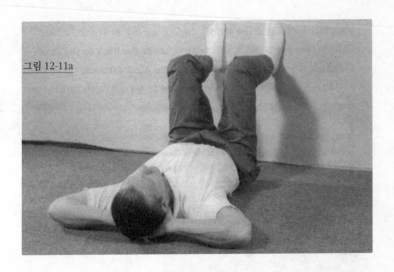

그림 12-11a

　　바닥에 등을 대고 누워 무릎을 직각으로 굽히고 발을 엉덩이너
비로 벌려서 벽에 댄다. 두 발은 똑바로 앞을 향하고 서로 평행을 이
루어야 한다. 손은 깍지를 껴서 머리 뒤로 넣고, 어깨를 굽히지 말고,
팔이 바닥과 수평을 이루도록 한다.

　　머리를 들어올리되 목에 힘을 주지 말고, 팔과 어깨와 목과 머리

를 동시에 사용해서 들어올린다. 머리를 들어올리는 동안 시선은 천장에 고정하는데, 고개를 젖히지 않고는 더 이상 천장을 볼 수 없는 지점에서 상체를 다시 바닥으로 내린다. 15번을 하고 나서 잠시 휴식을 취하고, 다시 반복한다. 15번씩 3세트를 한다. 이 운동은 엉덩이 근육이나 흉배부 근육보다는 배 근육만을 강화한다.

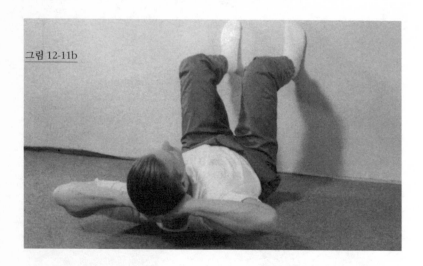

그림 12-11b

◆ 늘이고 고정하기

4장에 나와 있는 '늘이고 고정하기' 동작설명을 따르되(86쪽), 상자 위에서 하지 말고 바닥에서 해라.

◆ 수건 위에 눕기

'수건 대고 벽에 기대기' 동작(275쪽)에서 벽에 기대는 대신 바닥에 눕는 거라고 생각하면 된다. 등을 바닥에 대고 눕는다. 2개의 수건을 각각 8~9㎝ 두께로 말아서 하나는 목 뒤(머리 뒤가 아니다!)에, 다른 하나는 등 뒤의 움푹한 부분에 넣는다. 숨을 깊이 들이마셨다 내쉬며 3분간 유지한다.

◆ 공중에 앉기

4장에 나와 있는 '공중에 앉기' 동작 설명을 따른다(87쪽). 이 자세를 2분간 유지한다.

▮배 구

배구는 축구에 비해 선수 간 접촉이 덜하고 남자나 여자 모두 즐길 수 있는 운동이다. 축구와 달리 배구는 주로 상체를 사용하기 때문에 어깨나 팔꿈치, 손목 등에 무리가 가기 쉽다. 한편, 몸무게를 빠르게 옮겨야 하므로 등이나 무릎, 발목에 무리를 주기도 한다. 배구를 즐기면서 여러 가지 통증을 가졌다면 다음에 소개하는 운동을 해봐라.

◆ 팔 돌리기

이번 장 골프 부분의 '팔 돌리기' 동작설명을 따른다(286쪽).

◆ 바닥에 앉아 비틀기

그림 12-12

바닥에 앉아 양다리를 앞으로 쭉 뻗고 양손으로 몸 뒤쪽 바닥을 편안하게 짚는다. 왼쪽 다리를 굽혀 오른쪽 다리 위에 겹친다. 왼쪽 발이 오른쪽 다리 바깥쪽 바닥에 평평하게 닿도록 하고, 발이 향하는 방향은 쭉 뻗은 오른쪽 다리와 평행을 이루게 한다. 그리고 오른팔을 굽히고 몸통을 왼쪽으로 비틀어 오른쪽 팔꿈치가 왼쪽 무릎 바깥쪽에 닿게 한다. 시선은 몸 뒤쪽을 향한다. 곧게 편 오른쪽 발목을 무릎쪽을 향해 당겨 다리근육을 팽팽하게 유지한다. 이 운동은 양쪽 엉덩이 근육이 균등하게 움직이고 어깨와 함께 기능할 수 있게 해준다. 이 자세를 1분 동안 유지한 후 다리를 바꿔 반복한다.

◆ 고양이와 개

이번 장 골프 부분의 '고양이와 개' 동작설명을 따른다(290쪽).

◆ 달리는 사람의 스트레칭

이번 장 달리기 부분의 '달리는 사람의 스트레칭' 동작설명을 따른다(304쪽).

◆ 공중에 앉기

4장에 나와 있는 '공중에 앉기' 동작설명을 따른다(87쪽).

▌야 구

얼마 전 텔레비전에서 해주는 야구 중계를 보고 있는데, 뜬 볼을 잡으려던 두 수비수가 심하게 부딪혀 그만 넘어지는 것이었다. 이때 해설자가 무덤덤하게 말했다. "뭐, 야구를 하다보면 어느 정도 다치는 것은 생각하고 있어야죠."

최근 들어 야구 선수들이 부상을 많이 당하는 것 역시 그들의 기능장애 때문이라고 말할 수 있다. 근골격계가 중립 자세를 유지하고 있으면 공을 힘껏 던지거나 배트를 크게 휘두르거나 슬라이딩을 할 때의 충격을 잘 흡수할 수 있다. 하지만 기능장애가 있다면 이야기는 달라진다. 전설적인 메이저리그 투수 디지 딘*Dizzy Dean*이 활약하던 1930년대 투수들은 대개 경기 내내 혼자 공을 던졌다. 심지어 한 투수가 하루 두 게임을 뛸 때도 있었다. 그런데 오늘날은 선발, 구원, 마무리로 나누어 여러 명의 투수가 등판하는데도 어깨나 팔, 등에 부상을 입는 선수가 많다. 프로선수뿐만 아니라 취미로 야구를 즐기는 경우에도 부상을 입기 쉽다. 야구를 하다가 생긴 통증은 다음의 운동으로 극복할 수 있다.

◆ 등 고정하기

5장에 나와 있는 '등 고정하기' 동작설명을 따른다 (105쪽).

◆ 배 근육 강화하기

축구 부분의 '배 근육 강화하기' 동작설명을 따른다(315쪽).

◆ 고양이와 개

이번 장 골프 부분의 '고양이와 개' 동작설명을 따른다(290쪽).

◆ 구부린 개

이번 장 테니스 부분의 '구부린 개' 동작설명을 따른다(293쪽).

◆ 공중에 앉기

4장에 나와 있는 '공중에 앉기' 동작설명을 따른다(87쪽).

▌농 구

개인적으로는 농구를 그다지 좋아하지 않는다. 해가 갈수록 경기가 더 잔인해지고 격렬해지기 때문이다. 그런데 최근 들어 NBA의 득점률이 많이 떨어졌다. 이것은 선수들의 어깨자세가 불안정해지면서 슈팅기술이 떨어졌기 때문이다. 어깨가 앞으로 굽고 아래로 처진 상태에서는 팔을 수직으로 뻗어 올릴 수 없다. 따라서 선수들은 그 불가능한 동작을 보완하는 자세로 슛을 쏜다. 그들도 그것을 알기 때문에 되도록 골대 가까이에서 슛을 하려고 한다. 그 때문에 선수 간의 격렬한 몸싸움과 반칙이 잦아지는 것이다. 통증 없이 자유투 성공률을 높이고 공간감각을 유지하며 팀원과의 협동력을 키우기 위해서는 다음에 소개하는 운동을 적극 활용해라.

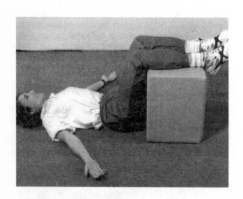

◆ 등 고정하기

5장에 나와 있는 '등 고정하기' 동작설명을 따른다 (105쪽).

◆ 벽에 기대기

5장에 나와 있는 '벽에 기대기' 동작설명을 따른다 (105쪽).

◆ 바닥에 앉기

6장에 나와 있는 '바닥에 앉기' 동작설
명을 따른다(134쪽).

◆ 늘이고 고정하기

4장에 나와 있는 '늘이
고 고정하기' 동작설명
을 따른다(86쪽).

◆ 공중에 앉기

4장에 나와 있는 '공중에 앉기' 동작설
명을 따른다(87쪽).

▌헬스클럽, 피트니스 센터

헬스클럽 자체는 매우 훌륭한 시설이다. 그리고 그곳을 이용하는 사람들은 웬만해선 통증이 생기지 않기 때문에 맨 마지막으로 언급하려고 한다. 다만 이런 시설들이 원래의 기대에 부응하지 못하는 이유에 대해서만 간단히 짚고 넘어가려 한다.

문제의 시작은 결국 움직임의 부족이고, 그 끝 역시 움직임의 부족이다. 헬스클럽에서 주로 하는 운동은 단 몇 개의 근육만 집중해서 단련하고, 몸 전체의 균형은 간과한다. 사람들은 주로 이미 몸의 균형이 흐트러진 상태에서 헬스클럽에 등록하고, 가장 하기 편하고 만족스러운 기분을 느끼게 해주는 운동만 한다. 각각의 운동기구는 단련시키는 근육의 부위가 다르기 때문에 운동을 하면 특정 부위만 자극을 받고 나머지는 약한 상태로 머물고 만다. 그곳의 운동기구들은 이미 변형이 이루어진 기능장애의 몸을 그 상태 그대로 더욱 강화한다.

이렇게 근육을 분리해서 단련하는 것은 사실 별 효과가 없다. 운동하는 동안 잔뜩 긴장했던 근육이 운동을 마치자마자 원래 상태로 돌아가기 때문이다. 나머지 시간 동안 여전히 움직임이 없고, 근육은 풀어질 대로 풀어지고 만다.

마지막으로 요즘 헬스클럽에서 인기 있는 운동기구에 대해 이야기해보자. 그것들은 대부분 충격을 주는 정도가 낮거나 아예 없다. 안타깝게도 오늘날 헬스클럽에선 에어로빅 정도의 충격을 주는 운동을 거의 찾아보지 못한다. 몸무게를 지탱하고 충격을 흡수하는 과정을 거쳐야 관절이 안정적으로 자리 잡을 수 있는데 말이다.

헬스클럽에서는 특정 근육만을 단련시키는 경향이 있으므로, 헬스클럽에 다니면서 느끼는 통증은 특정 신체부위를 다룬 장을 찾아

그곳에서 소개하는 운동의 도움을 받길 바란다.

이 장을 마치며, 나는 운동이나 신체활동, 어떤 기구 자체가 통증의 원인이 아니라는 것을 다시 한 번 강조하고 싶다. 누누이 말하지만 아예 안 움직이는 것보다는 어떤 식으로는 움직이는 게 훨씬 낫다. 움직임이 많은 삶으로 복귀하는 길을 찾는 것은 바로 우리 몫이다.

13.

통증해방 :

우리에겐

움직일 권리가 있다

지금까지 소개한 에고스큐 운동법을 통해 통증을 완화시켰다면, 이제 통증 없는 상태를 지속할 방법을 모색할 때다. 이번 장에서는 응급처치를 넘어서 만성통증을 영원히 물리치기 위한 평생 프로그램을 소개하려 한다.

작은 동작이
오래 간다

응급처치는 나쁜 게 아니다. 오히려 살아남기 위해 반드시 알아 두어야 할 사항이다. 현대 서양의학은 외상이 있거나 생명을 위협하는 상황을 다루는 데 매우 능숙하다. 그러나 여기에 함정이 있다. 응급처치 기술은 적절하지 못할 때가 더 많다. 우리 근골격계는 대부분의 문제를 스스로 해결할 수 있는 능력을 가지고 있다. 우리가 해야할 일은 근골격계의 기본 원리를 이해하고, 이들이 제대로 기능할 수 있는 환경을 조성해주는 일이다. 힘든 다이어트나 피나는 노력을 요하는 건강관리법을 제안하는 게 아니니 걱정하진 말라. 지금부터 제안하는 프로그램은 일상생활에서 더 많이 움직일 수 있도록 하는 데서 시작한다. 매일 움직임을 기록으로 남겨두는 게 좋다. '움직임 일기'의 형식은 다음을 참고하라.

오전

1. 기상, 샤워, 옷 입기, 아침식사 만들고, 아이들 학교에 태워다줌
2. 운전하여 출근, 전화 메시지에 답변
3. 회의 참석, 연간 보고서 초안 검토
4. 입사지원자 면접, 전화, 책상 앞에서 점심식사

오후

5. 회의 — 지루했음!
6. 택시 타고 고객의 사무실에 가서 문제와 전망에 관해 토의

7. 택시 타고 사무실로 되돌아와 전화 메시지에 답변, 메모 초안작성

8. 회의, 메일 훑어봄

9. 운전하여 식료품점에 들러 쇼핑, 운전하여 집으로 돌아옴

저녁

10. 저녁식사 준비, 먹고, 설거지

11. 운전하여 교회 감, 성가대 연습

12. 운전하여 집으로 돌아와 아이들 숙제 도와줌

13. 사무실 문서업무, 컴퓨터로 이메일 체크

14. TV보고, 잠자리 준비, 잠듦

위 사례는 말 그대로 '사례'일 뿐이다. 당신은 생활패턴을 기록해서 하루 동안 어떤 활동을 하는지, 얼마나 움직이는지 알아볼 수 있다. 아마 그동안 미처 몰랐던 당신의 생활패턴을 알 수 있게 될 것이다. 일단 생활패턴이 보이기 시작했다면, 개선의 여지가 생기기 마련이다.

몇 주간 '움직임 일기'를 기록해보고, 당신의 움직임을 분석해봐라. 운전하고 책상 앞에 앉아 있고 TV를 보는 데 대략 몇 시간 정도를 소비하는지 계산해봐라. 당신은 움직일 때 주로 무엇을 하고, 몸의 어느 부분을 사용하는가? 짧은 거리는 주로 걸어 다니는가, 운전해서 가는가, 대중교통을 이용하는가? 양손을 골고루 사용하기보다는 한쪽 손을 더 많이 사용하는 편인가? 이런 정보들은 우리가 무엇을 하는지 외에도 무엇을 하지 않는지를 알려주기 때문에 아주 소중하다. 우리의 생활패턴을 바꾸도록 독려하는 것은 바로 '무엇을 하지

않는지'에 관한 데이터다.

사람들은 대부분 자기가 끊임없이 움직이고 있다고 주장한다. 그리고 아마 그 말은 사실일 것이다. 단지 몸의 극히 일부만을 반복해서 움직인다는 게 문제인 것이다. 인체에는 187개의 관절과 600개 이상의 근육이 있는데, 이 중에 움직이지 않아도 되는 것은 단 한 개도 없다. 지속적으로 움직여주지 않으면 이 근골격계들은 빠른 속도로 기능을 상실할 것이다. 그런데 생각해봐라. 187개의 관절과 600개 이상의 근육을 하루에 한 번 이상씩 움직이도록 하는 프로그램이라니! 아무리 체력단련에 목숨 건 사람이라도 이런 프로그램을 만들 수 없을 것이다. 그런데 다행히도 그럴 필요가 없다. 생활이 그 프로그램을 대신해줄 것이다. 심장이나 내장 같은 불수의근은 우리가 의식하지 않아도 알아서 끊임없이 움직인다. 따라서 이런 근육은 반응하라고 따로 신호를 보낼 필요가 없다. 나머지 근육은 의식적으로 움직여줘야 한다. 그런데 그것들 역시 두 번 생각하는 수고 없이 각자의 임무를 즉시 수행한다. 다만 그것들은 사람들이 다양하고 광범위하게 움직였던 과거에 비해 많은 기능이 퇴화된 상태다.

만일 '움직임 일기'를 통해 당신이 주로 손과 팔꿈치를 이용해 움직인다는 사실을 알게 되었다면, 다른 구조보다 어깨에 일단의 조치를 취해야 할 것이다. 그리고 화장실에 가려고 5분간 걷는 동작을 몇 시간에 한 번씩 반복한다 한들 대여섯 시간 동안 앉은 자세로 가둬놓은 근육이나 관절에 가해진 힘을 완전히 상쇄할 수는 없다. 우리는 '움직임 일기'를 통해 자기의 신체활동량이 얼마나 부족한지 알 수 있고, 각각의 활동에 할애하는 시간을 어떻게 조정해야 균형 있는 생활을 영위할 수 있는지도 알 수 있다.

우선 매 시간 생활패턴을 깨는 움직임 한 가지씩을 추가해봐라. 만일 앉아 있다면, 일어서라. 맨 앞줄에서 일하고 있다면 뒤로 가라. 손으로 일하고 있다면, 빨리 걷는 것으로 발에게 일거리를 줘라.

수십 가지의 가능성이 있을 수 있다. 한 시간에 한 가지씩 하는 정도야 별것 아니라고 생각할 수도 있지만, 생각보다 굉장한 효과가 있다. 지금껏 간과해왔던 몸의 다른 기능을 의식적으로 사용해서 강화하고, 그 기능을 골고루 향상시키는 데 큰 도움이 될 것이다.

이 세상에는 수많은 운동 프로그램이 존재하지만, 대부분 '너무 빨리, 너무 많이' 하라고 강요하는 우를 범한다. 운동 초보자가 이런 프로그램을 따라하다가는 얻는 것보다 잃는 것이 훨씬 많을 것이다. 그저 한 시간에 한 번씩만, 굳어진 움직임 패턴을 깨뜨리면 그걸로 족하다. 재미있고 자기강화 훈련도 되며, 나아가 움직임 패턴을 더 자주 깨뜨릴 수 있는 능력을 기를 수 있다.

요즘 큰 빌딩은 대부분 '금연건물'이다. 그래서인지 빌딩 옆의 좁은 공간에는 수많은 흡연자들이 떼 지어 담배를 피워대곤 한다. 재미있게도, 그들의 흡연욕구 덕택에 그들은 정형화된 생활패턴을 깨고 책상에서 일어나 (엘리베이터를 타든 계단을 이용하든) 바깥으로 나온 후 5~10분 정도 서 있게 되었다. 아마 흡연으로부터 얻을 수 있는 단 하나의 혜택이 아닐까 한다. 그런데 비흡연자들은 어떤가? 그들에겐 책상에 앉아 있을 시간에 잠깐 일어나 바깥으로 나갈 동기가 없다. 그러나 기억해라. 흡연자들이 정형화된 행동패턴을 깰 수 있다면, 비흡연자들 역시 그렇게 할 수 있다는 사실을!

정형화된 행동패턴 깨기 1

- 양손을 머리 위로 뻗어 기지개를 켠다.
- 허리를 좌우로 비튼다.
- 머리를 둥글게 돌린다.
- 천장을 본다.
- 바닥에 앉는다.
- 무릎을 꿇는다.
- 두 팔을 새처럼 펄럭인다.
- 의자 위에 올라가 선다.
- 한쪽 다리로 서서 균형을 잡는다.

원더풀 라이프

간혹 사람들이 내게 이렇게 묻는다. "근골격계 통증이나 기능장애를 피할 수 있는 이상적인 직업이 있을까요?" 대답은 간단하다. 바로 모든 직업, 모든 생활습관에서 가능하다는 것이다.

벽돌을 실어 나르는 중노동자건 은행 지점장이건, 우리 몸은 동등하게 활동할 권리를 가지고 있다. 만일 노동자의 유일한 신체활동이 오로지 무거운 벽돌을 등에 지고 나르는 것뿐이라면, 그도 역시 사무실 직원과 똑같은 기능장애를 겪을 수 있다. 그 어떤 직업도 정확히 같은 장소에서 매순간 똑같은 동작을 반복하게 할 수는 없을 것이다. 우리는 기계가 아니다. 그렇기 때문에 우리 몸이 근골격의 건강을 유지하는 데 필요한 다양한 움직임을 갖도록 행동범위에 변화를 줘야 한다.

이상적인 직업, 혹은 생활습관을 영위하는 사람들은 그들 스스로 균형 있게 움직일 수 있는 환경을 만들어낸다. 얼마 전 우리 동네의 한 집이 지붕 공사를 해서 현장 노동자들이 일하는 모습을 지켜볼 기회가 있었다. 네 사람이 사다리를 오르내리고 지붕 위에서 웅크려 앉아 못질을 하며 한 나절을 보냈다. 점심시간이 되자 그들은 지붕에서 내려와 풀밭에 몸을 쭉 펴고 누웠다가 일어나 앉아 샌드위치를 먹었다. 샌드위치를 다 먹고는 일어서서 또 한 번 시원하게 기지개를 켠 다음 풀밭에 굴러다니던 고무공을 가지고 약 30분 동안 미니 축구 경기를 했다. 그들은 꽤 열심히 뛰어다니고 구르고 공을 차고 점프를 했다. 그런 후에 다시 지붕 위로 올라가 나머지 일을 했다. 그들은 종일 웅크리고 지붕 위에 못을 박거나 여전히 쪼그려 앉아 샌드위치를 먹기만 할 수도 있었다. 그러나 그들은 찌뿌드드한 몸의 신호를 알아채고 정형화된 행동패턴을 자유롭게 깨버린 것이다.

내 친구의 예도 있다. 그녀는 매일 같은 곳으로 출근하지만, 절대로 같은 장소에 주차하진 않는다. 하루는 가파른 언덕 아래에 주차하기도 하고, 또 하루는 직장에서 1㎞ 가량 떨어진 곳에 주차하고 팔을 흔들며 걸어오기도 한다. 직장 주차장에 세울 때도 건물과 최대한 떨어진 곳에 주차하고는 조깅 삼아 가볍게 뛰어 출근한다.

얼마 전 70대 초반의 한 여성이 우리 클리닉에 찾아왔다. 일레인이라는 이름의 그 여성은 젊은 시절 무용수로 활약했고 여전히 자세가 좋았다. 그녀가 사무실 문을 열고 들어오는 순간, 우리 모두의 시선이 즉각 그녀의 아름다운 다리로 쏠렸다. 다행히 그녀는 불쾌해 하지 않았고, 대신 그 나이가 되도록 각선미를 유지할 수 있었던 '비법'을 설명해주었다. 무용을 그만둔 이후 그녀는 일부러 사무실 한 층 아래에 있는 화장실을 이용했다고 한다. 하루에도 몇 차례씩 계단을 오르내렸다는 것이다. 그녀가 생각해낼 수 있는 유일한 생활 속 운동이었고, 내 생각에도 그녀의 선택은 썩 훌륭했다.

우리도 얼마든지 행동패턴을 변화시킬 수 있다. 오늘날 사람들이 생활하는 환경은 움직임을 거의 요하지 않는다. 따라서 우리 스스로 최대한 많이 움직일 수 있도록 정형화된 패턴을 깨야 한다.

정형화된 행동패턴 깨기 2

- 여행가방은 끌고 다니는 것보다 들고 다닐 수 있는 것을 선택한다.
- 리모콘 사용을 자제하라. TV든 오디오든 자동차든 말이다.
- 전화기는 일어서서 걸어가야 받을 수 있는 위치에 둔다.

변화를 시도할 때 어린이를 역할모델로 삼으면 좋다. 아이들은 본능적으로 정형화된 행동패턴을 깨기 때문이다. 남자아이든 여자아이든, 식당 바닥에 떨어진 책을 주워달라고 말을 붙여 봐라. 아이는 돌아서 걸어가는 대신 식탁 밑으로 기어들어갈 것이다. 아이들은 가장 원만한 방법으로 가장 단순한 일을 한다. 그들은 자기 신체기능을 본능적으로 잘 활용한다. 어른들이 아이들처럼 할 수 없는 이유는 성장과정에서 신체기능을 골고루 발달시키지 않았기 때문이다. 어른들의 행동패턴이 정형화되는 이유는, 각자가 이미 자기 분야의 전문가가 돼버렸기 때문일 것이다. 이를테면 아빠, 엄마, CEO, 직장인 등

등. 그리고 각각의 역할은 특정 유형의 움직임이 필요한 것이다.

로버트 케네디의 수행원이 이런 말을 했다고 한다. "로버트 케네디는 입안의 혀처럼 움직이는 사람들과 함께 다니는 데 너무나 익숙해진 나머지, 문 손잡이를 돌리는 방법도 잊어버렸다." 물론 우스갯소리겠지만, 단순히 문을 열고 닫는 동작 역시 유용한 움직임에 속한다는 사실을 명심해라. 신체활동을 제한할수록 성장은 멈춘다. 이 상태가 지속되면 바로 통증이 시작되는 것이다.

수면부족과
통증의 관계

움직임은 몸 곳곳에 활력을 불어넣는다. 그런데 우리는 움직임을 대체할 인공적인 자극으로 활력을 찾으려고 한다. 니코틴, 카페인, 설탕, 알코올…. 이런 것들로 움직임의 부족을 해결할 수 있을 거라 믿고 싶어 한다. 그러나 이상적인 건강관을 지닌 사람들은 각성제, 진정제, 수면제 대신 움직임을 사용할 줄 안다.

극심한 만성통증으로 괴로워하던 환자들 가운데 수면부족 증세를 보이는 경우가 종종 있었는데, 그들은 쉽게 짜증을 내고 초조해하고 산만하며 항상 붕 떠 있는 듯한 느낌을 주었다. 그들은 너무 아파서 편안히 잘 수 없다고 말했지만, 내가 보기에 그들에겐 통증보다 수면부족이 선행했을 것이다. 수면은 낮 동안의 활동으로 소모된 에너지를 보충하고 피곤한 근육을 재생하는 기능이 있다. 그런데 충분히 움직이지 않는 경우 근육이 피로를 덜 느끼기 때문에 잠을 잘 필요성도 줄어든다. 잠을 자지 못하면 에너지 재생도 불충분하기 때문에 또 다시 움직임 부족이라는 악순환의 고리에 빠져든다. 결국 정신도 멍해지고 몸도 둔해지는 고통에 시달리게 되는 것이다.

움직임 부족에서 수면부족으로 이어지는 과정은 또 다른 행동패턴을 만들어낸다. 움직임이 적으니 밤늦도록 뜬눈으로 지새우거나, 억지로 잠을 청한답시고 수면안대나 수면제를 사용해야 하거나, 지루하고 외롭고 우울하다는 이유로 밤참을 먹게 되거나 하는 식이다. 한편, 잠을 충분히 자지 못하면 식생활 균형도 깨지고 만다. 만일 누군가 밤 10시쯤에 왠지 기분이 공허해서 커다란 피자 한 판을 시켜 혼자 다 먹었다고 치자. 그렇다면 그의 출렁이는 뱃살과 미친 듯한 혈당량은 의지박약, 열악한 직업, 나쁜 유전자의 결과일까, 아니면 움직임 부족 때문일까? 나는 움직임 부족 편에 손을 들겠다.

가장 간단한 단계, '물 마시기'에서부터 시작하라. 근육조직은 90% 이상이 수분으로 이루어져 있다. 우리는 우리가 잃어버린 자극을 대체할 목적으로 수분을 섭취한답시고 커피나 콜라, 음료수, 술 등을 마셔댄다. 근육을 이중으로 위험에 처하게 한다는 사실은 까맣게 모르고 말이다. 움직임 부족으로 이미 기능을 상실한 마당에 엉뚱한 자극제가 첨가된 액체가 몸속에 들어오면서 그 자극에 대처하느라 더욱 지치게 되는데 말이다. 콜라는 목 정도는 축여줄지 모르지만, 몸속에 활력을 불어넣는 수분을 보충해주지는 못한다.

이런 패턴 역시 깨트려야 한다. 자기 움직임을 추적하면서 먹고 마신 것에 대해서도 함께 기록해봐라. 신체활동이 많아질수록 먹는 음식이나 음료의 양이 달라졌음을 알게 될 것이다. 많이 움직이면 인공적인 자극이 필요 없다. 그러나 집밖으로 나가기 싫은 날, 꼼짝도

하기 싫은 춥고 우울한 날이면, 당신은 사탕이나 초콜릿, 짠 음식, 커
피 등을 찾게 될 것이다. 이상적인 건강관을 갖춘 사람에게, 음식은
자극을 위한 게 아니라 몸에 연료를 공급하기 위한 것이다. 덧붙여,
이들은 물을 아주 많이 마신다. 온더락(on the rocks), 스트레이트 업
(straight up) 같은 칵테일이나 탄산음료 역시 이름은 여전히 'H2O'
다. 물을 얼마나 많이 마셔야 하는지 궁금한가? 얼마나 많이 움직였
는지에 따라 당신 몸이 알려줄 것이다. 움직임 없는 생활패턴을 깨는
순간, 당신 몸은 물을 달라고 아우성칠 것이다. 한마디로 물은 아무
리 많이 마셔도 좋다는 것이다.

물은 마시고 기운은 올리고

• 언제나 식사와 함께 물을 마셔라.
• 아침에 일어나자마자 물 한 컵을 마셔라.
• 침실이나 차 안은 물만 마시는 지역으로 설정해라.
• 책상 위에 항상 물병을 놓아두어라.
• 스포츠 음료나 탄산음료 대신 거품이 이는 과일주스를 마셔라.
• 일주일에 하루는 커피나 차, 탄산음료를 끊고 물만 마셔라.
• 목이 마르면 물을 마셔라. 다른 어떤 것도 원치 않게 될 것이다.

운동습관을
경계해라

'패턴'의 다른 이름인 습관이나 일상은 '부족함'을 관리하기 위한 기술이다. 우리는 돈을 관리하고, 시간을 관리하며, 에너지를 관리한다. 운동 역시 마찬가지다. 운동을 일상의 습관으로 삼으면, 믿거나 말거나 운동 그 자체는 '움직임 부족'이라는 패턴으로 떨어져버릴 수 있다. 예를 들어 날마다 같은 경로로 조깅을 하고, 헬스클럽에서 똑같은 기구를 이용하는데 다른 신체활동은 거의 하지 않을 때는 어떻겠는가? 스포츠를 직접 즐기는 대신 TV 앞에 앉아 경기를 관람하고, 몇 블록 떨어진 곳에 걸어가는 대신 운전을 하는 식인데 말이다. 게으름이 문제가 아니다. 문제는 신체기능의 감퇴다. 익숙한 운동만 반복할 경우, 우리 몸은 기형적으로 단련될 뿐 기능장애를 극복하는 데는 별 도움이 안 된다.

 운동이 아닌 활동으로

- 다양한 경로로, 다양한 속도로 걷거나 뛴다.
- 운동하는 시간과 장소에 변화를 준다.
- 몸의 네 부분, 즉 오른쪽, 왼쪽, 위쪽, 아래쪽을 골고루 사용한다.
- 헬스클럽에 있는 '모든' 운동기구를 이용한다.
- 하기 싫은 행동, 하기 싫은 운동을 일주일에 한 번만 해본다.
- 무계획적인 짧은 시간의 운동을 즐겨라. 그리고 계획적인 운동을 위한 시간을 만들어라.

- 환경에 변화를 준다.
- 신발을 벗는다.
- TV나 오디오, 라디오에서 나오는 인공적인 음악을 끈다.
- 유산소운동을 해라. 만일 당신이 심장을 계속 뛰게 하는 것 말고는 아무것도 하는 게 없다면, 이것은 몸의 나머지 부분을 모두 망쳐버리는 셈이다.

기능적으로 달리기

- 걷는 속도와 비슷하게 유지하며 달린다.
- 몸통, 어깨, 팔, 목을 느슨하게 풀어준다.
- 횡격막을 늘이고 조인다는 느낌으로 복식호흡을 한다.
- 허리를 곧게 펴 몸이 완전히 일자로 섰다고 느끼는 상태로 달린다.
- 발과 발목, 무릎을 활기차게 움직여 통통 튀듯이 달린다.
- 왼팔과 오른팔을 리드미컬하게 움직이되, 팔이 허리보다 높이 올라오지 않게 주의한다. 그리고 좌우가 아닌 앞뒤로 똑바로 움직인다.
- 발가락 끝이 정면을 향해야 한다. 발이 땅에 닿을 때마다 뒤꿈치에서 발바닥, 발가락의 순서로 닿도록 집중한다.
- 어깨는 뒤로 펴고, 머리는 위로 들어준다. 주위를 둘러보며 즐긴다!

우리 클리닉에서 운동선수들을 위한 컨디션 조절 캠프를 시행했던 적이 있다. 그곳에서 나는 선수들에게 '기능적으로 달리기'를 소개했다. 수분을 덜 고갈시키면서도 신체기능을 체계적으로 골고루 활용할 수 있는 방법이다. 선수들뿐 아니라 일반인들도 쉽게 할 수 있으니 당신도 해봐라. 총 20분에서 2시간 혹은 그 이상 달려도 좋다. 이런 방법으로 달리는 것은 지금까지의 생활패턴과 기능장애로 단련된 보상근과 상대적으로 쇠약해진 주동근에 균일한 자극을 준다는 이점이 있다. 기능장애가 있는 사람이 심한 운동을 하면 주동근이 제 기능을 다하지 못하기 때문에 보상근이 그 역할을 대신하게 된다. '기능적으로 달리기'는 이런 일이 발생하는 것을 막아주어 주동근이 충분한 힘을 얻어 기능할 수 있도록 해준다.

우리가 깨뜨려야 할 또 하나의 활동 패턴은 숨쉬는 습관이다. 이번에는 '산소'를 관리하는 것이다. 우리는 산소공급이 부족하기 때문에 숨을 아끼는 경향이 있다. 수분섭취와 마찬가지로, 산소섭취도 근골격계의 기능장애 때문에 제한이 생기고 다시 악순환이 시작된다. 신체기능이 저하될수록 몸속에 흡수되는 산소량이 줄어든다. 산소가 부족하면 신체기능은 더 악화된다. 그러나 이런 악순환도 우리 의지로 '선순환'으로 바꿀 수 있다. 방법은 아주 간단하다. 아낌없이 숨을 쉬면 된다.

분자와 근육과 움직임 = 신진대사

우리는 정형화된 행동습관을 깨뜨렸다. 그렇다면 기능장애의 또 다른 원인인 신진대사의 패턴도 변화시킬 수 있다. 신진대사율이 떨어지면, 우리는 몸무게를 조절하거나 최상의 컨디션에서 정신적·육체적 기능을 수행하거나 건강하고 행복한 삶을 영위하는 것조차 기대할 수 없다.

신진대사를 이해하는 일은 결코 쉽지 않기 때문에 신진대사와 움직임의 관계만을 간단히 짚고 넘어가려 한다. 신진대사란 신체가 분자를 분해하여 에너지로 전환하는 과정이다. 기초대사율(BMR, 생명유지에 필요한 최소한의 에너지 대사량)을 알아보기 위한 보편적인 방법은 체내의 산소소비량을 측정하는 것이다. 분자를 분해하거나 태울 때 반드시 필요한 것이 산소이기 때문이다. 산소는 근육을 통해 이동한다. 만일 근육이 폐를 작동시키지 않는다면, 모든 게 끝이다. 근육이 신진대사에 관여하는 것은 산소를 이동하기 위해서만은 아니다. 만들어진 에너지를 활용하는 데도 근육이 중심적인 역할을 한다. 신진대사를 거쳐 만들어진 에너지는 열 혹은 운동의 연료로 사용된다. 운동을 많이 할수록 필요한 산소량도 늘어나고, 그만큼 신진대사율도 높아진다. 그런데 몸을 움직이지 않은 채 방치해둔다면 어떻게 될까? 일단 산소만 충분하다면, 신진대사는 계속 이루어진다. 생명유지에 필요한 에너지를 끊임없이 만들어내야 하기 때문이다. 그러나 근골격계를 움직여 단련시키지 않으면 점차 약해지고, 그만큼 산소의 운반도 원활하게 이루어지지 않을 것이다. 결국 만들어지는 에너지가 줄어들고 몸 전체가 쇠약해지고 아프다가 죽게 된다. 몸무게의 60%가 근육과 뼈로 구성돼 있는 것을 보면, 우리 몸은 애초에 '많이 움직이도록' 설계돼 있는 것이다.

숨쉬기 휴식요법

- 일어서서 어깨와 목을 흔들어 풀어준다.
- 배 부분을 편안하게 둔다. 평소에는 애써서 배를 집어넣고 다녔을 테니 잠시 배에게 휴식을 줘라. 비록 보기에는 별로 좋지 않더라도 말이다.
- 입을 다물고 코를 통해 깊게 숨을 들이마신다. 폐를 공기로 가득 채우고 횡격막이 팽창하는 것을 느껴라.
- 멈추지 말고 자연스럽게 이어지도록 입으로 숨을 내쉰다.
- 이런 식으로 숨을 들이마시고 내쉬기를 10번 반복한다.
- 한 번 더 숨을 들이마시고, 폐 속에 공기를 가두고 천천히 열까지 센 후 다시 내쉰다.
- 아침에 일어나자마자, 운동을 하기 전, 잠자리에 들기 전에 이 숨쉬기를 한다. 사실 원한다면 언제 어디서 해도 좋다.

종합 컨디션 조절 운동

이제 에고스큐 운동법의 마지막 프로그램을 소개할 차례다. 종합 컨디션 조절 운동은 근골격계 기능을 완전히 회복할 수 있게 해줄 것이다. 적절한 운동을 통해 만성통증에서 막 벗어난 단계라면, 한 달 동안 일주일에 세 번씩 종합 컨디션 조절 운동을 하고, 그 후에는 날마다 해라. 만일 만성통증이 재발하면 지금까지 소개한 에고스큐 운동법 중 적절한 프로그램을 찾아서 통증이 사라질 때까지 다시 시행해라.

◆ 팔 돌리기

12장에 나와 있는 '팔 돌리기' 동작설명을 따른다(286쪽). 매우 단순해 보이지만 막상 해보면 쉽지 않을지도 모른다. 거울 앞에서 이 동작을 하면서 양팔의 높이가 같은지 확인해라. 50번 반복한다. 이 동작은 등 위쪽 근육이 어깨 근육과 조화롭게 협응해서 움직일 수 있게 해준다.

◆ 팔꿈치 모으기

12장에 나와 있는 '팔꿈치 모으기' 동작설명을 따른다(287쪽). 15번 반복한다. 정상적인 관절이라면 앞뒤로 이동하는 게 자유로울 것이다.

◆ 발 회전 발끝 굽히기

4장에 나와 있는 '발 회전 발끝 굽히기' 동작설명을 따른다(84
쪽). 한쪽 발 당 각각 20번씩, 총 40번 반복한다. 팔자걸음으로 걷는
사람들에게는 이 운동이 힘들 수도 있다.

◆ 바닥에 앉아 비틀기

12장에 나와 있는 '바닥에 앉아 비틀기' 동작설명을 따른다(318쪽). 엉덩이와 어깨의 균형이 무너져 있을수록 이 운동을 하기 어려울 것이다. 똑바로 섰을 때 양 엉덩이와 양 어깨가 비틀어지지 않고 높이도 같아야 이 운동을 제대로 할 수 있다는 것을 알게 될 것이다. 이 자세를 1분간 유지하고, 좌우를 바꾼다.

◆ 고양이와 개

12장에 나와 있는 '고양이와 개' 동작설명을 따른다(290쪽). 15번 반복한다. 이 동작은 엉덩이와 척추와 어깨를 유연하게 구부렸다 펼 수 있게 해준다.

◆ 사타구니 스트레칭

그림 13-1

무릎을 꿇은 채 무릎 위부터 상체를 세운다. 한쪽 다리는 무릎을 굽힌 채 앞으로 이동시키는데, 나머지 다리의 무릎은 바닥에 그대로 닿아 있게 하면 사타구니 쪽 근육이 팽팽하게 땅길 것이다. 머리를 꼿꼿이 들고 허리를 곧게 편 상태에서, 손을 깍지 끼고 손바닥을 아래로 향하게 하여 앞으로 나온 무릎 위에 얹고 앞으로 민다. 엉덩이가 틀어지거나 몸통이 비틀어지지 않게 유의한다. 그리고 앞으로 나온 다리의 무릎은 발목보다 앞으로 나가서는 안 된다.

이 자세를 1분간 유지하고, 다리를 바꿔 반복한다. 이 동작은 사타구니 근육의 주 기능이 엉덩이 근육을 고정시키는 게 아니라 엉덩이를 안정적으로 받쳐주는 거란 걸 떠올리게 한다.

CHAPTER 13

◆ 구부린 개

　　12장에 나와 있는 '구부린 개' 동작설명을 따른다(293쪽). 이 자세를 1분간 유지한다. 이 동작은 어깨, 등, 허벅지, 장딴지, 발목에 이르는 등 쪽 근육 전체를 사용하게 한다.

◆ 공중에 앉기

　　4장에 나와 있는 '공중에 앉기' 동작설명을 따른다(87쪽). 이 자세를 2분간 유지하는 것을 1세트라고 할 때, 총 3세트를 한다. 오늘날 사람들의 허벅지는 의자 위에 편안히 앉아 있는 것에 너무나 익숙해진 나머지, 상체를 지탱하는 본연의 기능을 잊어버렸다. 이 동작은 허벅지 근육의 원래 기능을 일깨워줄 것이다.

자, 끝이다. 위에 소개한 종합 컨디션 조절 운동을 순서대로 매일 하길 바란다. 강조하건대, 만일 통증을 느낀다면 그것은 당신 자세가 잘못된 상태로 굳어져 버렸다는 뜻이다. 지금까지 소개한 모든 에고스큐 운동법 중에서 당신에게 가장 적합한 것을 찾아 해봐라. 제자리를 벗어났던 근육과 관절들이 제자리를 찾으면서 통증도 없어질 것이다.

응급처방에서
초강력처방으로

우리 몸은 놀랍다. 우리 근골격계는 스스로 건강을 통제하고 통증에서 벗어날 수 있게 하는 경이로운 힘을 가지고 있다. 그러나 단순히 힘을 가졌다는 것만으로 모든 문제가 해결되는 건 아니다. 힘은 반드시 연습을 통해 강화되어야 한다. 우리를 인간이게 해주는 것, 인간만의 놀라운 힘을 유지하고 지키기 위해서 우리는 '움직일 권리'를 위해 싸워야 한다. 근골격계의 기능을 이해하고 지금까지 소개한 에고스큐 운동법을 적절히 활용한다면, 우리는 통증 없는 건강한 삶을 영원히 유지할 수 있을 것이다.

문명이 선물한 편리한 생활 수단 덕분에 우리는 덜 움직이고 편히 살 수 있게 되었다. 하지만 그게 다 좋은 것만은 아니다. 그 때문에 불과 몇 년 전까지만 해도 크게 문제되지 않았던 질병들이 속속 나타나고 있으니 말이다. 그 가운데 하나가 바로 근골격계 질환이다. 근골격계 질환은 말 그대로 근육과 골격에 이상이 생긴 것으로, 목이나 어깨가 뻣뻣한 것부터 무릎이 아파서 걸을 수 없는 것까지 그 증상이 다양하다.

이 책은 근골격계 질환을 예방하고 치료하는 데 도움이 되는 운동을 소개한다. 혹시 근골격계 질환으로 고생하고 있는 사람이 있다면, 전문의의 진찰을 받은 후에 적절한 치료와 함께 이 운동을 꾸준히 해나가라. 그러면 통증을 떨쳐버릴 수 있을 것이다. 환자들을 대하면서 받는 질문 중 하나는 어떤 운동이 좋은지에 대한 것이다. 그때마다 마땅히 소개할 운동이 없어 안타까웠는데, 이제 이 책이 그 대답이 될 것이다.

한편, 통증은 무엇인가 잘못되었다는 것을 우리에게 알려주는 경보체계다. 따라서 통증을 없애기 위해 우리는 먼저 그것에 관심을 가져야 한다. 사소한 통증이라고 무시하지 말고, 그 근본원인을 찾으면 사소한 골칫거리가 큰 문제로 커지는 것을 막을 수 있을 것이다. 이 책은 그런 점에서 탁월하다. 몸 부위별로 생길 수 있는 문제, 그리고 그 문제의 근본원인을 찾아 치료할 수 있도록 하기 때문이다. 느낌이나 직관만으로 효과를 지레 짐작하거나 대충 하지 말고 충실하게 따라 해라. 그러면 분명 좋은 결과를 얻을 수 있을 것이다.

그러나 무엇보다 중요한 것은 올바른 자세와 생활 습관으로, 통증을 미리 대처하는 것이다. 실제로 관절이나 근육 통증 때문에 병원을 찾는 사람 중에는 자세가 나빠서 그런 증상이 생긴 경우가 허다하다. 일례로, 요즘에는 컴퓨터 앞에서 장시간 작업하는 직종이 많아지면서 '거북목 증후군'으로 고통을 호소하는 직장인이 늘어나고 있다. 그것을 별로 대수롭지 않게 생각하는 사람들도 있는데, 거북목 증후군은 오랫동안 지속되면 척추디스크를 비롯한 각종 근골격계 질환으로 이어질 수 있다. 따라서 컴퓨터 모니터를 눈높이까지 올리는 등 평소에 주의를 기울여 자세를 바로잡는 노력을 해야 한다. 아무리 좋은 음식을 챙겨 먹고, 운동을 많이 해도 자세가 나쁘면 통증은 생기기 마련이다.

그리고 일단 통증이 생기면 가능한 한 빨리 원인을 찾고 치료를 시작해서 합병증이 생기지 않도록 해라. 아무쪼록 이 책을 읽는 사람들 모두 통증 없는 건강한 삶을 살 수 있기를 진심으로 바란다.

2006년 11월 22일 바람 많이 불던 날

박성환

찾아보기

에고스큐 운동법

피트 에고스큐

피트 에고스큐는 해군장교로 베트남 전쟁에 참전했다가 심한 부상을 입었다. 그것을 계기로 통증에 대해 배우기 시작했고, 결국 통증 치료 전문가가 되었다. 현재 샌디에고(San Diege)에서 유명한 클리닉을 운영하고 있다.

그는 자기 이름을 딴 '에고스큐 운동법(Egoscue method)'를 통해 여러 가지 원인 탓에 생긴 만성적인 근골격계 통증을 치료했다. 유명한 골프선수 잭 니클라우스, NBA 농구선수 찰스 바클리의 선수생명을 연장해주었고, 수많은 스포츠 선수를 상담해주는 것으로도 유명하다. 지은 책으로는 《the Egoscue Method of Health through Motion》, 《Pain Free for Woman》, 《Pain Free at Your PC》 등이 있다.

옮긴이 소개

박 성 환

가톨릭대학교 의과대학을 졸업하고, 동대학에서 석·박사과정을 마쳤다. 미국 예일대학교 의과대학에서 연수했고, 현재 가톨릭대학교 강남성모병원 류마티스 내과 과장으로 있다. 그리고 대한 류마티스 학회 보험이사, 대한 내과학회 류마티스분과 학술위원장으로 활동하고 있다.

한 은 희

연세대학교 의용전자공학과와 사회학과를 졸업하고, 미국 세인트루이스 소재 워싱턴 대학교에서 석사과정을 마쳤다. 미국 위스콘신 매디슨 대학교에서 박사과정을 밟을 예정이다.

한언의 사명선언문

Our Mission – · 우리는 새로운 지식을 창출, 전파하여 전 인류가 이를 공유케 함으로써 인류문화의 발전과 행복에 이바지한다.

– · 우리는 끊임없이 학습하는 조직으로서 자신과 조직의 발전을 위해 쉼없이 노력하며, 궁극적으로는 세계적 컨텐츠 그룹을 지향한다.

– · 우리는 정신적, 물질적으로 최고 수준의 복지를 실현하기 위해 노력하며, 명실공히 초일류 사원들의 집합체로서 부끄럼없이 행동한다.

Our Vision 한언은 컨텐츠 기업의 선도적 성공모델이 된다.

저희 한언인들은 위와 같은 사명을 항상 가슴 속에 간직하고 좋은 책을 만들기 위해 최선을 다하고 있습니다. 독자 여러분의 아낌없는 충고와 격려를 부탁드립니다.
· 한언 가족 ·

HanEon's Mission statement

Our Mission – · We create and broadcast new knowledge for the advancement and happiness of the whole human race.

– · We do our best to improve ourselves and the organization, with the ultimate goal of striving to be the best content group in the world.

– · We try to realize the highest quality of welfare system in both mental and physical ways and we behave in a manner that reflects our mission as proud members of HanEon Community.

Our Vision HanEon will be the leading Success Model of the content group.